GRAMMAIRE FRANÇAISE
POUR TOUS

A LA MÊME LIBRAIRIE

Collection « LE FRANÇAIS FACILE POUR TOUS »
par Maurice RAT

Ancien élève de l'École Normale Supérieure
Agrégé de l'Université
Professeur au Lycée Janson-de-Sailly.

Le verbe. Définitions et généralités. Conjugaisons. Tableaux des verbes irréguliers. Valeur et emploi des verbes. Modes et temps. Liste des verbes qu'il ne faut pas employer les uns pour les autres. 1 volume, in-16 cartonné.

Le participe et ses règles d'accord. Définition, règles, exercices d'application et corrigés explicatifs. 1 volume, in-16 cartonné.

Pour écrire correctement. Petit traité, simple et clair, contenant toutes les règles qu'il faut connaître pour bien mettre l'orthographe et pour écrire sans faute. 1 volume, in-16 cartonné.

Parlez français. Ne dites pas... — Ne confondez pas... — Constructions et tours vicieux. — Déformations populaires. — Contresens et bévues. — Pléonasmes. — Fausses élégances et néologismes. — Le bon usage. 1 volume, in-16 cartonné.

Petit dictionnaire des locutions françaises. Principales locutions et expressions usuelles, groupées alphabétiquement, avec leurs sens et leur origine. 1 volume, in-16 cartonné.

MAURICE RAT
ANCIEN ÉLÈVE DE L'ÉCOLE NORMALE SUPÉRIEURE
PROFESSEUR AU LYCÉE JANSON-DE-SAILLY
AGRÉGÉ DE L'UNIVERSITÉ

GRAMMAIRE FRANÇAISE POUR TOUS

PARIS
ÉDITIONS GARNIER FRÈRES
6, RUE DES SAINTS-PÈRES, 6

AVANT-PROPOS

La plupart des grammaires d'autrefois légiféraient au nom de certains dogmes prétendument fondés soit sur la raison ou sur la logique, soit sur l'autorité de certains critiques « conservateurs ». Comme si une langue pouvait jamais être considérée comme fixée! Et comme si, en définitive, le souverain maître n'était pas l'usage!

D'un autre côté certaines grammaires d'aujourd'hui, prenant texte des variations incessantes de la langue, « ce perpétuel devenir », flottent, sinuent, tergiversent, se contredisent parfois ou n'osent se prononcer. On admet..., on tolère..., on peut dire..., *telles sont les locutions commodes et circonspectes dont elles abusent.*

Justement éloignée, croyons-nous, de l'artifice des premières, du débraillé des secondes, la grammaire que nous offrons au public et qui s'adresse à tous, se propose de constater, d'expliquer et de définir le bon usage, *c'est-à-dire celui que perpétue, dans une évolution constante de la langue, la majorité des bons écrivains de notre temps.*

Notre ouvrage n'est pas complet : *quelle grammaire saurait l'être? Du moins croyons-nous n'y avoir omis rien d'essentiel.*

Nous nous sommes efforcé d'être clair et succinct, expliquant en note l'origine des termes grammaticaux employés et évitant le plus possible de recourir à des mots pédants et rébarbatifs.

Une autre partie des notes qu'on trouve au bas des pages relève de la grammaire historique : outre qu'elles contribuent, sans vain appareil, à l'explication des faits grammaticaux exposés dans le corps du texte, elles peuvent, croyons-nous, discrètement faciliter à nos lecteurs l'intelligence des auteurs classiques; et à ce titre elles nous paraissent avoir leur place marquée dans la Grammaire pour tous *publiée par une maison d'édition qui s'enorgueillit à bon droit de sa collection de classiques français.*

M. R.

INTRODUCTION

APERÇU DE L'HISTOIRE DE LA LANGUE

1. Le français, langue *indo-européenne* * de la famille des langues *romanes***, a une longue histoire assez complexe, d'où il résulte que le latin est bien le principal, mais non pas le seul élément qui contribua à sa formation.

Le pays qui s'étend à l'ouest du Rhin et des Alpes nourrissait au IIIe siècle avant J.-C. trois peuples, les Belges, les Celtes et les Aquitains ***, qui parlaient des dialectes assez peu différents d'une même langue, le *gaulois*, dont il ne reste pas de monuments écrits et dont on sait peu de chose ****.

2. C'est seulement en 155 avant J.-C. que les Romains *****

---

* On appelle *indo-européennes* les langues parlées par les peuples d'origine aryenne, qui, partis des sources de l'Oxus (auj. l'Amou-Daria) et de l'Iaxarte (auj. le Syr-Daria), se sont fixés, les uns sur les rives du Gange ou de l'Indus, les autres en différentes contrées de l'*Europe*. Telles sont : le *sanscrit*, le *grec*, le *latin*, le *celtique*, le *germain*, le *slave*.

** On appelle *romanes* les langues nées du latin chez les peuples soumis à la domination romaine. On en compte six : l'*italien*, le *provençal*, le *français*, *l'espagnol*, le *portugais*, le *valaque ;* il faut y ajouter l'idiome *romanche*, parlé dans les Grisons et dans le Tyrol.

*** A quelle époque ces peuples, d'origine indo-européenne, établirent-ils leur domination en Gaule? Il est impossible de le préciser. Selon Jullian, la pénétration gauloise en Gaule aurait eu lieu au VIe siècle environ av. J.-C. Mais on admet plus communément aujourd'hui que les premières migrations celtiques sur notre sol remonteraient au troisième âge du bronze (époque de Hallstatt). Cf. Hubert, *Les Celtes* (1932), t. I, pp. 178 sq.

**** Le meilleur état de nos connaissances actuelles se trouve dans Dottin, *La langue gauloise* (1920).

***** Sur l'appel des Marseillais, menacés par les Ligures. — Ils fondèrent en Gaule des colonies (Aix, 125; Narbonne, 118) et bientôt tout le territoire

envahirent pour la première fois la Gaule ; c'est à partir de 50, quand César en eut achevé la conquête *, que le latin pénétra dans le pays conquis. Il y pénétra concurremment sous son aspect *classique* ou littéraire et sous son aspect *vulgaire* ou parlé : le premier, par l'administration, la justice, les écoles **, atteignant surtout le langage des hautes classes ; le second, touchant plus lentement et non sans résistance la classe populaire par le véhicule des soldats, des marchands et des artisans.

3. Celui-là, corrompu peu à peu par les gens de loi et les fonctionnaires qui ne le parlaient pas dans la vie usuelle, se maintint sous la forme d'un étrange amalgame (*bas-latin*) et resta jusqu'en 1539 la langue officielle de l'administration. Celui-ci ***, qui en moins d'un siècle avait nettement supplanté le celtique, se transforma d'abord assez lentement, puis à partir des invasions d'origine ger-

---

compris entre les Alpes, le Rhône supérieur, les Cévennes, la Garonne et la Méditerranée, devint une province de Rome *(provincia)* ; le souvenir de cette occupation s'est maintenu dans le nom de *Provence*, resté à une partie de cette région.

* Après sept années de luttes (58-51 av. J.-C.).

** Tous les actes, toutes les proclamations du gouvernement étaient rédigés en latin ; il fallait parler latin pour obtenir un dégrèvement d'impôts, pour jouir de ses droits de père ou d'héritier, pour se faire rendre justice, pour servir dans l'armée. Des écoles romaines s'ouvrirent d'abord dans le Midi, puis à Lyon, à Autun, à Reims et jusqu'à Trèves.

*** Le latin vulgaire *(sermo castrensis* ou *plebeius)* différait du latin classique :

1° Par sa *prononciation :* ainsi il avait tendance à supprimer les voyelles atones qui suivaient la syllabe accentuée, et à dire *sæclum, vinclum, postum,* au lieu de *sæculum, vinculum, positum.*

2° Par son *vocabulaire,* qui présente, à côté de mots du latin classique, trois à quatre mille mots inconnus à ce dernier ; tels sont : *burricus* « petit cheval » au lieu de *mannus ; caballus* « cheval » au lieu d'*equus ; caminus* « chemin » au lieu de *via,* etc.

3° Par sa *déclinaison :* il ramenait volontiers la 4e déclinaison à la 2e, la 5e à la 1re.

4° Par sa *conjugaison,* où l'on trouve déjà des parfaits et des futurs formés par l'adjonction de *habere* à des infinitifs ou à des participes passifs.

5° Par sa *construction,* déjà plus analytique que celle du latin classique, et notamment par l'emploi, de plus en plus fréquent, des prépositions là où la langue écrite indique les rapports par le seul emploi du cas.

manique du ve siècle assez rapidement *, et devint un nouvel idiome, qui diffère tout ensemble du latin dont il est sorti et du germain parlé de l'autre côté du Rhin : c'est le *roman* ou *ancien français.*

4. Au VIIIe siècle apparaissent les premiers textes qui témoignent de l'existence du roman : les *gloses de Reichenau,* dictionnaire confus et primitif où des mots, tant latins que germaniques, sont interprétés en langue vulgaire. En 842 on trouve pour la première fois la nouvelle langue employée dans un acte public : les *Serments de Strasbourg,* texte par lequel les fils de Louis le Pieux, Charles le Chauve et Louis le Germanique, voulant resserrer les liens de l'alliance contre Lothaire, s'engageaient à se prêter aide et protection. Le roi franc, pour être entendu des sujets de son frère, faisait usage de la langue tudesque, tandis que Louis le Germanique, pour être compris des soldats de Charles le Chauve, s'exprimait en roman **. Ainsi, dès le milieu du IXe siècle, le roman français était officiellement reconnu comme langue distincte ; il deviendra au Xe siècle, avec la *Séquence de sainte Eulalie* ***, la langue

---

* Loin d'imposer leur langue à la Gaule soumise, les envahisseurs du ve siècle : Wisigoths, Burgondes et Francs, adoptèrent la sienne, y introduisant seulement quelques centaines de mots tudesques (termes de guerre surtout et de droit féodal) et contribuant à la perturbation de la syntaxe.

** Voici, à titre de document, avec sa traduction en français moderne, ce serment de Louis le Germanique, qu'on peut considérer comme le plus ancien monument du français :

Pro Deo amur et pro christian poblo et nostro commun salvament, d'ist di en avant, in quant Deus savir et podir me dunat, si salvarai eo cist meon fradre Karlo et in aiudha et in cadhuna cosa, si cum om per dreit son fadra salvar dift, in o quid il mi altresi fazet, et ab Ludher nue plaid nunquam prindrai qui meon vol cist meon nadre Karle in damno sit.

« Pour l'amour de Dieu et pour le salut du peuple chrétien et notre commun salut, de ce jour en avant, en tant que Dieu savoir et pouvoir me donne, ainsi je sauverai (soutiendrai) ce mien frère Charles et en aide et en chaque chose, ainsi qu'on doit en bonne justice sauver son frère, à condition qu'il en fasse autant pour moi, et je ne ferai avec Lothaire aucun accord qui, par ma volonté, porte dommage à ce dernier frère Charles. »

*** La pièce qui porte ce nom est une petite composition ou *cantilène* de vingt-huit vers, où l'*article* fait pour la première fois son apparition.

de la poésie, et, vers le même temps, celle de la prédication *.

5. Cette langue romane n'était pas une langue simple et une, identique sur tout le territoire. Elle était partagée en plusieurs *dialectes*, groupés en deux catégories : parlers de *langue d'oc*, parlers de *langue d'oïl*, ainsi nommés d'après le mot qui, dans chaque parler, soit au nord, soit au sud d'une ligne imaginaire allant de La Rochelle à Limoges et à Grenoble, correspond au « oui » d'aujourd'hui. L'un des dialectes de langue d'oil, le *francien* ou langage de *France* (c'était alors le nom de l'Ile-de-France), était destiné à devenir la langue française, grâce non pas à une supériorité linguistique, mais aux événements d'ordre politique qui firent des seigneurs de l'Ile-de-France les maîtres du royaume. A mesure, en effet, que le roi de France s'agrandissait aux dépens de ses vassaux, le dialecte de la capitale et de la cour supplantait les autres dialectes, s'étendant tour à tour au Berry, à la Picardie, à la Touraine, à la Normandie, à la Champagne, et conquérant peu à peu le Midi où la défaite des Albigeois assurait définitivement son triomphe : au XIVe siècle, il n'y a plus dans le royaume qu'une seule langue, le *français* **.

Langue à demi synthétique, dont la syntaxe et le vocabulaire étaient désormais constitués, le français offrait aux écrivains des ressources suffisantes pour l'expression claire et précise de la pensée. Il jouissait déjà d'une légitime influence en Europe, où des étrangers le proclamaient un parler *plus délitable* (agréable) *à lire et à oir*

* Dans un concile tenu en 995, l'évêque de Verdun ouvrit les travaux de l'Assemblée par un discours en langue romane.

** Cette victoire ne fut remportée ni sans lutte ni sans pertes : le français subit, dans une certaine mesure, l'influence des dialectes qu'il remplaçait, et reçut un mélange considérable de formes picardes, normandes et autres. Les dialectes réussirent d'autre part à se maintenir aux frontières et dans certaines provinces éloignées : on continua, quoique de moins en moins, à parler *celtique* en Bretagne, *flamand* dans le Nord, *provençal* dans le Sud-Est, *basque* entre l'Adour et les Pyrénées. L'un de ces dialectes, le *provençal*, connut même au XIXe siècle une renaissance comme langue littéraire et produisit des poètes dont, à juste titre, il s'honore.

(entendre) *que tous les autres.* Les vicissitudes politiques qui marquent les XIVe et XVe siècles hâtèrent son évolution dans le sens analytique * et assurèrent le passage de l'état ancien à l'état moderne.

6. Le XVIe siècle, époque troublée, fut aussi à beaucoup d'égards une importante époque de transition, où la langue subit tour à tour ou simultanément des influences diverses, propres, les unes à précipiter, les autres à ralentir son développement régulier. Tandis que la Réforme, forcée, dans un intérêt de propagande, d'en appeler au peuple, faisait du français la langue des controverses religieuses ** ; tandis que François Ier, par l'ordonnance de Villers-Cotterets (août 1539) l'imposait dans les tribunaux et pour la rédaction des contrats, testaments ou autres actes publics ; tandis que l'imprimerie, plaçant à la portée de tous des ouvrages précédemment réservés à quelques privilégiés, répandait dans les plus lointaines provinces le goût des belles-lettres ; le français, sous la double influence de l'imitation étrangère et de l'imitation de l'antiquité, était envahi par une quantité prodigieuse de termes nouveaux empruntés au latin et à l'italien, en même temps que sous l'impulsion de Ronsard et de ses disciples, il reprenait ou recevait un assez grand nombre de mots appartenant soit à la

---

* Cette évolution fut marquée surtout par la *disparition des cas* dans les noms, les adjectifs et l'article; par l'*emploi régulier des pronoms personnels* pour distinguer les différentes personnes du verbe dont les désinences s'affaiblissent; par la substitution de l'adverbe *plus* au suffixe *isme (altisme)* gardé jusqu'alors pour la formation du superlatif. Des deux cas de l'ancien français, le *cas régime* seul fut conservé (sauf dans quelques mots), et comme il n'avait pas d's au singulier, mais en possédait une au pluriel, l'*s* devint, en français, la caractéristique de notre pluriel. Ces modifications influèrent nécessairement sur la syntaxe qui perdit la liberté de sa construction et marqua de plus en plus le rapport des mots par leur place même et par des prépositions, la dépendance des phrases par des relatifs et des conjonctions.

** Calvin, après avoir, en 1536, publié en latin son *Institution de la religion chrétienne*, en donna en 1540 une traduction française. Les écrivains protestants suivirent son exemple. Dès lors les écrivains catholiques furent obligés de faire comme eux, et la langue, ainsi appelée à rendre les idées les plus abstraites et les plus élevées, s'enrichit de nouveaux tours et de mots nouveaux.

langue du moyen âge, soit aux dialectes provinciaux. De ces diverses influences, celle de l'italien * et celle de l'antiquité ** furent de beaucoup les plus considérables.

---

* Le séjour des armées françaises en Italie sous les règnes de Charles VIII, de Louis XII, de François Ier; le mariage de deux rois de France, Henri II et Henri IV, avec des princesses florentines de la famille des Médicis avaient mis particulièrement l'Italie à la mode. Ce fut dans la langue française comme une inondation de mots nouveaux, surtout de termes d'art, de cour, d'art militaire, dont beaucoup sont restés. On ne s'arrêta pas là : on alla jusqu'à remplacer par des mots italiens des mots français usuels; à affecter des manières de prononcer en faveur de l'autre côté des monts, mais contraires aux habitudes et à la pureté de notre langue : ainsi l'on disait *strade* pour *rue*, *past* pour *dîner*, *spaceger* pour *se promener*, *garbe* pour *gentillesse*, *goffe* pour *lourd;* on prononçait *chouse* et *cousté* pour *chose* et *côté*, *cargue* pour *charge*, *Alessandre* pour *Alexandre:* ridicule engouement qui, dans ses *Dialogues du français italianisé*, suscita l'éloquente protestation d'Henri Estienne.

** Si l'influence grecque fut plus littéraire que grammaticale, celle du latin fut grande et laissa des traces nombreuses dans le vocabulaire et dans l'orthographe. De cette époque date l'introduction dans le lexique d'un nombre considérable de mots savants, qui, pour avoir comme les mots populaires une origine latine, n'en furent pas moins formés contrairement au génie propre de notre langue. Alors que dans la bouche du peuple les mots latins avaient subi des altérations de forme, qui parfois les rendent méconnaissables, mais dont la philologie moderne a établi les lois, les érudits se contentèrent de transcrire presque littéralement les termes empruntés, et, comme ils savaient mal l'histoire de la langue, il leur arriva de reprendre au latin des mots que le français possédait déjà, mais dont l'origine et la transformation leur échappaient. C'est ainsi que de *pensare*, de *captivum*, d'*hospitale*, d'*advocatum*, dont la langue populaire avait fait *peser*, *chétif*, *hôtel*, *avoué*, ils tirèrent *penser*, *captif*, *hôpital*, *avocat*.

La même ignorance des lois qui avaient présidé à la formation du français entraîna les érudits à modifier l'orthographe. Au moyen âge celle-ci avait été *phonétique*, c'est-à-dire calquée sur la prononciation. Quand les grammairiens du xve et du xvie siècle entreprirent de réformer le français sur le modèle du grec et du latin, ils rétablirent dans l'écriture les lettres qui, disparues dans la prononciation, leur semblèrent conformes à l'origine des mots : le vieux français écrivait *ni*, *nu*, *pié ;* ils écrivirent *nid*, *nud*, *pied*. Ignorant des lois de la phonétique, ils regardèrent comme *perdues* des lettres qui avaient seulement été *changées*, et ils les rétablirent indûment, écrivant *aultre*, *debvoir*, *faict*, sans se douter que l'*u* de *autre* représentait l'*l* vocalisée de *alterum*, que le *v* de *devoir* était le *b* de *debere*, et que *ct* latin est devenu *it* dans beaucoup de mots français. En outre, ils rattachèrent par erreur certains mots français à des mots latins avec lesquels ils n'avaient qu'une spécieuse ressemblance, et leur imposèrent une orthographe de pure convention, écrivant, par exemple, *sçavoir*, qu'ils faisaient dériver de *scire*, alors que ce mot vient de *sapere*.

7. Il était réservé au XVIIe siècle d'apporter l'ordre et la lumière dans cette langue extraordinairement riche, mais confuse, et de mettre l'unité dans cette diversité. A part un léger tribut payé tant à l'imitation espagnole, que les guerres de la Ligue avaient déjà mise à la mode, qu'à l'imitation allemande, ravivée après les guerres de religion par la guerre de Trente ans (termes militaires) et à l'imitation anglaise qui commença sous Louis XIV (vocabulaire de la marine et du commerce), il n'innova pas, il revisa : il opéra un triage entre les mots d'origine variée qui encombraient le vocabulaire, s'appliqua à préciser le sens exact des mots, à faire de la clarté la qualité première et essentielle du langage, à substituer en tout l'usage commun au caprice individuel. Ce travail d'épuration et de discipline, commencé par Malherbe, continué par l'Hôtel de Rambouillet, par les Précieuses, par le grammairien Vaugelas et par Boileau, fut consacré par l'Académie, qui, après s'être donné pour mission de régler l'usage, se trouva investie du soin d'en maintenir la tradition. Son *Dictionnaire*, qui parut en 1694, allait devenir comme un code du *bon usage*, hors duquel il n'y a que corruption *. Par une illusion, que justifie dans une certaine mesure l'éclat de la littérature française à cette époque, le XVIIe siècle crut en effet le français à jamais fixé par les ouvrages de nos grands écrivains : comme si une langue, tant qu'elle est vivante, et par cela seul qu'elle est vivante, pouvait être jamais fixée !

8. La langue du XVIIe siècle subit d'ailleurs peu d'altérations dans le courant du siècle suivant. Si quelques théoriciens, sous l'influence des idées « philosophiques », rêvèrent, les uns ** de trouver ou de créer une langue universelle, les autres *** de l'enrichir par la formation de mots nouveaux, les grands écrivains restèrent

---

* Le *Dictionnaire de l'Académie* adopta dès sa première édition et reproduisit ensuite, avec quelques simplifications, l'orthographe *étymologique* du XVIe siècle, allégée çà et là.

** Le président de Brosses, par exemple.

*** Fénelon, entre autres.

fidèles à la langue du XVIIe siècle. Les modifications qu'ils lui firent subir portent surtout sur la syntaxe, et principalement sur la structure de la phrase qui prit une allure plus vive et plus dégagée*. Le vocabulaire s'accroît de termes étrangers, particulièrement de termes anglais, et, l'*Encyclopédie* aidant, de mots techniques. La langue française, que l'Europe cultivée apprend et emploie de plus en plus depuis Louis XIV, connaît alors sa plus grande expansion, et Rivarol peut écrire en 1782, à la veille de la Révolution, son *Discours sur l'universalité de la langue française*, qui témoigne éloquemment du prestige de celle-ci.

9. La Révolution, l'établissement du gouvernement représentatif et la presse, le Romantisme — qui fit la guerre à la tradition et renversa la barrière dressée entre la langue littéraire et la langue populaire —, les progrès des sciences et de l'industrie, les facilités des communications, la connaissance plus répandue des langues étrangères, les affaires, tout concourut depuis les dernières années du XVIIIe siècle jusqu'à nos jours, à favoriser la diffusion de mots nouveaux, les uns pris dans la langue courante, les autres empruntés à l'étranger, d'autres encore créés plus ou moins heureusement avec des éléments, parfois hybrides, venus des langues anciennes.

Le français d'aujourd'hui, parlé dans toute la France, et qui reste très répandu à l'étranger, surtout parmi l'élite, présente, comme on le voit, un *fonds latin* (avec un petit arrière-fonds ou « substrat »** *celtique*) accru à différentes époques :

1° De termes empruntés aux langues étrangères.

2° De mots nouveaux formés d'après les procédés de dérivation et de composition qui lui sont propres.

---

* Elles portèrent aussi sur l'orthographe. Dans la nouvelle édition qu'elle donna de son *Dictionnaire*, en 1760, l'Académie supprima dans beaucoup de mots des lettres parasites qu'elle avait cru devoir conserver en 1694, et elle conserva la distinction de l'*i* et du *j* et celle de l'*u* et du *v*, jusqu'alors représentés dans l'écriture par une lettre unique, bien qu'ils fussent distincts dans la prononciation.

** Le mot est d'Antoine Meillet.

FORMATION DE LA LANGUE

LE VOCABULAIRE

10. Le **vocabulaire** français actuel, qui est très riche, comporte un *fonds primitif*, des *mots d'emprunt* et des *mots créés.*

I. — FONDS PRIMITIF

11. Le fonds primitif de la langue comprend lui-même trois éléments : un élément *gaulois*, un élément *latin* et un élément *germanique.*

1° Fonds gaulois. — Les mots qu'on peut avec certitude rattacher au celtique * sont en très petit nombre, une soixantaine environ. Citons parmi eux des noms désignant des notions rustiques, comme *alose, alouette, arpent, banne, bouleau, char, charrue, chêne, claie, combe, glaise, grève, lande, lieue, marne, ruche,* etc. ; des adjectifs, comme *dru;* des verbes, tels que *bercer, briser, changer.*

2° Fonds latin. — Le fonds latin est de beaucoup le plus important. On y trouve : des termes du latin classique ; des mots appartenant à la fois au latin classique et au latin vulgaire ** ; des mots du latin populaire inconnus à la langue classique ; des mots du bas-latin ***

---

* Encore beaucoup de ces mots ont-ils passé par la forme latine avant de passer dans le français : c'est le cas, par exemple, de *braie.*

A ces mots il sied de joindre une grande quantité de noms de lieux, dont certains conservent la trace d'une langue préceltique.

** Latin vulgaire qui était, notons-le en passant, déjà fortement hellénisé.

*** Bas-latin qui avait déjà subi l'influence des langues germaniques.

3° **Fonds germanique.** — La plupart des mots germaniques nous sont venus indirectement par l'intermédiaire du bas-latin *, ou directement par l'apport massif des invasions du ve siècle. Ce fonds comprend notamment des termes de la vie guerrière et de la vie rurale ainsi que des mots désignant des institutions politiques, parmi lesquels on peut citer, à titre d'exemples, des noms comme : *balafre, balle, ban, bannière, baudrier, botte, brandon, bride, butin, cotte, dard, éperon, guerre, hallebarde, héraut,* etc. ; — *bûche, chouette, clapier, cruche, écaille, gazon, haie, jardin,* etc. ; — *alleu, chambellan, fief,* etc. ; des adjectifs, comme *blanc, blafard, blet, bleu, brun, fauve, jaune,* etc. ; des verbes, tels que *bouter, bramer, cracher, déguerpir,* etc.

II. — MOTS D'EMPRUNT

12. Le fonds français ainsi constitué s'est accru — plus ou moins suivant les époques — de termes empruntés à des langues étrangères, soit anciennes et aujourd'hui mortes, soit vivantes.

1° **Mots d'origine grecque.** — Ce sont d'abord les mots appartenant pour la plupart à la langue ecclésiastique qui, dès l'époque romane, se sont introduits dans notre langue par l'intermédiaire du latin. Citons : *ange, apôtre, baptême, église, évêque, paroisse,* etc.

Puis, aux XIe et XIIe siècles, ce sont des mots, pour la plupart concrets et pratiques, rapportés d'Orient par les Croisés : *avanie, besant, boutique, chaland, fanal, galère, police,* etc.

Il faut y joindre, au XIXe siècle, un certain nombre de mots fournis par la guerre de l'Indépendance grecque: *clephte, palicare,* etc.

Il y a enfin les mots qu'à partir du XIVe siècle la langue scientifique a puisés soit directement, soit par l'intermédiaire du latin, dans la langue grecque **.

---

* Cf. § 3.

** Vocabulaire qui ne cesse de s'accroître, depuis le XIXe siècle, avec les mots forgés par les savants, dont il est question § 19.

2° **Mots d'origine latine.** — Au fonds latin primitif s'ajoutent, au moyen âge, les mots, pour la plupart d'église ou de philosophie, introduits par les clercs : certains gardant leur forme latine (mais avec les *e* accentués), comme *angélus, confitéor, crédo,* etc. ; *distinguo, ergo, exéat,* etc.; certains prenant une forme française : *abominable, humble, justice, religion,* etc., *annihiler, contingence, individu,* etc.

S'ajoutent encore, surtout à partir du XIVe siècle, des mots abstraits calqués par les traducteurs et les savants sur les mots latins : *irrévocable, priorité,* etc.

3° **Mots dialectaux.** — La langue s'enrichit aussi de termes empruntés à des *dialectes de langue d'oïl,* tels qu'*abeille, fabliau, pieuvre, usine,* etc. ou à des *dialectes de langue d'oc,* notamment le *provençal,* qui fournit : *aiguade, asperge, aubade, auberge, aubergine, bague, baladin, barrique, béret, bourgade, bourrique, cabestan, cabriole, cagot, farandole,* etc.

4° **Mots d'origine italienne.** — Le plus grand nombre de ces mots date des XIVe-XVIe siècles, et surtout de l'époque des guerres d'Italie et du mariage de deux rois de France (Henri II et Henri IV) avec des princesses de la famille de Médicis. Ce sont tantôt des termes de guerre et de marine : *alerte, arquebuse, arsenal, boussole, canon, citadelle, escadron, fantassin, frégate, gondole, pilote, sentinelle, spadassin, stylet,* etc., tantôt des termes relatifs aux arts : *arcade, balcon, balustrade, stuc,* etc., tantôt des termes concernant la vie sociale : *agio, banque, douane, sbire,* etc.

Il faut y joindre la plupart des termes de musique, empruntés au XVIIIe siècle : *cantate, piano, solfège,* etc.

L'immigration d'ouvriers italiens, devenue considérable à la fin du XIXe siècle surtout, a vulgarisé divers mots italiens populaires tels que *flemme, frisquet, mercanti,* etc.

5° **Mots d'origine espagnole.** — Ils datent presque tous des XVIe et XVIIe siècles, où la guerre et la politique établirent entre l'Espagne et la France des rapports politiques suivis. Citons :

anchois, cigare, duègne, fanfaron, guitare, hâbleur, matamore, romance, saynète, sérénade, sieste, toréador, etc.

Certains noms vinrent des colonies espagnoles de l'Amérique, comme *cacao, caïman, canot, chocolat, hamac, maïs, tomate.*

De nos jours l'immigration d'ouvriers espagnols en Algérie et dans le midi de la France a suscité des importations dans la langue populaire : *bourricot, mendigot,* etc.

6° **Mots d'origine portugaise.** — Au Portugal et à ses colonies d'Amérique, des Indes ou de Malaisie, la langue a emprunté, surtout aux XVIe et XVIIe siècles, des mots tels que : *acajou, albinos, autodafé, bambou, brousse, bayadère, coco, fétiche, mandarin, mousson, pagode, palanquin, pintade, soret,* etc.

7° **Mots d'origine bretonne.** — Certains termes maritimes ou armoricains sont empruntés au breton : *biniou, dolmen, goéland, goémon, menhir, raz,* etc.

8° **Mots d'origine flamande.** — Le flamand a servi de véhicule à des termes du langage courant et de la langue maritime, soit directement : *amarre, bateau, cambuse, colza, étai, frelater, foc, houblon, kermesse, matelot, mannequin, vacarme,* etc., soit par l'intermédiaire de l'anglais : *dock, flibustier, gréer,* etc.

9° **Mots d'origine allemande.** — Outre les mots germaniques du fonds primitif, la langue française a importé d'Allemagne, surtout à partir du XVIe siècle, des termes militaires : *bivouac, blocus, képi, lansquenet,* etc., des termes scientifiques : *feldspath, gneiss, thalweg,* etc., des mots de la langue alimentaire : *bière, bock, choucroute, trinquer,* etc.

10° **Mots d'origine anglaise.** — Ils sont, pour la plupart, d'importation relativement récente (XVIIIe-XIXe siècles) et relatifs à l'industrie, aux transports, à la vie politique, aux sports, etc. Citons : *ballast, bifteck, bluff, boxe, bouledogue, chèque, club, coke, cricket, dandy, express, golf, humour, redingote, tennis, wagon,* etc.

Beaucoup de mots qui avaient été primitivement dans notre langue nous sont également revenus d'Angleterre avec une nouvelle forme et un nouveau sens : *budget* (de l'ancien français *bougette* « petit sac »), *tunnel* (de l'ancien français *tonnelle*), *square* (de l'ancien français *esquaire* « équerre «), etc.

11° **Mots d'origines diverses.** — Des mots orientaux ont pénétré dans la langue française, tour à tour à la faveur du séjour en France des Arabes (VIIe siècle), du long séjour en Espagne des Maures, à la faveur des Croisades, de la conquête de l'Algérie (XIXe siècle), et aussi des voyages et des traductions. Ce sont surtout des mots arabes, venus soit directement : *café, chérif, émir, gourbi, hégire, sultan, zouave,* etc., soit par l'intermédiaire de l'espagnol : *alambic, alcôve, alcool, algèbre, bédouin, chiffre,* etc. Ce sont aussi des mots persans : *bazar, caravane, caravansérail, châle, lilas, spahis,* etc. ; des mots turcs : *chibouques, divan, kiosque,* etc. ; des mots hébreux, la plupart empruntés à la Bible, par l'intermédiaire des traducteurs grecs ou latins : *amen, chérubin, éden, manne, rabbin, satan, séraphin,* etc.

Un certain nombre de mots provient, avec les échanges de produits plus fréquents, des lointaines parties du monde; tels sont : *baobab, bled, zèbre* (Afrique), *ananas, condor, tapioca* (Amérique), *avatar, jungle, pagode* (Inde), *thé* (Chine), *bonze, mousmé* (Japon), *pirogue, rotin* (Malaisie), etc.

Certains proviennent de la langue verte, parmi lesquels : *argot, bagout, camelot, cambrioleur, dupe, fourbe, gueux, larbin, maquiller, matois, mioche, narquois, polisson, roublard,* etc.

DOUBLETS

13. Quelle que soit l'origine des mots, il arrive parfois que le français en possède deux ou même davantage, formés sur le même vocable : c'est ce qu'on appelle des **doublets**.

On distingue parmi ces doublets plusieurs catégories :

1° Ceux qui viennent du même mot latin, mais qui furent formés les uns par le peuple : ils ont gardé l'accent, mais non point toujours le même nombre de syllabes ; les autres par les savants : **ils** ont gardé le même nombre de syllabes sans tenir compte de l'accent :

Citons parmi eux :

MOTS LATINS	MOTS POPULAIRES	MOTS SAVANTS
acrem	aigre	âcre
aquilonem	aiglon	aquilon
basilicam	basoche	basilique
blasphemare	blâmer	blasphémer
captivum	chétif	captif
caritatem	cherté	charité
decimam	dîme	décime
fragilem	frêle	fragile, etc.

2° Ceux qui, formés par le peuple, sont tirés l'un du nominatif latin (cas sujet), l'autre de l'accusatif (cas régime). Ainsi :

chantre (de *cantor*) et chanteur (de *cantorem*) ;
maire (de *major*) et majeur (de *majorem*) ;
pâtre (de *pastor*) et pasteur (de *pastorem*) ;
sire (de *senior*) et seigneur (de *seniorem*), etc.

— ou bien encore ceux qui résultent du déplacement de l'accent tonique :

courre (du latin classique *currere*) et courir (du latin vulgaire *currire*).

geindre (du latin classique *gemere*) et gémir (du latin vulgaire *gemire*).

— ou encore ceux qui sont tirés l'un du singulier, l'autre du pluriel de certains neutres latins :

cor et *corne*, *grain* et *graine*, *vaisseau* et *vaisselle*, etc.

3° Ceux qui ont pour origine l'un directement le mot latin, l'autre un mot dialectal ou étranger dérivé de ce même mot.

Le français avait tiré directement

du latin :	Il a pris :
châsse (capsam)	1° au provençal : *caisse ;*
campagne (campaniam)	2° au picard : *champagne ;*

balance (balancem)
dame (dominam)
boule et *bulle* (bullam)

3° à l'italien : *bilan ;*
4° à l'espagnol : *duègne ;*
5° à l'anglais : *bill.*

Remarque. — Ces doublets ne font d'ailleurs pas double emploi, l'évolution phonétique du mot s'étant d'ordinaire accompagnée d'une évolution de sens.

III. — MOTS CRÉÉS

14. Au fonds primitif et aux mots d'emprunt se sont ajoutés les **mots créés.**

Tels sont :

1° Les mots dits **onomatopées,** qui imitent le bruit ayant pour cause l'objet ou l'action qu'on veut nommer : *aboyer, babiller, brouhaha, caqueter, chuchoter, claquer, coasser, cocorico, coucou, flonflon, glouglou, huer, miauler, piauler, roucouler, tic tac,* etc.

2° Des mots qui rappellent des refrains de chansons : *faridondaine, lanturlu, tralala,* etc.

3° Des mots de la langue enfantine : *bébé, bobo, dada, papa, toutou, etc.*

4° Les mots nouveaux, très nombreux, formés par **dérivation** et **composition.**

A. DÉRIVATION DES MOTS

15. Les mots sont **dérivés** de deux façons :

1° A l'aide d'un **suffixe** qui s'ajoute au mot simple ou qui remplace une terminaison :

bonté, dérivé de *bon* avec addition du suffixe *té ;*

noyade, dérivé de *noyer* avec remplacement de la terminaison *er* par *ade ;*

2° Sans le secours d'un **suffixe** :

cri, dérivé de *crier.*

DÉRIVATION DES MOTS PAR LES SUFFIXES

16. Presque tous les suffixes sont d'origine latine.

Certains ont une valeur précise : ainsi *aie* sert à désigner un lieu planté : *chên-aie.* D'autres ont diverses acceptions : ainsi *ier* sert à désigner : 1° Un métier ou une profession : *épic-ier ;* 2° un arbre : *ceris-ier ;* 3° un récipient : *vinaigr-ier.*

A côté des suffixes proprement dits, le français emploie un certain nombre de mots latins ou grecs qui jouent le même rôle.

1° SUFFIXES PROPREMENT DITS

17. Les suffixes proprements dit s'ajoutent à des noms, à des adjectifs et à des verbes pour former des noms, des adjectifs, des verbes et des adverbes.

a) Suffixes des Noms

SUFFIXES	SENS	EXEMPLES
ace	péjoratif	popul*ace*
ade	1° action	gliss*ade*
	2° réunion	colonn*ade*
	3° résultat d'un mélange	citronn*ade*
age	1° action	nettoy*age*
	2° résultat de l'action, produit	ouvr*age*
	3° qualité	esclav*age*
	4° réunion	feuill*age*
aie, eraie	lieu planté	chên*aie*, ros*eraie*
ail	objet	évent*ail*, vitr*ail*
aille	1° sens collectif	ferr*aille*
	2° sens péjoratif	chen*aille*, marm*aille*
ain, aine	1° habitant de	Rom*ain*
	2° sens collectif	diz*ain*, diz*aine*
aire	1° métier, profession	libr*aire*
	2° objet	dictionn*aire*
ais, ois	habitant de	Franç*ais*, Chin*ois*
aison	action	pend*aison*, fen*aison*

SUFFIXES	SENS	EXEMPLES
an	habitant, disciple	Pers*an*, Mahomét*an*
ance, ence	action, résultat de l'action	venge*ance*, ignor*ance*, négligence, prud*ence*
ard	objet	brass*ard*
as	collectif	plâtr*as*
asse	collectif	li*asse*
assier	péjoratif	paper*assier*
at	1° profession	épiscop*at*
	2° institution ou siège de cette institution	orphelin*at*, syndic*at*
ateur	1° objet	vaporis*ateur*
	2° profession	dessin*ateur*
ation	action, résultat de l'action	séquestr*ation*, administra*tion*
atoire	local	observ*atoire*
âtre	péjoratif	mar*âtre*
ature, iture, ure	1° action, résultat de l'action	courb*ature*, courb*ure*, fri*ture*,
	2° réunion	chevel*ure*, verd*ure*
	3° fonction	législ*ature*
	4° local	fil*ature*
aut	diminutif	levr*aut*
cule, icule ule	diminutif	animal*cule*, éd*icule*, glo*bule*
eau, elle	diminutif	chevr*eau*, ru*elle*,
ceau, celle	»	lion*ceau*, vermi*celle*,
ereau,erelle	»	poèt*ereau*, chant*erelle*,
eteau, is	»	
seau etc.	»	louv*eteau*, verm*isseau*,
ée	réunion, contenu	bouch*ée*, assiett*ée*.
ement, issement	action, résultat de l'action	enrôl*ement*, abat*tement*, frém*issement*
er	1° métier	coch*er*
	2° production	orang*er*
	3° lieu	cloch*er*
	4° objet	roch*er*

SUFFIXES	SENS	EXEMPLES
eron	1° métier	bûch*eron*
	2° diminutif	mouch*eron*
esse	1° qualité	moll*esse*
	2° suffixe féminin	princ*esse*
et, ette	diminutif	sach*et*, fill*ette*
eul, euil	diminutif	fill*eul*, chevr*euil*
eur	1° qualité	blanch*eur*
	2° celui, ce qui fait une action	dans*eur*, tract*eur*
euse	1° instrument	mitraill*euse*
	2° celle qui fait une action	dans*euse*
ice	qualité	avar*ice*
ie, erie	1° qualité	perfid*ie*, gris*erie*
	2° local	mair*ie*, berg*erie*
ien, éen	1° métier	politic*ien*, pharmac*ien*, ly-c*éen*
	2° habitant de	Paris*ien*
ier	1° métier	fruit*ier*
	2° arbre	pomm*ier*
	3° récipient	encr*ier*
ière	1° métier féminin	fruit*ière*
	2° récipient	thé*ière*
il	lieu	fen*il*, chen*il*
ille, illon	diminutif	flott*ille*, carp*illon*
in	diminutif	diablot*in*
ine	1° essence, nature d'un produit	café*ine*
	2° diminutif	bott*ine*
iole	1° diminutif	luc*iole*
	2° péjoratif	glor*iole*
is	1° action résultant d'une action	frott*is*, abatt*is*
	2° lieu	log*is*
ise	qualité	franch*ise*, sott*ise*
isme	1° manière d'être, croyances	libéral*isme*, social*isme*,
	2° métier	journal*isme*

SUFFIXES	SENS	EXEMPLES
ison	action	guér*ison*
iste	1° celui qui a telle ou telle croyance	social*iste*
	2° celui qui exerce tel ou tel métier	journal*iste*, dent*iste*
ite	1° qui fait partie d'un ordre religieux	jésu*ite*, carmél*ite*
	2° maladie inflammatoire	bronch*ite*, néphr*ite*
	3° produit	chlor*ite*
ition	action, résultat de l'action	coal*ition*, pun*ition*
itude	qualité, état	prompt*itude*, serv*itude*
oir, oire	1° instrument	press*oir*, baign*oire*
	2° lieu de l'action	abreuv*oir*
ole	diminutif	besti*ole*
on	1° métier, manière d'être	forger*on*, souill*on*
	2° diminutif	aigl*on*
ose	maladie	chlor*ose*, tubercul*ose*
ot, otte	diminutif	ball*ot*, men*otte*
uche	diminutif	guen*uche*

b) Suffixes des Adjectifs

SUFFIXES	SENS	EXEMPLES
able	aptitude à (active ou passive)	vari*able*, aim*able*
ace	aptitude à (avec idée d'excès)	ten*ace*
acé	qui contient	crét*acé*, opi*acé*
ain	caractère	mond*ain*
aire	qui a rapport à	ordin*aire*, second*aire*
ais, ois, ien	nationalité, origine	franç*ais*, siam*ois*, paris*ien*
al	qui se rapporte à	roy*al*

SUFFIXES	SENS	EXEMPLES
an	habitant, disciple de	pers*an*, mahomét*an*
ard	1° caractère	campagn*ard*
	2° péjoratif	cri*ard*
asse	péjoratif	moll*asse*, savant*asse*
âtre	1° péjoratif	bellâtre
	2° qualité approximative	bleu*âtre*
aud	péjoratif	noir*aud*, lourd*aud*
é	état	azur*é*, ail*é*
er, ier	qualité	mensong*er*, saisonn*ier*
esque	1° nationalité	maur*esque*
	2° caractère	cheval*eresque*, livr*esque*
et, elet, inet	diminutif	joli*et*, aigr*elet*, blond*inet*
eur, eux	caractère	boud*eur*, vanit*eux*
ide	qui se rapporte à	morb*ide*
ien	qui se rapporte à	racin*ien*
if	aptitude à, caractère	invent*if*, plaint*if*
il	qui se rapporte à	puér*il*
in	caractère	bén*in*, enfant*in*
ique	qui se rapporte à	héro*ïque*, scén*ique*
issime	superlatif	rich*issime*
iste	caractère, opinion	égo*ïste*, fasc*iste*
on	nationalité	fris*on*
u	1° qui est pourvu de	chevel*u*, barb*u*
	2° caractère physique	point*u*, croch*u*

c) Suffixes des Verbes

SUFFIXES	SENS	EXEMPLES
ailler, asser	péjoratif	touss*ailler*, rêv*asser*
ayer, eyer, oyer	fréquentatif	bég*ayer*, grass*eyer*, guerr*oyer*
eler, eter	diminutif	morc*eler*, tach*eter*
er, ier	action	bord*er*, télégraph*ier*
iller, iner	diminutif	boit*iller*, trott*iner*
iser, ifier	rendre, transformer	fertil*iser*, sanct*ifier*
ir	rendre ou devenir	blanc*hir*, bleu*ir*, durc*ir*

SUFFIXES	SENS	EXEMPLES
ocher, onner, oter	diminutif	effil*ocher*, chant*onner*, touss*oter*

d) Suffixes des Adverbes

SUFFIXES	SENS	EXEMPLES
ment	manière	hardi*ment*

Remarques. — 1° On trouve parfois certaines *lettres de liaison* intercalées entre le radical et le suffixe, généralement pour éviter l'hiatus et faciliter la prononciation : *c* (dur-*c*-ir) ; *l* (fourmi-*l*-ière) ; *t* (cafe-*t*-ière) ; *v* (enjoli-*v*-er).

2° Si le radical se termine par une consonne qui ne se prononce pas, cette consonne est en général supprimée : *tabac* donne *tabatière.*

2° MOTS D'ORIGINE LATINE SERVANT DE SUFFIXES

18. Les principaux mots latins servant de suffixes sont :
cide, qui tue : homi*cide*, parri*cide*.
cole, qui a rapport à la culture : agri*cole*, vini*cole*.
culteur, qui cultive : agri*culteur*, viti*culteur*.
culture, action de cultiver : agri*culture*, api*culture*.
fère, qui porte, qui procure : mammi*fère*, somni*fère*.
fique, qui fait, qui produit : sopori*fique*, frigori*fique*, proli*fique*.
forme, qui a la forme de : cunéi*forme*, multi*forme*.
fuge, qui fait fuir, qui fuit : vermi*fuge*, centri*fuge*.
grade, pas, degré : rétro*grade*, centi*grade*.
loque, qui parle : ventri*loque*, soli*loque*.
pare, qui met au monde : vivi*pare*.
pède, pied : quadru*pède*, véloci*pède*.
vore, qui mange : carni*vore*, omni*vore*.

3° MOTS D'ORIGINE GRECQUE SERVANT DE SUFFIXES

19. Les principaux mots grecs servant de suffixes sont :
algie, douleur : névr*algie*, gastr*algie*.
archie, commandement : mon*archie*.
arque, qui commande : mon*arque*.
bie, qui vit : amphi*bie*.
bole, qui jette : disco*bole*.
céphale, tête : dolicho*céphale*, a*céphale*.
chrome, couleur : poly*chrome*, mono*chrome*.
crate, **cratie**, force, pouvoir : démo*crate*, démo*cratie*.
game, **gamie**, mariage : bi*game*, poly*gamie*.
gène, qui est de la nature de, né de: hydro*gène*, allo*gène*.
gone, angle : poly*gone*.
gonie, action d'engendrer : théo*gonie*.
graphie, description : géo*graphie*.
graphe, 1° Qui écrit sur : géo*graphe* ; 2° qui sert à écrire ou à exprimer : télé*graphe*.
ide, en forme de : métallo*ïde*.
lâtre, **lâtrie**, qui adore, adoration : ido*lâtre*, hugo*lâtrie*.
logue, **logie**, qui étudie, discours : astro*logue*, dia*logue ;* géo*logie*.
mancie, divination : nécro*mancie*, carto*mancie*.
mane, **manie**, qui a la folie de, folie : mégalo*mane*, mono*manie*.
mètre, **métrie**, mesure : kilo*mètre*, géo*métrie*.
mime, imitation : panto*mime*.
nome, **nomie**, qui étudie, loi : astro*nome*, astro*nomie*.
onyme, nom : an*onyme*, hom*onyme*.
pathe, **pathie**, qui souffre, douleur : névro*pathe*, sym*pathie*.
pédie, éducation : ortho*pédie*.
phage, **phagie**, qui mange, action de manger : anthropo*phage*, anthropo*phagie*.
phile, qui aime : biblio*phile*.
phobe, **phobie**, qui a horreur de, horreur : gallo*phobe*, agora*phobie*.
phone, **phonie**, parler, parole : a*phone*, télé*phonie*.

phore, qui porte, qui produit : séma*phore.*
pode, pied : myria*pode.*
pole, ville : métro*pole.*
scope, scopie, qui voit ou aide à voir, action de voir : téle*scope,* radio*scopie.*
taphe, tombeau : céno*taphe,* épi*taphe.*
technie, art, science : pyro*technie.*
thérapie, soin : thermo*thérapie.*
thèse, proposition : anti*thèse.*
tomie, action de couper : ana*tomie.*
urgie, travail : métall*urgie.*

DÉRIVATION DES MOTS SANS SUFFIXE

20. Les mots dérivés sans suffixe sont exclusivement des **noms,** et ces noms sont tirés du radical des verbes tel qu'il se trouve aux formes du singulier de l'indicatif présent. Ce **radical verbal** est pur ou accru d'un *e* muet, qui en facilite la prononciation.

La plupart de ces noms, qui sont presque tous des noms anciens, dérivent des verbes de la première conjugaison ; un très petit nombre viennent d'autres verbes, dont certains sont sortis de l'usage. Ainsi :

aboi, de j'aboi(e) ;
accueil, de j'accueil(le) ;
aide, de j'aid(e) ;
combat, de je combat(s) ;
deuil, de * douloir ;
essai, de j'essai(e) ;
maintien, de je maintien(s) ;
offre, de j'offr(e) ;
oubli, de j'oubli(e) ;
pardon, de je pardon(ne) ;
retard, de je retard(e) ;
rêve, de je rêv(e), etc.

Remarque. — La langue s'enrichit, en outre, en faisant passer des mots d'une catégorie grammaticale dans une autre.

Peuvent devenir des **noms** :

1° Des adjectifs : *un fort, une circulaire, le réel.*
2° Des adjectifs numéraux : *le tiers.*

3° Des pronominaux : *les miens, le moi.*

4° Des infinitifs : *le devoir, le déjeuner, le sourire.*

5° Des participes présents ou passés : *le mourant, une allée.*

6° Des mots invariables : *le dehors.*

REMARQUES. — *a*) Parmi les infinitifs pris comme noms, quelques uns ont disparu comme formes verbales : *loisir, plaisir ;* d'autres, sont combinés avec une préposition : *pourboire, affaire.*

b) Parmi les participes présents pris comme noms, certains viennent de verbes disparus : le *galant* (vieux verbe * *galer*, se réjouir); le *manant* (vieux verbe *m*anoir*, demeurer).

Parmi les participes passés féminins, pris comme noms, certains sont des formes anciennes pour lesquelles il faut remonter jusqu'au latin : *absoute, chute, course, source, tente,* etc.

Peuvent être pris comme **adjectifs** :

1° Des noms : *rose.*

2° Des participes présents ou passés : *bienveillant, sémillant, vigilant* (dont les verbes sont hors d'usage), *absolu, aimé, fleuri,* etc.

Peuvent devenir **adverbes** des noms, des adjectifs, des participes : *point, exprès, maintenant.*

Peuvent devenir **prépositions** des adjectifs et des participes : *sauf, durant.*

Peuvent devenir **conjonctions** des formes verbales et des adverbes : *soit, aussi.*

B. — COMPOSITION DES MOTS

21. Les mots sont **composés** de deux façons :

1° Par la réunion de deux ou plusieurs mots simples : *porte-monnaie, va-nu-pieds.*

REMARQUE. — Quand un mot composé est formé de deux mots simples ne faisant qu'un seul mot, la dernière lettre du premier mot simple est généralement supprimée si elle ne se prononce pas : *licol* (pour li[e]col) ; *toujours* (pour tou[s]jours).

2° Au moyen d'un mot simple et d'un **préfixe** ajouté devant le radical : *décamper*, composé du préfixe *dé* qui marque l'éloignement, et de *camper*, venant de *camp*.

Remarques. — *a*) Un même mot peut être à la fois **composé** et **dérivé** : ainsi *décamper* (dé-camp-er).

b) L'orthographe du préfixe peut être **modifiée**. Les modifications sont de quatre sortes :

1° **élision** de la voyelle finale du préfixe devant le radical, quand le radical commence par une voyelle ou par une diphtongue : *r-appeler* (pour re-appeler), *ant-agoniste* (pour anti-agoniste) ;

2° **assimilation** de la consonne finale du préfixe à la consonne initiale du radical : *al-laiter* (pour ad-laiter), *as-sortir* (pour ad-sortir), etc. ;

3° **accommodation** de la consonne finale du préfixe à la consonne initiale du radical : *im-patient* (pour in-patient), etc. ;

4° **disparition** de la consonne finale du préfixe devant la consonne initiale ou radical : *é-mettre* (pour ex-mettre), *o-mettre* (pour ob-mettre), etc.

22. Les mots composés à l'aide d'un mot simple et d'un préfixe sont :

1° Des mots composés grecs ou latins, qui ont passé en français.

2° Des mots composés formés par la langue française même.

Remarque. — Un certain nombre de ces mots composés n'existent en français que sous cette forme, le mot simple n'étant pas usité : *circonspect*, *éliminer*, etc.

23. On distingue deux sortes de préfixes :

1° Les **préfixes proprement dits**, qui sont soit des prépositions, soit des adverbes.

Les prépositions sont les unes séparables, les autres inséparables ; les adverbes sont tous des particules séparables, excepté *in* et *més*.

Ces préfixes viennent en majeure partie du latin, certains du grec.

Ils forment des noms, des adjectifs et des verbes.

2° Des **mots grecs ou latins** (noms, adjectifs, pronoms) jouant le rôle de préfixes, qui forment d'autres mots composés.

1° PRÉFIXES PROPREMENT DITS

PRÉFIXES	MODIFICATIONS	ORIGINES	SENS	EXEMPLES
a		grec	privation, manque	*a*thée
	an devant une voyelle			*an*archie
ab		latin	éloignement, séparation	*ab*jurer
	abs devant *c*, *t*			*abs*ent s'*abs*tenir
	a devant *m*, *v* par suppression			*a*movible *a*version
ad		latin	tendance, rapprochement, transformation	*ad*venir
	ac devant *c*			*ac*croître
	af — *f*			*af*firmer
	ag — *g*			*ag*graver
	al — *l*			*al*longer
	an — *n* (par assimilation)			*an*noter
	ap — *p*			*ap*parier
	ar — *r*			*ar*river
	as — *s*			*as*similer
	at — *t*			*at*tirer
	ac devant *q* par accommodation			*ac*quérir
	a forme populaire			*a*monceler
amphi		grec	autour, des deux côtés	*amphi*théâtre
	amp par altération	latin	double	*amp*oule
	amb par altération	latin		*amb*iance
	am par altération	latin		*am*puter
ana		grec	de bas en haut, renversement	*ana*gramme
anté		latin	avant, devant	*anté*diluvien
	anti par euphonie			*anti*chambre

PRÉFIXES	MODIFICATIONS	ORIGINES	SENS	EXEMPLES
	an } par altération			*an*cêtre (antecessorem)
	ai } par altération			*aî*né (ante natum)
anti		grec	contre, opposition	*anti*pape
	anté par euphonie			*anté*christ
	ant par élision			*ant*agoniste
apo		grec	loin de, changement	*apo*théose
archi		grec	au-dessus de, superlatif, familier	*archi*prêtre
	arch par élision			*arch*evêque
bene		latin	bien	*béné*fice
	bien, forme populaire			*bien*fait
bis		latin	deux, péjoratif	*bis*sac
	bi } par altération			*bi*corne
	be } par altération			*bé*vue
cata		grec	de haut en bas, contre	*cata*strophe *cata*plasme
circum		latin	autour	*circum*navigation
	circon par altération			*circon*férence
cis		latin	en deçà	*cis*alpin
com	devant *b*, *m*, *p*	latin	réunion, rapport	*com*père
	col devant *l* } par assimilation			*col*lection
	cor — *r* } par assimilation			*cor*respondre
	con forme populaire			*con*citoyen
	co, devant une voyelle, une *h* et certaines consonnes, par altération			*co*associé *co*hérent

PRÉFIXES	MODIFICATIONS	ORIGINES	SENS	EXEMPLES
contra		latin	contre, à côté de	*contra*diction
	contre forme populaire			*contre*signer
dé		latin	éloignement, séparation, négation	*dé*barquer, *dé*faire
di		grec	double	*di*phtongue
dia		grec	à travers, d'un bout à l'autre	*dia*mètre
	di par élision			*di*optrique
dis		latin	séparation, *qqf.* négation	*dis*semblable
	dif par assimilation			*dif*ficile
	di, par suppression			*di*lapider
	dés, *dé*, formes populaires			*dés*obéissant *dé*membrer
dys		grec	affaiblissement difficulté	*dys*pepsie
en		lat. *inde*	éloignement	*en*lever
	em devant *b*, *m*, *p*			*em*mener
en		latin (voir *in*)	dans, sur ; résultat de l'action	*en*cadrer *en*richir
épi		grec	sur	*épi*démie
eu		grec	bien	*eu*phonie
ex		latin	dehors	*ex*ode
	ef devant *f* } par assimilation			*ef*fréné
	es — *s* } par assimilation			*es*soufflé
	é par suppression			*é*crémer
extra		latin	hors de	*extra*ordinaire
for		latin	dehors	*for*fait
	four } par altération			*four*voyer
	fau } par altération			*fau*bourg
	hor } par altération			*hor*mis

PRÉFIXES	MODIFICATIONS	ORIGINES	SENS	EXEMPLES
hémi		grec	demi	*hémi*sphère
hyper		grec	au-dessus, à l'excès	*hyper*trophie
hypo		grec	au-dessous	*hypo*crite
in		latin	1° sens négatif	*in*intelligent
	il devant *l* } par assimilation			*il*logique
	ir — *r* } par assimilation			*ir*réel
	im devant *m* par assimilation,			*im*mobile
	devant *b*, *p* par accommodation			*im*bécile
	en forme populaire			*en*fant, *en*nemi
			2° dedans, sur	*in*carcérer
	il devant *l* } par assimilation			*il*lustrer
	ir — *r* } par assimilation			*ir*ruption
	im devant *m* par assimilation ;			*im*mission
	devant *b*, *p* par accommodation			*im*porter
	en forme populaire			*en*diguer
	em devant *m* par assimilation ;			*em*magasiner
	devant *p*, par accommodation			*em*bellir
infra		latin	au-dessous	*infra*-rouge
inter		latin	au milieu de, entre	*inter*mittent
	entre forme populaire			*entre*côte
intra		latin	au-dedans	*intra*veineux
intro		latin	en-dedans	*intro*duire
malé		latin	mal	*malé*fice
	mal } par altération			*mal*otru
	mau } par altération			*mau*dit
més		latin	sens péjoratif ou négatif	*més*alliance
	mé par altération devant une consonne autre que *s*			*mé*dire

PRÉFIXES	MODIFICATIONS	ORIGINES	SENS	EXEMPLES
méta		grec	changement	*méta*morphose
	mét par élision			*mét*empsychose
mi		latin	moitié	*mi*di
non		latin	négation	*non*obstant
ob		latin	en face	*ob*tenir
	oc devant *c* (par assimilation)			*oc*cident
	of — *f* (par assimilation)			*of*frande
	op — *p* (par assimilation)			*op*poser
	o par suppression			*o*mission
para		grec	à côté de	*para*phrase
	par par élision			*par*onyme
per		latin	1° à travers, jusqu'au bout	*per*forer, *per*fection,
			2° de travers, mal	*per*fide
	par forme populaire		1°	*par*courir, *par*fait,
			2°	*par*jure
péné		latin	presque	*péné*plaine
	pén par élision			*pén*insule
péri		grec	autour de	*péri*mètre
post		latin	après	*post*hume
pré		latin	avant, en avant	*pré*dire
pro		latin	en avant, à la place de	*pro*jeter, *pro*consul
	pour (formes populaires)			*pour*chasser
	por (formes populaires)			*por*trait
pros		grec	vers	*pros*odie (prononciation conforme à l'accent)
ré, re		latin	1° répétition, intensité ;	*ré*péter, *re*dire;
			2° retour en arrière, sens contraire	*re*tourner, *ré*agir

PRÉFIXES	MODIFICATIONS	ORIGINES	SENS	EXEMPLES
	res devant *s*			*res*saisir
	r par élision			*r*affoler
rétro		latin	en arrière	*rétro*grade
sé		latin	séparation	*sé*cession
sub		latin	au-dessous	*sub*juguer
	suc devant *c* (par assimilation)			*suc*cursale
	suf — *f* (par assimilation)			*suf*fixe
	sug — *g* (par assimilation)			*sug*gérer
	sup — *p* (par assimilation)			*sup*porter
	su par altération			*su*jet
	sous (formes populaires)			*sous*traire
	sou (formes populaires)			*sou*tirer
super		latin	au-dessus	*super*poser
	supré par altération			*supré*matie
	sur (formes populaires)			*sur*passer
	sus (formes populaires)			*sus*pendre
supra		latin	au-dessus	*supra*sensible
syn		grec	réunion	*syn*taxe
	syl par assimilation			*syl*labe
	sym par accommodation			*sym*pathie
	sy par altération			*sy*métrie
trans		latin	au-delà, à travers	*trans*percer
	tra (formes populaires)			*tra*duire
	tré (formes populaires)			*tré*passer
	tres (formes populaires)			*tres*sauter
tri		latin	trois	*tri*cycle
	tris devant une voyelle			*tris*aïeul
	tré forme populaire			*tré*pied
ultra		latin	au delà, outre	*ultra*montain
	outre forme populaire			*outre*mer
vice		latin	à la place de	*vice*-roi
	vi forme populaire			*vi*dame

2° MOTS D'ORIGINE LATINE SERVANT DE PRÉFIXES

24. Les principaux mots latins servant de préfixes sont :
aéri, air : *aéri*vore.
agri, champ : *agri*culture.
calori, chaleur : *calori*fère.
cunéi, coin : *cunéi*forme.
curvi, courbe : *curvi*ligne.
multi, nombreux : *multi*forme.
omni, tout : *omni*potent.
soli, un seul : *soli*loque.
uni, un seul : *uni*vers.
ventri, ventre : *ventri*potent.

3° MOTS D'ORIGINE GRECQUE SERVANT DE PRÉFIXES

25. Les principaux mots grecs servant de préfixes sont :
acro, sommet : *acro*pole.
aéro, air : *aéro*lithe.
agro, champ : *agro*nome.
anthropo, homme : *anthropo*phage.
archéo, ancien : *archéo*logue.
aristo, meilleur, supérieur : *aristo*crate.
astro, astre : *astro*logie.
auto, de soi-même : *auto*graphe.
baro, pesanteur : *baro*mètre.
biblio, livre : *biblio*phile.
bio, vie : *bio*graphie.
caco, mauvais : *caco*graphie.
chiro, main : *chiro*mancie.
chromo, couleur : *chromo*lithographie.
chrono, temps : *chrono*logie.
cinéma, mouvement : *cinéma*tographie.
cosmo, monde : *cosmo*polite.

crypto, caché : *crypto*graphie.
dactylo, doigt : *dactylo*graphie.
démo, dém, peuple : *démo*cratie, *dém*agogie.
dermato, peau : *dermato*logie.
dynamo, puissance : *dynamo*mètre.
électro, électricité : *électro*lyse.
gastéro, gastro, ventre : *gastéro*pode, *gastro*nome.
géo, terre : *géo*mètre.
grapho, écriture : *grapho*logue.
hélio, soleil : *hélio*trope.
hémat, hémo, sang : *héma*turie, *hémo*rragie.
hétéro, autre : *hétéro*gène.
hiéro, sacré : *hiéro*glyphe.
hippo, cheval : *hippo*potame.
homo, hom, semblable : *homo*gène, *hom*onyme.
hydro, eau : *hydro*gène.
idéo, idée : *idéo*logue.
iso, égal : *iso*cèle.
litho, pierre : *litho*graphie.
logo, discours : *logo*griphe.
macro, grand, gros : *macro*céphale.
méga, mégalo, grand : *méga*lithique, *mégalo*mane.
méso, milieu : *Méso*potamie.
métro, mesure : *métro*nome.
micro, petit : *micro*cosme.
miso, mis, qui hait : *miso*gyne, *mis*anthrope.
mono, mon, seul : *mono*tone, *mon*arque.
mytho, légende, invention : *mytho*logie.
nécro, mort : *nécro*pole.
néo, nouveau : *néo*phyte.
neuro, névro, névr, nerfs : *neuro*logie, *névro*pathe, *névr*algie.
olig(o), quelques-uns, peu : *olig*archie.
oro, montagne : *oro*graphie.
ortho, droit, correct : *ortho*pédie, *ortho*graphe.

paléo, ancien : *paléo*graphe.
pan, tout : *pan*théon.
patho, douleur : *patho*logie.
phago, manger : *phago*cyte.
phil(o), ami : *philo*sophe, *phil*anthrope.
phono, voix, son : *phono*graphe.
photo, lumière : *photo*graphie.
physio, nature : *physionomie.*
podo, pied : *podo*mètre.
poly, nombreux : *poly*graphe.
pseud(o), faux : *pseud*onyme.
psycho, âme : *psycho*logie.
ptéro, aile : *ptéro*dactyle.
pyro, feu : *pyro*gravure.
télé, loin : *télé*pathie.
théo, dieu : *théo*gonie.
thermo, chaleur : *thermo*mètre.
top(o), lieu : *topo*graphie, *top*onymie.
typo, caractère : *typo*graphie.
xéno, étranger : *xéno*phobe.
zoo, animal : *zoo*logie.

Il convient d'ajouter à cette liste, qui ne saurait d'ailleurs être complète, les noms de nombre grecs suivants servant aussi de préfixes :

proto, premier : *proto*plasme.
di, dis, deux : *di*phtongue, *dis*archie.
tri, trois : *tri*angle.
tétra, quatre : *tétra*corde.
pent(a), cinq : *penta*gone, *pent*athle.
hex(a), six : *hexa*mètre, *hex*andre.
hepta, sept : *hepta*pode.
octo, huit : *octo*syllabe.
ennéa, neuf : *ennéa*gone.
déca, dix : *déca*litre.

hécaton, hecto, cent : *hécatom*be, *hecto*litre.
kilo, mille : *kilo*mètre.
myria, dix-mille, nombreux : *myria*pode.

FAMILLES DE MOTS

26. On appelle **famille de mots** l'ensemble des mots qui se rattachent à un **même radical** (mots **primitifs**, mots **dérivés**, mots **composés**) et qui ont entre eux une sorte de parenté ou de filiation de sens.

Le radical des mots d'une même famille peut être différent :

1° Selon qu'ils sont de formation populaire ou de formation savante, tels *chef* (populaire) et *cap* (savant) venus l'un et l'autre du latin *caput* « tête ».

2° Selon que le radical a une forme accentuée ou une forme inaccentuée, tels *preuv*(e) et *prouv*(e).

3° Selon la forme même du mot latin qui les a produits, tels *mettr*(e) de l'infinitif latin *mittere* et *mess*(e) du participe passé latin *missa*.

D'autre part, le lien de parenté ou de filiation entre les m[illegible]ts d'une même famille est parfois, quoique réel, difficilement s[illegible]s-sable : c'est ainsi que *cadeau* et *chapiteau* se rattachent l'[illegible] l'autre au même radical *cap*, le premier par l'intermédiai[illegible] gascon * *capdel, capdeau*, qui signifia d'abord « lettre c[illegible] ornée », puis « passe-temps agréable et futile, divertissement g[illegible] enfin « présent de fête » ; le second, venu directement du[illegible] *capitellum* « petite *tête* de la colonne ».

DIVERSITÉ DE SENS D'UN MÊME MOT

27. On appelle **sens propre** ou **premier** d'un mot la signification naturelle et primitive de ce mot.

On appelle **sens figuré** ou **dérivé** d'un mot la signification que prend un mot détourné de son emploi naturel et primitif.

Les déviations du sens d'un mot tiennent à la facilité qu'a l'esprit d'établir des rapports et des analogies entre une idée et un mot.

Ainsi l'on dit : *un habit* **juste**, *une balance* **juste**, *vendre à* **juste** *prix, une loi* **juste**. Dans ces différents sens du mot *juste*, l'idée commune est un rapport de conformité établi par la pensée entre un objet et une mesure soit physique, soit morale.

De même on ne se borne pas à employer le mot *monter* dans son sens propre : **monter** *un escalier*, **monter** *une colline*. On dit, par une analogie assez proche, **monter** *un cheval fougueux*, **monter** *à cheval*, **monter** *sur un vaisseau* ; puis, dans un sens plus détourné, et au figuré : **monter** *la tête à quelqu'un*. Enfin c'est à peine s'il est possible de retrouver le sens primitif du mot dans les expressions **monter** *un ménage*, **monter** *un magasin*, etc.

Le plus souvent, les déviations du sens primitif d'un mot apparaissent dans certaines locutions où ce mot prend un sens tout spécial, et qui se rencontrent dans chaque langue : c'est ce qu'on appelle des **idiotismes**. Un idiotisme français s'appelle un **gallicisme**.

Soit, par exemple, le mot *cœur :*

I. **Sens propre.** — Viscère musculaire qui est le centre et l'agent principal de la circulation du sang : *le cœur est un viscère placé à la partie gauche de la poitrine.*

[illegible] extension : 1° La poitrine, qui renferme le cœur : *Serrer [illegible] cœur.*

[illegible] région épigastrique, voisine du cœur : *Avoir mal au cœur.*

[illegible] analogie : 1° Ce qui a la forme du cœur : *Faire la bouche en [illegible]ur.*

2° Partie centrale ou principale de quelque chose : *Le cœur de l'été. Paris est le cœur de la France.*

II. **Sens figuré.** — Siège des affections.

1° Siège du sentiment intérieur : *Cet homme n'a pas de cœur. C'est un homme plein de cœur* — et le gallicisme : *Parler à cœur ouvert.*

2° Siège de la souffrance et de la joie : *Avoir le cœur gai* — et le gallicisme : *Rire de bon cœur.*

3° Siège de la tendresse, de l'amour : *Un cœur de mère* — et le gallicisme : *Avoir le cœur sur la main.*

4° Siège de la force d'âme, du courage : *Un cœur de lion. Avez-vous le cœur d'agir ainsi ?*

Il arrive que par enchaînement et succession un mot arrive à recevoir un sens dérivé qui n'a plus avec son premier sens qu'un point de contact difficilement discernable.

Ainsi le mot mouchoir désigne :

1° Un objet avec lequel on se mouche, généralement un carré d'étoffe ;

2° *(par analogie)* tout carré d'étoffe, et singulièrement un carré d'étoffe qu'on porte au cou et qui forme pointe dans le dos ;

3° (*par analogie avec* 2°) pièce de bois triangulaire (terme de marine).

Le lien entre le troisième sens et le premier, que l'histoire de la langue peut établir, n'apparaît point clairement de prime abord.

28. Les différentes variations de sens d'un mot se rattachent à diverses catégories de **figures de langage** *, dont les principales sont :

1° La **synecdoque** **, par laquelle on prend :

La partie pour le tout :

Payer tant par **tête,** *c'est-à-dire par* **personne** ;

le tout pour la partie :

Acheter un **vison,** *c'est-à-dire un manteau fait de peaux de vison ;*

le genre pour l'espèce :

Un **bâtiment,** pour dire un *navire* (forme de « bâtiment » destiné à aller sur l'eau) ;

l'espèce pour le genre, etc.

---

* Ou *tropes* (lat. *tropus*, du grec *trépô* « je tourne »).

** Ou *synecdoche* (du grec *sunecdoché* « com-préhension »).

2° La **métonymie** *, qui consiste à désigner du même terme deux objets unis par une relation *a)* de cause à effet : *construction* (action de construire) et *construction* (chose construite) ; *b)* de contenant à contenu : *un verre à pied* et *boire un verre de vin ; c)* de matière à objet : *du bois* et *un bois de lit*, etc.

3° La **métaphore** **, comparaison dont le moyen terme (*comme*, etc.) est supprimé : *la* **lumière** *de l'esprit ; la* **fleur** *de l'âge ; une campagne* **riante**, etc.

4° La **catachrèse** ***, qui consiste à employer un mot dans un sens différent de son sens propre, par suite de l'absence, dans la langue, d'un terme littéral, ou de l'ignorance où l'on est de celui-ci : *les* **bras** *d'un fauteuil ; les* **ailes** *d'un moulin.*

Remarque. — Aux différentes acceptions d'un même mot dans la **langue actuelle**, il sied de joindre les différentes acceptions d'un même mot dans l'**histoire de la langue**.

1° Le sens de certains mots s'est **fixé** ou **précisé** : on distingue aujourd'hui *conter* et *raconter*, *opprimer* et *oppresser*, *hostie* et *victime* que Bossuet, par exemple, employait l'un pour l'autre .

2° Quelques mots sont **devenus familiers** qui étaient employés dans le style plus relevé : tel *moitié*, désignant une épouse, qui appartenait encore au XVIIe siècle au style soutenu .

3° Le sens de certains mots s'est **restreint** : *succès* signifiait autrefois résultat (bon ou mauvais), *jument* désignait une « bête de somme », *génie* avait la valeur de « naturel, qualités innées », *viande* exprimait « toutes les sortes de nourritures », etc.

4° D'autres mots se sont **usés** : *charme* avait autrefois le sens de « sortilège », *ennui* celui de « violent chagrin », *étonner* celui d'« effrayer (comme d'un coup de tonnerre) », *gâter* celui de « dévaster », *gêner* de « torturer », *meurtrir* de « tuer », etc.

Enfin des mots ont changé de sens par accident, par confusion, par extension abusive, etc.

---

* D'un mot grec qui veut dire « changement de nom ».

** D'un mot grec qui veut dire « transport ».

*** D'un mot grec qui signifie « contre-usage ».

SYNONYMES, HOMONYMES ET PARONYMES

29. On appelle **synonymes** des mots qui ont un sens à peu près semblable, mais qui diffèrent pourtant par une nuance de la pensée *.

On distingue deux espèces de synonymes :

1° Les synonymes ayant une **racine identique.**

2° Les synonymes ayant des **racines différentes.**

SYNONYMES AYANT UNE RACINE IDENTIQUE

30. Les synonymes ayant une racine identique peuvent être répartis en trois catégories :

a) Ceux qui ont même physionomie, mais que distinguent des **circonstances grammaticales :**

1° Différence de nombre : *l'honneur, les honneurs ; la ruine, les ruines,* etc.

2° Différence de genre : *une manœuvre, un manœuvre ; une aide, un aide,* etc.

3° Emploi (ou non) de l'article : *faire feu, faire du feu,* etc.

4° Déplacement de l'adjectif ou de l'adverbe : *un grand homme, un homme grand ; bien vivre, vivre bien,* etc.

5° Compléments différents des verbes : *participer à, participer de,* etc.

b) Ceux que diversifient des **affixes** (préfixes ou suffixes) :

at*trister* « causer un déplaisir plus apparent que profond et qui

---

* **Synonyme** vient du grec *sunônumos* (de *sun* « avec » et *onoma* « nom ») et signifie proprement « mot qui a le même sens qu'un autre ». Mais il y a toujours entre les mots dits **synonymes** quelque différence, surtout pour l'écrivain soucieux de la propriété des termes : « Entre toutes les différentes expressions qui peuvent rendre une seule de nos pensées, dit La Bruyère (I, 17), il n'y en a qu'une qui soit bonne. »

ne fait qu'effleurer le cœur » et *con***trister** « causer un déplaisir profond »;

*instruc***teur** « qui instruit ou qui a instruit » et *instruc***tif** « propre à instruire ».

c) Ceux qui se distinguent les uns des autres par l'aspect différent que leur ont donné des **règles différentes de formation**, et qui sont proprement des doublets (cf. §13) : *aigre, âcre; naïf, natif; plier, ployer,* etc.

SYNONYMES AYANT DES RACINES DIFFÉRENTES

31. Les synonymes ayant des racines différentes ont un sens général commun, mais chacun une acception qui les différencie.

Ainsi *abattre, démolir, renverser, ruiner, détruire* ont en commun le sens de « faire tomber », mais *abattre* signifie proprement « jeter à bas », *démolir* « jeter à bas en rompant la liaison d'une masse construite », *renverser* « mettre à l'envers ou sur le côté », *ruiner* « faire tomber en morceaux », *détruire* « faire disparaître ».

De même *crainte, frayeur, effroi, terreur, épouvante* expriment, avec des nuances ou des degrés différents, l'idée de peur, etc.

REMARQUE. — On appelle **antonymes** * des mots qui, pour le sens, s'opposent directement l'un à l'autre : *riche, pauvre; vieux, jeune; loin, près; commencer, finir,* etc.

32. On appelle **homonymes** ** des mots qui ont à peu près la même prononciation, mais qui n'ont pas le même sens.

Ainsi :

air, nom masc. « un des quatre éléments de l'ancienne physique » ;

aire, nom fém. : 1° « nid d'oiseau de proie » ; 2° « surface plane où l'on bat le grain » ;

ère, nom fém. « division de chronologie » ;

erre, nom fém. : 1° « train, manière d'aller »; 2° « vitesse res-

---

* **Antonyme** vient du grec *antônumos* (de *ant(i)* « contre » et *onoma,* « nom »).

** **Homonyme** vient du grec *homônumos* (de *hom(os)* «semblable » et *onoma,* « nom »).

tante d'un navire sur lequel n'agit plus le propulseur »; 3° « trace (d'animal) ».

haire, nom fém. « chemise de crin » ;

hère, nom masc. « homme sans considération, pauvre diable ».

Remarque. — Certains homonymes ont à la fois même prononciation et même orthographe : ils sont dits homonymes **homographes.**

Ainsi *vers*, préposition, et *vers*, nom masculin.

Mais des mots qui sont **homographes** peuvent n'être pas **homonymes.** Tels *négligent*, adj., et *négligent*, forme verbale, qui s'écrivent pareillement et se prononcent différemment *.

33. On appelle **paronymes** ** des mots dont la prononciation peut prêter à confusion, même quand la ressemblance de son est approximative : ainsi *anoblir* et *ennoblir*, *auspices* et *hospices*, *bailler* et *bâiller*, *collision* et *collusion*, *paume* et *pomme*, *vénéneux* et *venimeux*, etc.

---

* Les changements de prononciation ont tantôt fait cesser l'homonymie qui existait entre certains mots : *grammaire* se prononçait jadis comme *grand'-mère*, tantôt, au contraire, créé une homonymie entre des mots qui, jadis, se prononçaient différemment : *autel* et *hôtel*, aujourd'hui homonymes, étaient au moyen âge * *altel* et * *hostel*.

** **Paronyme** vient du grec *parônumos*, de *para* « à côté » et *onoma* « nom ».

PREMIÈRE PARTIE

LES MOTS

I

LES SONS ET LES SIGNES

34. La **grammaire** * a pour objet l'étude des règles du langage, parlé ou écrit. Le langage parlé s'exprime par des *sons*, que le langage écrit représente par des signes ou caractères nommés *lettres*.

Sons et lettres composent des *mots*, qui s'unissant entre eux forment des *phrases* **.

35. L'**alphabet** *** est l'ensemble des lettres qui sont en usage dans une langue.

Il y a dans l'alphabet français vingt-cinq lettres : A a, B b, C c, D d, E e, F f, G g, H h, I i, J j, K k, L l, M m, N n, O o, P p, Q q, R r, S s, T t, U u, V v, X x, Y y, Z z.

Ces vingt-cinq lettres se divisent en **voyelles** et en **consonnes**.

Les voyelles sont les lettres qui, même prononcées seules, forment une *voix*, c'est-à-dire un son.

Il y a en français six voyelles qui sont : **a**, **e**, **i**, **o**, **u** et **y**.

Les consonnes sont les lettres qui *sonnent avec* les voyelles.

Il y a en français dix-neuf consonnes qui sont : **b**, **c**, **d**, **f**, **g**, **h**, **k**, **j** , **l**, **m**, **n**, **p**, **q**, **r**, **s**, **t**, **v**, **x**, **z**.

REMARQUE. — On considère parfois comme une consonne à part, et on ajoute à cette liste le **W w** (*double vé*), qui ne se trouve que dans les mots d'origine anglaise ou allemande.

36. Les lettres, au point de vue de l'écriture, sont dites *majuscules* ou *minuscules*.

---

* Du mot latin *grammatica*, lui-même tiré du mot grec *grammatikè* « science des lettres ».

** Du grec *phrasis*, qui est formé de la même racine que *phrazomaï* « parler ».

*** Du nom des deux premières lettres grecques : *alpha*, *bêta*. L'alphabet français dérive de l'alphabet latin, lui-même dérivé de l'alphabet grec. On l'appelle parfois *abécé*, du nom des trois premières lettres françaises : A, B, C.

On appelle **majuscules** les lettres représentées par une lettre plus grande que les autres et ayant une figure différente : A, B, C, D, etc.

On appelle **minuscules** les petites lettres : *a*, *b*, *c*, *d*, etc.

La majuscule s'emploie :

1° Au commencement du discours ou au commencement des phrases, quand la phrase précédente est terminée par un point.

2° Au commencement des vers, que le premier mot du vers commence ou non la phrase.

3° Au commencement des noms propres (**P***ierre*, **D***ieu*, **F***rançais*, **A***sie*), et au commencement des noms communs de choses personnifiées (*la* **F***ortune*, *la* **R***enommée*).

4° Au commencement des mots désignant l'être auquel on adresse la parole : Oui, **M***adame*.

5° Dans les titres honorifiques : **S***a* *Majesté*, **M***onseigneur*.

6° Dans les titres d'ouvrages : *le* **C***id* de Corneille, *le* **C***hevalier à la mode* de Dancourt.

REMARQUES. — 1° Les noms de mois et de jours n'ont pas de majuscule : *le deux mars ; il est arrivé dimanche.*

2° Le mot *Saint* prend une majuscule et se joint par un trait d'union au nom qu'il modifie quand il forme avec ce dernier un nom qui ne s'applique pas à un saint, ou qui ne s'y rapporte plus que d'une manière indirecte : *la Saint-Michel*, l'église *Saint-Philippe-du-Roule*, *le boulevard Saint-Germain.*

Mais quand on veut parler du saint lui-même, on écrit *saint Michel*, *saint Philippe*, *saint Germain* et, par abréviation, avec une majuscule : *S. Michel* ou *St. Michel*, *les SS. Pères.*

SIGNES ORTHOGRAPHIQUES

37. Les lettres peuvent être modifiées par certains signes orthographiques qui sont au nombre de trois : les *accents*, le *tréma*, la *cédille*.

1° **Accents ***. — Les accents marquent, en général, des variétés de prononciation des voyelles.

---

* Du latin *accentus* (de *ad* « à » et *cantus* « chant »). — Les accents, inconnus au moyen âge, ont été empruntés au XVIᵉ siècle par nos grammairiens à la langue grecque, où leur rôle était bien différent.

Il y a trois accents : l'*aigu*, le *grave* et le *circonflexe*.

L'accent **aigu** (´) peut se mettre seulement sur la voyelle *e* : *bonté*, **été**.

Il ne se met jamais sur l'*e* suivi d'un *x* : *examen*.

L'accent **grave** (`) peut se mettre sur les voyelles *a*, *e*, *u* : *déjà*, *mère*, *où*.

Il distingue dans la prononciation l'*e ouvert* de l'*e fermé* (voir § 40), et sert, dans l'écriture, à distinguer deux mots qui se composent des mêmes lettres : *ou*, conjonction, et *où*, adverbe ; *la*, article et pronom, et *là*, adverbe ; *a*, du verbe *avoir*, et *à*, préposition ; *des*, adj. indéfini, et *dès*, préposition, etc.

L'accent **circonflexe** (ˆ) peut se mettre sur toutes les voyelles à l'exception de l'*y* : *âne*, *extrême*, *île*, *apôtre*, *mûre*.

Les voyelles marquées d'un accent circonflexe sont en général longues. Cependant elles ne le sont qu'autant que l'accent circonflexe se rencontre sur la même syllabe que l'accent tonique : *âne*, *fête*, *cloître*, etc.

Mais quand l'accent circonflexe tombe sur une syllabe qui n'est pas marquée de l'accent tonique, cette syllabe reste brève, malgré l'accent circonflexe : *dîner*, *brûler*, *cloîtrer*, dont on prononce l'*i* ou l'*u* bref ; *hôpital*, qu'on prononce *hopital*.

L'accent circonflexe sert aussi, dans l'écriture, à distinguer deux mots qui se composent des mêmes lettres : *du*, article, et *dû*, participe ; *cru*, au verbe *croire*, et *crû*, du verbe *croître*, etc.

Remarques. — 1° L'accent circonflexe indique en général la suppression d'une lettre, qui est le plus souvent une *s* * :

fête autrefois s'écrivait *feste* (l'*s* subsiste dans les dérivés : *festin*, *festival*, *festoyer*) ;

côte autrefois s'écrivait *coste* (l'*s* subsiste dans les composés : *accoster*, *intercostal*) ;

épître autrefois s'écrivait *épistre* (l'*s* subsiste dans *épistolaire et épistolier*) ;

âme autrefois s'écrivait *anme* (d'où le dérivé *animé*).

---

* Cette *s*, qui se prononçait au moyen âge, se maintint aux XVIe-XVIIIe siècles, comme simple signe de l'allongement de la voyelle précédente.

L'accent aigu, surtout au commencement des mots, tient aussi parfois la place d'une *s* supprimée :

État (autrefois *estat*), *étang* (autrefois *estang*), *écu* (autrefois *escu*), etc.

Parfois l'accent circonflexe est le signe d'une contraction : *âge* s'écrivait autrefois *aage*.

Parfois enfin il se met, sans qu'il y ait aucune lettre supprimée, sur des voyelles qui étaient longues en grec et en latin : *dôme, gnôme, extrême* *.

Les *dérivés* ne gardent pas toujours l'accent circonflexe des mots *simples : acrimonie*, de **â***cre ; gracieux*, de *grâce*, etc.

2° **Tréma** **. — Le tréma (¨) se met quelquefois sur les voyelles *e, i, u, y*, placées après une autre, pour indiquer que la seconde voyelle doit être détachée de la seconde dans la prononciation *aiguë* (qui se distingue ainsi de *aigue* dans *aigue-marine, Aigues-Mortes*), *naïf, Saül, Aÿ*. ***

3° **Cédille** ****. — La cédille (¸) se met quelquefois sous la lettre *c* devant *a, o, u*, pour indiquer que *c* à la prononciation de *ss* ou de *s* dure : *façade, leçon, reçu*.

38. A ces trois signes orthographiques il faut ajouter l'*apostrophe* et le *trait d'union*.

L'apostrophe ***** (') remplace dans certains cas les lettres *a, e, i*, supprimées ou élidées : *l'âme* (pour **la** *âme*), *l'enfant* (pour **le** ou **la** *enfant*), *s'il* (pour *si il*).

Remarque. — L'apostrophe remplace l'*e* ou l'*a* des mots *le* et *la*, articles ou pronoms, des pronoms *je, me, te, se, ce, que*, de la préposition *de* et de la conjonction *ne*, devant tous les mots commençant par une voyelle ou une *h* muette,

---

* *Fête* vient du latin *festum ; côte*, de *costem ; épître*, de *epistolam; âme*, de *animam; âge*, de *ætaticum* (dérivé de *ætatem*). *Dôme* vient du grec *dôma* « maison », *gnôme*, de *gnômê* « esprit, pensée », *extrême*, du latin *extremum*. Mais c'est par erreur que l'on dit *pôle* (en grec *polos*).

** D'un mot grec signifiant point. — Le tréma a été employé pour la première fois en 1540 par l'imprimeur Étienne Dolet.

*** Au XVIIe et au XVIIIe siècle, on écrivait avec un tréma un grand nombre de mots dans lesquels il est aujourd'hui supprimé. Tels étaient : *ébloüir, joüir, loüer, la nuë, la ruë*, etc.

On écrivait aussi avec un tréma des mots tels que *poëme, poëte, troëne*, etc., où l'on met aujourd'hui un accent grave : *poème, poète, troène*, etc.

**** De l'italien *zediglia* « petit z » ; la cédille a été ainsi nommée parce que, d'ordinaire, pour donner au *c* le son de l'*s* on écrivait *cz : leczon* pour *leçon*.

***** Du grec *apostrophè* « qui détourne » (sous-entendu *stigmè* « marque ») : c'est proprement la marque, le signe qui détourne, évite l'*hiatus*, et remplace la lettre élidée. L'apostrophe a été employée pour la première fois en 1529 par l'imprimeur Geoffroy Tory.

excepté devant quelques mots parmi lesquels *oui*, les noms de nombre *un*, *huit*, *onze* et leurs dérivés, les noms communs *uhlan*, *yacht*, *yatagan*, *yole*, *yuca* *. Il y a hésitation pour *ouate*.

L'apostrophe remplace également l'*e* des conjonctions *que*, *lorsque*, *puisque*, *quoique*, devant *il*, *ils*, *elle* ,*elles*, *on*, *un*, *une* ; l'*e* de *entre* dans certains composés de ce mot (*entr'acte*, etc.) ; l'*e* de *presque* dans *presqu'île* ; celui de *jusque* dans *jusqu'à*, *jusqu'ici* et *jusqu'où* ; l'*e* de *quelque* devant *un* et *une*, etc.

L'apostrophe remplace encore l'*i* de *si* devant *il* et *ils*.

Elle remplace enfin l'*a* de *la* devant les noms de consonnes qui sont du féminin *l'f*, *l'n*, *l's*, etc.

Le **trait d'union** (-), qu'il ne faut pas confondre avec le tiret (voir § 430), sert à réunir deux ou plusieurs mots en un seul (*chef-lieu*, *arc-en-ciel*, etc.) ou à joindre plus étroitement certains mots qui semblent n'en former qu'un (*c'est-à-dire*, *répondit-il*, etc.) **

Il s'emploie aussi à la fin d'une ligne quand on est obligé de couper un mot.

VOYELLES

39. Les *voyelles* se divisent en voyelles, *pures* ou *simples*, en voyelles *composées*, et en voyelles *nasales*.

I. — VOYELLES PURES

40. Les voyelles pures sont : *a*, *e*, *i*, *o*, *u*, *y*.

Ces voyelles se prononcent tantôt rapidement, en un temps très court, et on les appelle *brèves*, tantôt plus lentement, en prolongeant le son, et on les appelle *longues*.

---

* Dans ces derniers mots l'*y* est considérée comme une consonne. *Uhlan* s'est longtemps écrit *hulan*. — La prononciation de *un*, *onze* comme si ces mots étaient précédés d'une aspiration vient de la tendance du vieux français à faire précéder d'une *h* les mots monosyllabiques ou du moins les mots à une seule syllabe sonore commençant par une voyelle : *haut*, *huile*, *huître*, etc. On sait que ces mots étaient en latin *altus*, *olea*, *ostrea*.

Dans quelques mots qui étaient précédés autrefois d'un article élidé, l'article a fini par faire corps avec le mot. Ainsi *l'ierre* (latin *hedera*) qui était pour *la ierre*, est devenu *lierre*, qui a pris de nouveau l'article, *le lierre* (dans quelques patois ce mot est encore au féminin). De même *l'oriot* (du latin *aureolus* « doré ») est devenu *le loriot*, etc.

** Le trait d'union apparaît pour la première fois dans le *Dictionnaire* de Nicot à la fin du XVIe siècle (1573). On l'a supprimé dans certains cas où on le mettait autrefois, tels que les superlatifs *très grand*, *très bon*, etc., et dans *non seulement*. Rendu facultatif par l'arrêté ministériel du 28 février 1901, son emploi est en voie de régression. Dans certains mots composés, par exemple *havre-sac*, on a supprimé le trait d'union et soudé les mots composants, pour écrire aujourd'hui *havresac*.

REMARQUE. — *Y* est toujours bref, mais *a* est bref dans *chatte* et long dans *pâte*, *e* est bref dans *dette* et long dans *tête*, *i* est bref dans *mite* et long dans *île*, *o* est bref dans *somme* et long dans *apôtre*, *u* est bref dans *butte* et long dans *mûr*.

L'usage apprend si les voyelles sont brèves ou longues. Mais on peut faire ici trois remarques :

1° Les voyelles suivies d'une consonne redoublée sont brèves, à l'exception des voyelles qui précèdent deux *r* *(terre, verre)* et à l'exception de *a* et *o* dans *basse* et dans *fosse*.

2° La voyelle de l'avant-dernière syllabe est brève quand elle est suivie de deux ou trois consonnes différentes et que la dernière syllabe est muette : *barbe, arbre*, etc.

3° Les voyelles *au,eau* (voir § 41), sont longues, sauf dans *aurore*.

Touchant les voyelles *e* et *y*, il sied de noter en outre :

1° La voyelle *e* a trois sons différents :

a) La voyelle *e* a un son sourd et à peine sensible, et l'*e* est dit *e muet : appeler, table, pluie*.

b) La voyelle *e* a un son aigu, qu'on prononce la bouche presque fermée, et l'*e* est dit *e fermé : bonté, témérité*.

Cet *e fermé* est marqué de l'accent aigu, sauf quand il est suivi dans la même syllabe des consonnes *r, d, z*, déterminant sa prononciation : *rocher, pied, nez*.

c) La voyelle *e* a un son ouvert, qu'on prononce la bouche presque ouverte, et l'*e* est dit *e ouvert : mère, tête*.

Cet *e ouvert* est marqué de l'accent grave ou de l'accent circonflexe, sauf quand il est suivi dans la même syllabe de deux consonnes ou d'une consonne terminant le mot : *terre, peste, sec, des, ver*.

REMARQUES. — 1° L'*s*, signe du pluriel des noms et des adjectifs, ou marquant la deuxième personne du singulier des verbes ne change rien à la prononciation de l'*e muet : les hommes braves, tu chantes*.

Il en est de même de *nt*, signe de la troisième personne du pluriel des verbes : *ils chantent*.

2° Les mots *abcès, cyprès, procès* et quelques autres, reçoivent un accent grave bien que l'*e* soit suivi de la consonne *s* *.

3° L'*e* suivi d'un *r* terminant le mot a tantôt le son fermé (*aimer, se fier*), tantôt le son ouvert (*amer, fier*). Il a toujours le son fermé à l'infinitif des verbes de la première conjugaison.

4° L'*e* de l'avant-dernière syllabe est en général ouvert quand la dernière syllabe est muette : *père, pègre.*

2° La voyelle *y* ** se prononce comme *un i* ou comme *deux i.*

Elle se prononce comme *deux i* quand elle est dans le corps d'un mot et qu'elle est précédée d'une voyelle : *pays, abbaye, noyau, royaume* (prononcez *pai-is, abbai-ie, noi-iau, roi-iaume*).

Il y a quelques exceptions : *Bayonne, Bayard, La Fayette, Mayence, bayadère, cipaye, mayonnaise.*

Elle se prononce partout ailleurs comme *un i : jury, dey, presbytère, martyr, yeux* (prononcez : *juri, dei, presbitère, martir, ieux*).

II. — VOYELLES COMPOSÉES

41. Les voyelles composées, formées de la réunion et de la combinaison de plusieurs voyelles pures pour former un son simple, sont :

ai	(son de *e* muet) :	*je faisais, bienfaisant* ***.
ai	(son de *é*) :	*j'ai, je ferai.*
ai	(son de *è*) :	*je chantais, faible.*
aî	(son de *ê*) :	*maître.*
ao	(son de *a*) :	*Laon, paon, faon.*

---

* L'accent grave dans ces mots provient de ce que les mots latins correspondants *abcessus, cupressus, processus* avaient deux *s*.

** L'*y* s'appelle *y grec* parce que la plupart des mots dans lesquels il entre sont tirés du grec ancien, où ils ont un u. Cet u se prononçait autrefois et se prononce encore aujourd'hui comme un *i*. — L'*y* représente aussi quelquefois un *g* latin (*legalem*, loyal; *regalem*, royal). Il représente généralement le *g* latin quand il sonne comme deux *i* et l'u grec quand il sonne comme un *i*.

Quelques mots, autrefois écrits par un *y*, s'écrivent aujourd'hui par un *i* marqué d'un tréma. Ainsi l'on écrit :

baïonnette au lieu de *bayonnette* (bien que le mot vienne de *Bayonne*);
naïade au lieu de *nayade* (d'une manière plus conforme à l'étymologie gr. *naiades*);
païen au lieu de *payen* (du latin *paganum*).

*** Dans ces divers mots Voltaire avait proposé d'écrire : *je fesais, bienfesant*, etc., comme on prononce, mais l'usage n'a pas enregistré cette forme. — Au futur et au conditionnel de *faire*, on écrit *je ferai, je ferais.*

aô	(son de *ô*) :	*Saône.*
au	(son de *o*) :	**au***tre.*
aou	(son de *ou*) :	**aoû***t,* **saou***l.*
ei	(son de *è*) :	*p***ei***ne.*
eî	(son de *ê*) :	*r***eî***tre.*
eu	(son de *e*) :	*j***eu***ne.*
eu	(son de *eu*) :	*f***eu** *.
eu	(son de *u*) :	*j'ai* **eu.**
eû	(son de *u*) :	*nous* **eû***mes.*
eau	(son de *ô*) :	*b***eau.**
œ	(son de *é*) :	**Œ***dipe.*
œu	(son de *e*) :	**œu***f.*
œu	(son de *eu*) :	*v***œu.**
ou	(son de *ou*) :	*c***ou.**
oû	(son de *ou*) :	*g***oû***t.*

Les voyelles composées peuvent être longues ou brèves : *j***eu***ne* (bref) et *j***eû***ne* (long) ; *c***ou** (bref) et *g***oû***t* (long).

Remarque. — *Ae* se prononce *a* dans *Caen. Oa* se prononce *o* dans *toast. Eui, uei, œi* ont un son simple dans *deuil, accueil, œil.* Ce son est représenté dans l'écriture par *uei* si la lettre qui précède est *g* ou *c* (*orgueil, accueil, cercueil*), par *œi* dans *œil* et ses dérivés ; partout ailleurs par *eui* (*feuille, deuil, cerfeuil, seuil*).

III. — VOYELLES NASALES

42. Les voyelles nasales sont les voyelles *a, e, o, eu,* suivies de deux consonnes dont la première est *m* ou *n,* ou suivies de *m* ou *n* terminant le mot ; ces lettres prennent un son simple qui semble s'émettre de l'arrière-gorge et du nez.

A nasal est représenté par :

an, am :	**an***chois,* **am***bre.*
en, em :	**en***can,* **em***pereur.*
aen :	*C***aen.**
aon :	*f***aon.**

* Au XVIIe siècle on écrivait encore *j'ai veu, j'ai peu, meur, seur* et l'on prononçait *j'ai vu, j'ai pu, mûr, sûr.* Aujourd'hui encore on écrit *gageure* et l'on prononce *gajure,* et l'orthographe hésite entre *bleuet* et *bluet.*

E nasal est représenté par	**en :**	*bien, chien.*
	in, im :	in*grat*, im*porter.*
	ain, aim :	*p*ain, *f*aim.
	ein, eim :	*peint, Reims.*
O nasal est représenté par	**on, om :**	b**on**, *prompt.*
	un :	*punch.*
Eu nasal est représenté par	**un, um :**	*comm*un, *parf*um.
	eun :	*à j*eun.

Remarques. — 1° Les voyelles suivies d'une *n* ou d'une *m* ne figurent pas un son nasal, si ces consonnes appartiennent à une autre syllabe : *é-mouvoir, pa-nade, fi-ni.*

2° Les voyelles suivies d'une *n* redoublée ne figurent pas non plus un son nasal : *ennemi, tonner.* Font toutefois exception : *ennui, ennoblir* et leurs dérivés.

3° La voyelle qui précède l'*m* redoublée tantôt ne figure pas un son nasal (*flamme, gemme*, etc.), tantôt garde le son nasal (*emmancher, emmener*, etc.).

4° Dans les adverbes en *emment* dérivés d'adjectifs en *ent* (comme *ardemment, prudemment*, etc.), ainsi que dans *femme* et *femmelette*, l'*e* suivi de *m* se prononce comme un *a*. Il en est de même de l'*e* suivi de *n* dans *hennir, nenni, rouennais, solennel.*

DIPHTONGUES

43. On appelle **diphtongue** la réunion de deux ou plusieurs voyelles servant à former en une seule syllabe un *son composé.*

La lettre *i* notamment a la faculté de pouvoir s'unir aux autres voyelles pour former des diphtongues.

Des deux éléments de ces sons composés, c'est le second généralement qui l'emporte au point d'annihiler souvent le premier.

Les principales diphtongues sont :

ia,	*d*ia*ble.*	**oi,**	*m*oi*s.*
iai,	*n*iai*s.*	**oua,**	*d*oua*ne.*
ié, ied, iè,	*pit*ié, *p*ied, *lum*ière.	**oue,**	*f*oue*t.*
ieu,	*d*ieu.	**oui,**	*f*oui*ne.*
io,	*p*io*che.*	**ua,**	*éq*ua*teur.*
iou,	*p*iou*p*iou.	**ue,**	*éc*ue*lle.*
iu,	*d*iu*rne.*	**ui,**	*app*ui.
oe,	*m*oe*lle.*		

Ces diphtongues deviennent des diphtongues nasales quand elles sont suivies des lettres *m*, *n* commençant un groupe de deux consonnes ou terminant le mot :

iam,	**iam***be*.	**ain,**	*dem***ain.**
ian,	*v***ian***de*.	**oin,**	*s***oin.**
ien (prononcez *iin*),	*ch***ien.**	**ouin,**	*mars***ouin.**
ion,	*l***ion.**	**ouan, ouen,**	*R***ouen,** *l***ouan***ge*.
aim,	*d***aim.**	**uin,**	*j***uin.**

CONSONNES

44. On distingue plusieurs sortes de consonnes :

Les **labiales,** ainsi nommées parce qu'on les prononce avec les lèvres : **b, v, p, f.**

Les **gutturales,** ainsi nommées parce qu'on les prononce avec la gorge : **c, g, k, j, q.**

Les **dentales,** ainsi nommées parce qu'on les prononce en appuyant la langue contre les dents : **d, t.**

Les **nasales,** ainsi nommées parce qu'elles se prononcent un peu du nez : **m, n.**

Les **liquides,** ainsi nommées parce qu'elles coulent, en quelque sorte, dans la prononciation : **l, r.**

Les **sifflantes,** ainsi nommées parce qu'elles se prononcent avec un certain sifflement : **s, z.**

La lettre **h,** qui offre la particularité d'être tantôt muette, tantôt aspirée, et une lettre double, la lettre **x.**

Toutes les consonnes, à l'exception de la consonne double **x,** font entendre en s'unissant à une voyelle un son simple.

Mais plusieurs consonnes peuvent se réunir pour donner uniquement un signe d'écriture : ainsi les consonnes **ch, ph, th, W,** dans **ch***anson*, **ph***ilosophie*, **th***é*, *tram***w***ay*, qu'on appelle, par opposition aux *consonnes simples*, des *consonnes composées.*

Les consonnes peuvent, de plus, être classées en **douces** ou en **fortes,** selon l'intensité de leur prononciation :

Catégories	Douces	Fortes
Labiales	b v	p f, ph
Gutturales	c (prononcé *s*) g, j	c (prononcé *k*) g (prononcé *gue*) k, q, ch, h (aspirée)
Dentales	d	t, th
Nasales		m, n
Liquides		l, r
Sifflantes	z	s
Lettre double	x (prononcé *s* douce ou ss)	x (prononcé *cs*, *gs* ou s dure)

Les consonnes de même catégorie (labiales, gutturales) peuvent changer de degré dans la formation des mots, c'est-à-dire de *fortes* devenir *douces*, ou de *douces* devenir *fortes :*

*Labiales : veu***f**, *veu***ve** ; *na***ïf**, *na***ïve**.
*Gutturales : publi***c**, *publi***cité**.

I. — CONSONNES SIMPLES

45. 1° La consonne **c** s'articule comme *k* devant les voyelles *a, o, u* (**c***avalier*, **c***oncierge*, **c***ulotte*), à moins qu'il n'y ait au-dessous de cette lettre une cédille *(façade, rançon, reçu)*. On l'appelle *c dur* dans le premier cas, *c doux* dans le second.

Toutefois dans *second* et ses dérivés, le *c* se prononce comme un *g*.

2° La consonne **d** se prononce comme un *t* quand elle est à la fin d'un mot et devant un autre mot commençant par une voyelle ou une *h* muette : *grand ami, grand homme.*

3° La consonne **g** se prononce comme un *j* devant *e* et *i (gelée, gibet) ;* elle s'articule comme *gue* devant *a, o, u (galerie, goulet,*

Gustave), mais elle se prononce *j* quand il y a un *e* entre le *g* et les lettres *a, o, u (geai, drageoir, gageure *)*.

Gui se prononce en faisant sentir l'*u* dans *aiguille, linguiste*, et *ghi* dans les autres cas : *anguille, aiguiser, guitare, guise. Gua* se prononce *goua* dans *jaguar, guano, lingual.*

Quand *g*, dans le corps d'un mot, est suivi de *n*, il a (sauf dans *signet*, qu'il vaut mieux prononcer *sinet*) un son mouillé qui diffère peu de celui de *ni* dans *opinion: agneau, rognon.*

Mais dans certains mots venus du grec, du latin ou de l'italien, *gn* garde la prononciation dure qu'il avait dans ces langues : *gnomon, gnôme — igné, inexpugnable, stagnant, incognito*, etc.

G est muet dans *vingt, doigt ;* il y a hésitation pour *joug* et *legs.*

4° La consonne **h** est *muette* ou *aspirée.*

Elle est muette quand elle ne se fait pas sentir dans la prononciation *(homme, hirondelle, dahlia)*, et, dans ce cas, elle n'empêche ni l'élision ni la liaison : *l'homme, les hirondelles* (prononcez : *lé zhirondelles*).

Elle est aspirée quand elle se prononce avec une sorte d'aspiration *(haine, héros, ahuri, dehors)* et, dans ce cas, elle empêche l'élision et la liaison : *la haine, les héros* **.

5° La consonne **l** a tantôt l'articulation qui lui est propre (par exemple dans *le, la, les*), tantôt une articulation mouillée.

On appelle *l mouillée* une *l* simple ou double précédée d'un *i*, et formant une syllabe où le son de l'*i* est très marqué : *travail, sommeil, fille, cueillir*, etc.

Généralement deux *l* qui se suivent *(ll)* ont le son mouillé quand elles sont précédées d'un *i : bille, camomille, famille.*

---

* La trace de cette parenté entre le *g* et le *j* est attestée par un certain nombre de mots français où le *g* latin est devenu un *j* français : *gaudium*, joie ; *ego*, je.

** Il y a eu longtemps doute sur la nature de l'*h* initiale de certains mots. Ainsi, en 1704, l'Académie déclarait que *h* est aspirée dans *hésiter*. Aujourd'hui *h* est aspirée dans *héros*, mais muette dans ses dérivés : *l'héroïne, l'héroïsme ;* aspirée dans *héraut*, mais muette dans *héraldique ;* aspirée dans *hanse, haleter*, mais muette dans *hanséatique, haleine*. On dit *l'huis* et *l'huissier*, mais le *huis clos*, etc.

Dans la prononciation parisienne, beaucoup n'aspirent pas l'*h*, et se contentent de marquer l'hiatus : *le éros, la onte*, etc. Au contraire dans plusieurs provinces, la Normandie entre autres, l'aspiration est nettement conservée.

Toutefois ces lettres ne sont pas mouillées dans les mots *mille, tranquille, ville, Gilles,* etc.

6° La consonne *q* est toujours suivie d'un *u*, sauf, évidemment, à la fin des mots : *qualité, équilibre, cinq, coq.*

Q final a le son de *k* dans *coq ;* il ne se prononce pas dans *cinq* suivi immédiatement d'un nom commençant par une consonne ou une *h* aspirée : *cinq cavaliers, cinq héros* ; mais il se prononce *k* partout ailleurs : *cinq amis, quatre et un font cinq, cinq pour cent.*

Qu se prononce *k* dans *quatre, quidam* (pron. *kidan*), *quinte, quinze, quintuple, quiétude,* etc. Il se prononce *kou* dans *quadrige, quadrilatère, quadrupède, quinquagénaire, quinquagésime, aquarelle, aquarium, aquatique,* etc... Il se prononce *ku* et parfois *k* dans *équestre, équilatéral, questeur,* etc.

7° La consonne *s* se prononce à la fin de certains mots : *as, atlas hélas, vasistas — bis, gratis, ibis, lis, maïs, métis, oasis — os* (au singulier), *mérinos — hiatus, omnibus, rébus,* mais on ne le prononce pas dans *fatras, cassis,* ni dans *plus,* quand cet adverbe est accompagné de la négation ou quand il forme un comparatif (sauf en cas de liaison).

S initial garde le son *s*, pareil à celui de *ç* devant *a, o, u* et de *c* devant *e, i : sarigue, serviette, sirop, sommeil, surtout.*

S entre deux voyelles se prononce comme *z : maison, poison, hésiter, désert.*

Il y a exception pour quelques mots composés où entre comme radical un mot commençant par *s : monosyllabe, vraisemblable, désuétude, préséance, soubresaut, parasol, cosinus,* etc.

Il conserve le son *z* après les préfixes *ré (résider)* et *pré (présumer)* et dans *abasourdir.*

S entre une consonne et une voyelle se prononce comme *z : transit, transiger, transaction, balsamine.*

On prononce toutefois *transir, transi,* avec le son *s.*

8° La consonne *t*, suivie d'un *i* et d'une autre voyelle, se prononce toujours *ti* au début d'un mot : *tiare, tien.*

A l'intérieur d'un mot, elle se prononce tantôt *ti : amitié, pitié, partie, bastion, digestion,* etc., tantôt *ci : satiété, démocratie, facétie, inertie, ration, action,* etc.

Il est bon de remarquer que dans des formes identiques la prononciation *ti* s'applique aux verbes, la prononciation *ci,* aux noms : dans ceux-là le *t* fait partie du radical, tandis que l'*i* appartient à la désinence. On prononcera *ti* dans *nous exceptions, nous notions, nous portions,* etc., et *ci* dans *des exceptions, des nations, des portions,* etc.

Thi se prononce *ci* dans *chrestomathie.*

9° La consonne **x**, au début ou à l'intérieur des mots, se prononce tantôt comme *cs* : *a***x***e, se***x***e, e***x***clamation, e***x***trême, Ale***x***andre* ; tantôt comme *gs : Xavier, Xénophon, e***x***amen, e***x***iger,* etc.

Toutefois elle se prononce comme *c* dans *e***x***cepter, e***x***cellent*; comme *ss* dans *soi***x***ante, Au***x***erre, Bru***x***elles*; comme *z* dans *deu***x***ième, si***x***ième, di***x***ième.*

x final se fait sentir dans *inde***x**, *code***x**, *sile***x**, *sphin***x**, *laryn***x**, *pharyn***x**, mais ne se prononce pas dans tous les autres mots : *deu***x**, *pri***x**, *pai***x**, etc.

II. — CONSONNES COMPOSÉES

46. 1° **Ch** se prononce *ch* dans un grand nombre de mots : *ar***ch***evêque, ar***ch***ipel, ar***ch***itecte* (et tous les mots commençant par *archi,* sauf *ar***ch***iépiscopal* qu'on prononce *ar***k***iépiscopal*), **ch***ambre,* **ch***ien,* **ch***érubin, psy***ch***ique,* mais il se prononce *k* dans quelques mots d'origine grecque ou étrangère : *ar***ch***ange,* **ch***lamyde,* **ch***rétien,* **ch***œur,* **ch***ronomètre, li***ch***en, te***ch***nique,* **Ch***io,* **Ch***aldée, Ma***ch***iavel, Mi***ch***el-Ange.* Il y a hésitation pour *A***ch***éron* et pour *ma***ch***iavélisme.*

2° **Ph** se prononce *f :* **ph***iloso***ph***ie.*

3° **Th** se prononce *t :* **th***éologie.*

4° **W**, qui appartient surtout aux alphabets allemands (prononciation *v*) et anglais (prononciation *ou*) garde la prononciation qu'il avait dans ces langues, *v* dans *Westphalie, ou* dans *tramway.*

Toutefois les mots d'origine anglaise ont tendance à se franciser pour la prononciation : *Wagon* se prononce *vagon.*

LIAISONS

47. Les consonnes finales, muettes devant un mot commençant par une consonne *(les marchands, de grands palais)*, se prononcent devant un mot commençant par une voyelle ou une *h* muette, tantôt obligatoirement, tantôt facultativement.

La liaison est *obligatoire :*

1° Entre l'article et le nom : *les amis, des hommes.*

2° Entre l'adjectif et le nom : *un bon usage, de grands hommes.*

3° Entre le pronom et le verbe : *ils entendent, ils les envoient.*

4° Entre le verbe *est* et le mot qui le suit : *il est aimé.*

5° Entre l'adverbe et le mot qui le suit : *bien aimable.*

6° Entre la préposition et le mot qui la suit : *dans une plaine.*

7° Dans la plupart des mots composés : *arts(z) et métiers, pot-au-feu.*

La liaison est *facultative :*

1° Entre le nom et l'adjectif : *des maisons amies.*

2° Entre le nom et le complément : *des enfants en colère.*

3° Entre le nom sujet et le verbe : *les parents ont protesté.*

4° Entre le verbe et son complément : *songez à la patrie.*

La liaison ne se fait jamais :

1° Après la conjonction *et : un homme e(t) une femme.*

2° Quand un nom se termine par une consonne muette : *ban(c) étroit, dra(p) ancien.*

3° Devant le mot *onze : les Onze.*

Certaines consonnes changent de prononciation dans la liaison :

d devient *t : un grand homme* (prononcez : *grant homme*).

f devient *v : neuf heures* (prononcez : *neuv heures*).

g devient *k :* suer *sang et eau* (prononcez : *sank et* *).

Quand un mot se termine par deux consonnes dont la seconde

---

* Autrefois les consonnes *nasales* reprenaient en liaison leur valeur propre, comme en témoigne le vieux cantique : *Il est né, le divi nenfant* et le mot *vi-naigre.*

ne se prononce pas et dont la première est un *r*, la liaison se fait généralement avec cet *r : ver(s) huit heures, ver(t) et or, cor(ps) à corps, for(t) en thème.*

Porc-épic (prononcez : *pork-épic*) fait exception.

Quand la seconde des consonnes est l'*s*, marque du pluriel, la liaison se fait avec cette *s : corps (z) et bien.*

REMARQUE. — On a tendance aujourd'hui à faire de moins en moins les liaisons facultatives ; et l'on supprime d'ordinaire, pour éviter la cacophonie, une des liaisons de même sonorité qui se succèdent de trop près dans une phrase. On dit : *donnez aux malheureux*, mais : *donne(z) aux amis éprouvés.*

DES DIFFÉRENTES ESPÈCES DE MOTS

48. Il y a, en français, neuf *espèces de mots*, dont cinq sont *variables*, c'est-à-dire sujettes à des modifications, et quatre *invariables*.

Ce sont : le *nom*, l'*article*, l'*adjectif*, le *pronom* et le *verbe*, qui sont variables ; l'*adverbe*, la *préposition*, la *conjonction* et l'*interjection*, qui sont invariables.

II

LE NOM

49. Le **nom** ou **substantif** * est un mot qui sert à désigner les êtres et les choses : *homme, chien, table.*

50. Il y a des **noms communs** et des **noms propres.**

Les **noms communs** désignent tous les êtres ou choses de même espèce : *homme, femme, maison, village.*

Les **noms propres** désignent en particulier soit un seul être ou une seule chose, soit une collection d'individus de même espèce : *Paul, Molière, la France, les Français, Paris.*

51. On distingue parmi les noms communs : les **noms concrets** et les **noms abstraits,** les **noms collectifs,** les **noms composés,** les **mots employés substantivement.**

Les **noms concrets** sont ceux qui désignent des êtres ou des choses *concrets,* c'est-à-dire ayant une existence réelle ou tombant sous les sens : *chien, fleur, étoile.*

Les **noms abstraits** sont ceux qui désignent des choses n'ayant pas d'existence matérielle, c'est-à-dire soit des qualités séparées ou *abstraites* du sujet auquel elles pourraient appartenir, soit des actions ou des états : *blancheur, intelligence, pensée, marche.*

Les **noms collectifs** sont ceux qui désignent des ensembles d'êtres ou de choses : *multitude, flotte, forêt.*

---

* *Nom* vient du latin *nomen,* qui a le même sens; *substantif,* du latin *substantivum :* les latins appelaient le substantif *nomen substantivum,* c'est-à-dire : « Nom désignant une substance. »

Les **noms composés** sont ceux qui, formés de plusieurs mots le plus souvent joints ensemble par des traits d'union, parfois soudés, parfois juxtaposés, ne désignent cependant qu'un seul être ou une seule chose : *martin-pêcheur, arc-en-ciel; contresens, porte-manteau; moyen âge.*

Les **mots employés substantivement** sont des mots autres que le nom, employés occasionnellement comme substantifs ; par exemple des adjectifs : *le riche, le pauvre;* des verbes : *le boire, le manger;* des mots invariables : *des si, des mais,* et même tout un membre de phrase : *des on dit, des qu'en dira-t-on.*

GENRES

52. Tous les noms sont du **genre masculin** ou du **genre féminin.**

Chez l'homme et un certain nombre d'êtres animés, le genre correspond au sexe : *un père, une mère ; un lion, une lionne.*

REMARQUE. — Par changement de sens, des noms féminins peuvent désigner des hommes : *une clarinette, une vigie, une sentinelle.*

Des noms masculins désignent parfois des femmes : *un laideron, un souillon, un mannequin.*

Seul l'usage peut apprendre à quel genre appartiennent les noms de choses : *le monde, la terre, le soleil, la lune ; le courage, la bravoure.*

FORMATION DU FÉMININ

53. On forme de trois manières le féminin des noms d'hommes ou d'animaux : en modifiant leur terminaison ; en usant d'un mot spécial ; en ajoutant le qualificatif *femelle.*

A. **Modification de la terminaison.** — D'une façon générale, on modifie la terminaison du masculin : chat, cha*tte.*

Cette modification se fait ordinairement **en ajoutant un e muet au masculin** : cousin, cousi*ne;* marchand, marchan*de.*

Mais parfois la formation du féminin amène diverses modifications dans les noms :

a) Les noms en **er** et **ier** prennent en outre un accent grave sur la pénultième (c'est-à-dire que leur *e fermé* se change en *e ouvert* devant l'*e muet*) : boulanger, boulang*ère* ; épicier, épic*ière.*

b) Les noms terminés par **n** ou **t** redoublent cet *n* et ce *t* au féminin : chien, chie*nne;* chat, cha*tte.*

Exceptions. — Font exception et ne redoublent pas l'*n* final :

1° Les noms en **ain, in** et tous les noms en **an,** sauf *paysan* (qui fait pay**sanne**) et *Jean* (qui fait Jea**nne**) : Rom*ain*, Rom*aine;* vois*in*, vois*ine ;* fais*an*, fais*ane.*

Toutefois *copain* (langue populaire) et *sacristain* font leur féminin en *ine* comme si leur terminaison était *in* (et non pas ain) : *copine, sacristine.*

2° Le nom **dindon,** qui a **dinde** * pour féminin ; le nom **mulet,** dont le féminin est **mule** **, et le nom **compagnon,** qui a pour féminin *compagne* ***.

Font exception et ne redoublent pas le *t* final certains mots, la plupart d'origine récente : avocat, avoca*te;* candida*t*, candida*te;* dévo*t*, dévo*te;* hugueno*t*, hugueno*te;* idio*t*, idio*te;* manch*ot*, manch*ote ;* préfe*t*, préfè*te.*

c) Un certain nombre de noms terminés au masculin par un *e muet* ont leur féminin en *esse : âne, bougre, centaure, chanoine, comte, diable, druide, faune, hôte, maire, maître, ministre, nègre, ogre, pape, poète, prêtre, prince, prophète, Suisse, tigre, traître, vicomte.*

Comte, com*tesse.*

Il faut ajouter :

1° Les adjectifs employés comme noms : *borgne, drôle, ivrogne, mulâtre, pauvre, suisse :* un borgne, une borgn*esse ;* un mulâtre,

---

* L'apparente irrégularité de *dindon, dinde,* s'explique par l'histoire de la langue. On disait d'abord un *coq d'Inde,* une *poule d'Inde.* Lorsqu'on a abrégé le féminin en disant une *dinde,* on a bientôt remplacé le masculin *un dinde* par un *dindon* ,formé à l'imitation de * *coche* (vieux mot = *truie*) et de son masculin *cochon.*

** On disait encore au XIe siècle *un * mul,* masculin, et *une mule,* féminin. Puis * *mul* disparut pour céder la place à son diminutif *mulet,* qui prit alors sa signification actuelle.

*** L'ancienne langue avait *compain* (*cum-panis,* qui mange le même pain), masculin, et * *compaigne,* féminin, d'où est venu *compagne.* Le cas régime *compagnon* a prévalu et a remplacé *compain.*

une mulât*resse;* un pauvre, une pauv*resse;* — lesquels, employés comme adjectifs, ont le féminin semblable au masculin : une femme borgne ; une femme pauvre.

2° Bien que terminés par un *e accentué* ou une *consonne*, les noms **abbé, duc, larron, pair, quaker.**

L'abbé, l'ab*besse;* le duc, la duch*esse;* le larron, la larro*nesse;* le pair, la pai*resse;* le quaker, la quake*resse.*

REMARQUES. — 1° Quelques noms en *e* ne changent pas de forme au féminin. Ce sont : *aide, concierge, élève, esclave, garde, locataire, patriote, propriétaire, pensionnaire,* etc.

2° *Patron* fait au féminin *patronesse* en parlant de dames qui président à une œuvre charitable, et *patronne* dans les autres cas.

d) Les noms terminés en **eur** forment leur féminin en **euse** * : le danseur, la dans*euse.*

EXCEPTIONS, — Font exception :

1° Les noms terminés par **teur**, ainsi qu'**ambassadeur** et **empereur**, qui ont leur féminin en **ice**.

Les noms terminés en **teur** font **trice** ** : l'institu*teur*, l'institu*trice*.

Par analogie, *ambassadeur* fait *ambassadrice. Empereur* fait *impératrice* ***.

REMARQUE. — Le féminin de **serviteur** est **servante** ****. Celui de **docteur** est **doctoresse** ou **docteur**.

2° Le nom **gouverneur**, qui a pour féminin **gouvernante** ****.

3° Quelques noms de la langue judiciaire, poétique ou religieuse, qui ont un féminin en *eresse*. Ce sont : **bailleur, défendeur, demandeur, vendeur** — **chasseur, enchanteur** — **pécheur**.

Le demandeur, la demand*eresse;* le chasseur, la chass*eresse;* le pécheur, la péc*heresse.*

---

* Dans la prononciation, au XVe et encore au XVIe siècle, on ne faisait pas entendre l'*r final* de *danseur, voleur*, etc. On disait *danseu, voleu*, comme *généreux, heureux*. De là le féminin en *euse*, comme dans *généreuse, heureuse*.

** Les terminaisons *teur, trice*, viennent des terminaisons latines *torem, tricem : imitatorem, imitatricem*.

*** Le féminin *impératrice* est de formation savante et vient du féminin latin *imperatricem;* le masculin est de formation populaire.

**** *Servante* est en réalité le féminin de l'ancien * *servant*, auquel s'est substitué *serviteur*. De même *gouvernante* est le féminin de * *gouvernant*, remplacé par *gouverneur*.

Il faut y ajouter : **devineresse** *, féminin de **devin**, **diaconesse**, féminin de **diacre** et **dogaresse**, féminin de **doge**, formés sur le modèle de **enchanteresse**.

REMARQUE. — Certains de ces noms ont, au féminin, une seconde forme qui exprime une nuance ou un sens différent : *chanteuse* et *cantatrice* ** ; *chasseuse* et *chasseresse* ; *débiteuse* et *débitrice* ; *demandeuse* et *demanderesse* ; *vendeuse* et *venderesse*.

e) Enfin certains noms ont un féminin de même radical, mais de formation particulière.

Outre *dindon, dinde* ; *serviteur, servante* ; *gouverneur, gouvernante*, dont il a été question plus haut [voir : *b) exceptions* 2° ; *d) exceptions* 1° et 2°]. Ce sont :

canard, *cane* ;
chameau, *chamelle* ;
chevreau, *chevrette* ;
daim, *daine* ou *dine* ;
dieu, *déesse* ;
époux, *épouse* ;
fils, *fille* ;
héros, *héroïne* ;
juif, *juive* ;
jumeau, *jumelle* ;
lévrier, *levrette* ;
loup, *louve* ;
merle, *merlette* ;
mulet, *mule* ;
neveu, *nièce* ;
perroquet, *perruche* ;
poulain, *pouliche* ;
roi, *reine* ;
sylphe, *sylphide* ;
tsar (ou czar), *tsarine* ou *czarine* ;
veuf, *veuve* ;
vieillard, *vieille* ***.

---

* On trouve encore chez La Fontaine les trois féminins *devineresse*, *devineuse* et *devine*. Aujourd'hui *devineresse* sert de féminin à *devin* et *devineuse* de féminin à *devineur* ; *devine* ne s'emploie plus.

** On dit une *chanteuse des rues* et, en parlant d'une femme qui fait profession de chanter, une *cantatrice*. *Chasseuse* est la forme ordinaire, *chasseresse* s'emploie surtout en poésie. *Débiteuse* tend à disparaître au profit de *débitrice* : 1° « Celle qui doit » ; 2° « celle qui, dans les grands magasins, conduit le client à la caisse pour le débiter » ; on emploie toutefois *débiteuse* quand le mot se rattache à débiter « raconter en mauvaise part ». *Demandeuse* et *vendeuse* sont les formes ordinaires ; *demanderesse* (de même que son contraire *défenderesse*) et *venderesse* appartiennent au langage de la procédure.

*** *Cane* et *vieille* sont des féminins formés sur **can* (vieux mot exprimant le cri de l'oiseau) et sur *vieil* ; le suffixe *ard* a été ajouté au masculin. *Chameau* et *jumeau* font *chamelle* et *jumelle* d'après la règle des adjectifs en *eau* (voir § 83 *h*). *Chevrette* et *levrette*, *merlette* furent d'abord des diminutifs féminins de *chèvre* et de *lièvre*, *merle*. *Époux* fait *épouse* d'après la règle des adjectifs en *oux* et en *eux* (voir § 83 *f*). On reconnaît dans *fille* le latin *filiam* et dans *reine* le latin *reginam*, tandis que *roi* vient de *regem*. *Héroïne* vient du gréco-latin *heroinè*.

Dans *juive*, *veuve*, *louve*, les labiales fortes *f* et *j* se sont changées en la labiale douce *v* devant l'*e* du féminin (voir § 83, *e*). *Nièce* vient du latin vulgaire *neptia*. *Daine* a été

B. **Emploi d'un mot spécial.** — Dans certains cas on emploie des mots tout à fait différents pour désigner les deux sexes :

Masc.	Fém.	Masc.	Fém.
Homme,	Femme.	Cheval **,	Jument.
Père,	Mère.	Bœuf **,	Vache.
Papa,	Maman.	Veau,	Génisse.
Parrain,	Marraine.	Cochon**, porc**	Truie.
Frère,	Sœur.	Bouc,	Chèvre.
Oncle,	Tante.	Mouton **,	Brebis.
Gendre,	Bru.	Sanglier,	Laie.
Garçon,	Fille *	Lièvre,	Hase (empl. rare)
Mâle,	Femelle.	Cerf,	Biche.
		Singe,	Guenon.
		Coq,	Poule.
		Jars,	Oie, etc.

C. **Adjonction du qualificatif : mâle ou femelle.** — La plupart des animaux n'ayant qu'un seul nom, masculin ou féminin, pour désigner à la fois le mâle et la femelle, on est forcé d'ajouter, lorsqu'on veut préciser le sexe, le mot **mâle** ou le mot **femelle**, et de dire : *le rossignol* **mâle**, *le rossignol* **femelle** ; *la souris* **mâle**, *la la souris* **femelle**.

D. **Cas particuliers.** — Enfin, outre les noms en *e* énumérés plus haut (A, *c*, remarque), d'autres noms sont *sans féminin*. Ce sont notamment : *amateur, assassin, auteur, censeur, écrivain, médecin, prédécesseur, professeur, sculpteur, successeur, témoin, vainqueur, voyou.*

---

formé sur l'ancien masculin *dain. Déesse* est un dérivé savant du lat. *dea* (ancien fr. *dienesse*). *Perruche* et *pouliche* semblent venir de *perroquet* et *poulain* par substitution de suffixe. *Sylphide* a été créé par Mme de Sévigné à l'imitation de *néréide, océanide.* Et l'on a dit *czarine* comme on dit *Césarine.* Quant à *mule*, ce féminin a été formé sur l'ancien masculin **mul*, dont *mulet* n'est que le diminutif, cf. § 53, *b*, 2° n. **.

* *Garce*, féminin de *gars* (que *garçon* tend à remplacer), appartient au langage trivial; *garçonne* se dit de celle qui a les allures et les mœurs d'un garçon.

** A côté des mots *cheval, bœuf, cochon* ou *porc, mouton*, qui désignent en même temps le *mâle* et l'*espèce*, on emploie des mots spéciaux pour désigner le mâle reproducteur; ce sont respectivement les mots : *étalon, taureau, verrat, bélier.*

On dira : cette femme était *mon prédécesseur, mon témoin.*

Si l'on veut marquer le genre, on peut ajouter au nom le mot femme : *une femme peintre* *.

D'autre part, certains noms, qui ne s'appliquent qu'à des femmes, sont *sans forme masculine.* Tels notamment : *amazone, douairière, lavandière, matrone, nonne, nourrice.*

REMARQUE. — On compte d'ailleurs certains noms féminins qui s'appliquent à des hommes : *une estafette, une recrue, une sentinelle,* etc., et certains noms masculins qui s'appliquent à des femmes : *un bas-bleu, un tendron, un trottin,* etc. (cf. § 52, *rem.*).

NOMS QUI SELON LE SENS PRENNENT DES GENRES DIFFÉRENTS

54. Certains noms ayant même origine changent de *genre* sans changer d'orthographe, selon le sens dans lequel ils sont pris.

Les plus usités sont :

Aide, *m.*, celui qui aide ; — *f.*, assistance ou celle qui aide.

Cartouche, *m.*, ornement de sculpture, de peinture ou de gravure en forme de feuille de papier (ancien français : *carte, charte*) ; — *f.*, charge d'une arme à feu roulée dans du papier.

Crêpe, *m.*, tissu léger et ondulé (pour le deuil) ; — *f.*, pâte frite.

Critique, *m.*, celui qui juge des ouvrages d'esprit ou d'art ; — *f.*, art de juger les productions littéraires, les ouvrages d'art.

Écho, *m.*, répétition du son ; — *f.*, nymphe qui fut changée en rocher (nom propre).

Enseigne, *m.*, officier de marine, porte-drapeau ; — *f.*, marque, indice pour faire reconnaître quelque chose ; inscription sur une boutique ; drapeau.

Garde, *m.*, celui qui garde, gardien ; — *f.*, action de garder ; celle qui garde ; troupe armée.

Greffe, *m.*, lieu où sont déposés les actes de procédure *(primi-*

---

* Au reste, l'évolution de la vie sociale a créé — et créera — de nouvelles formes féminines. Ainsi : *artisane, auditrice, aviatrice, avocate, candidate,* etc.

Il faut noter aussi que, dans la langue familière, certains noms de fonctionnaires appartenant à l'armée, à la justice, à l'administration, ont reçu une forme féminine désignant la femme du fonctionnaire en question. De même qu'on disait autrefois la *baillive, l'élue, la procureuse, la pairesse,* on dit encore aujourd'hui *l'amirale, la maréchale, la générale, la colonelle, la notairesse, la préfète,* etc.

tivement : poinçon pour écrire) ; — *f.*, petite branche d'un arbre entée sur un autre arbre avec le poinçon ou greffe.

Guide, *m.*, celui qui conduit ; — *f.*, lanière de cuir servant à conduire un cheval.

Interligne, *m.*, espace blanc existant entre deux lignes ; — *f.*, lame de métal dont on se sert pour séparer ou maintenir séparées les lignes d'imprimerie dans la composition.

Jujube, *m.*, suc du jujubier ; — *f.*, fruit du jujubier.

Manche, *m.*, partie d'un instrument, d'un outil par laquelle on le tient (racine *main*) ; — *f.*, partie du vêtement où l'on met le bras (même racine).

Manœuvre, *m.*, ouvrier qui travaille de ses mains (aide-maçon, aide-tailleur, etc.) ; — *f.*, action de manœuvrer.

Mémoire, *m.*, état récapitulatif de travaux ; *au pluriel :* relation de faits particuliers pour servir à l'histoire ; — *f.*, faculté de se souvenir.

Mode, *m.*, manière d'être ; *particulièrement en grammaire :* l'une des six manières de présenter l'action exprimée par le verbe ; — *f.*, manière passagère d'agir, de s'habiller, etc.

Office, *m.*, devoir ; charge, emploi ; assistance, service ; service religieux ; — *f.*, lieu où l'on prépare le service de la table.

Paillasse, *m.*, bateleur ; — *f.*, sac garni de paille.

Parallèle, *m.*, cercle parallèle à l'équateur servant à mesurer la latitude ; comparaison d'une chose ou d'une personne avec une autre ; — *f.*, ligne partout distante également d'une autre ligne ; *particulièrement, terme militaire :* communication d'une tranchée à une autre.

Pendule, *m.*, poids suspendu à oscillations régulières ; — *f.*, sorte d'horloge.

Physique, *m.*, physionomie, extérieur d'une personne, ensemble des organes ; — *f.*, science qui étudie les propriétés des corps.

Platine, *m.*, métal précieux ; — *f.* plaque ou pièce plate de métal dans divers instruments d'horlogerie, de serrurerie, d'imprimerie, etc...

Pourpre, *m.*, rouge foncé ; maladie qui se manifeste par des petites taches rouge foncé sur la peau ; — *f.*, matière rouge foncé ; étoffe teinte en pourpre ; *au fig. :* dignité souveraine ou princière.

Relâche, *m.*, interruption momentanée d'un travail, d'une douleur, des représentations d'un théâtre ; — *f.*, lieu où peuvent relâcher les vaisseaux ; séjour momentané dans un port.

Remise, *m.*, voiture de louage ; — *f.*, action de remettre ; *en particulier :* hangar pour abriter les voitures ; lieu où se retire le gibier.

Solde, *m.*, complément d'un paiement ; différence entre le débit et le crédit d'un compte ; marchandises restant en magasin qui se vendent au rabais ; — *f.*, paye des troupes.

Statuaire, *m.*, artiste qui fait des statues ; — *f.*, art de faire des statues.

Trompette, *m.*, celui qui sonne de la trompette ; — *f.*, instrument de musique à vent.

Vapeur, *m.*, vaisseau qui marche à l'aide de la vapeur ; — *f.*, liquide amené à l'état gazeux par la chaleur.

Voile, *m.*, pièce d'étoffe destinée à couvrir ou à cacher quelque chose ou quelqu'un ; — *f.*, toile ou assemblage de toiles que l'on attache aux vergues pour recevoir le vent.

Remarque. — A côté de ces mots, il en est d'autres dont les sens différents correspondent à des origines différentes. Ce sont de simples homonymes : *le faux, la faux ; le livre, la livre ; le moule, la moule ; le page, la page ; le poêle, la poêle ; le somme, la somme ; le souris, la souris ; le tour, la tour ; le vase, la vase* *.

NOMS A DOUBLE GENRE

55. Quelques noms changent de genre en changeant de sens ou de nombre, ou même seulement par suite de diverses circonstances grammaticales.

---

* *Le faux*, anciennement *faûs*, vient du latin *falsum ; la faux*, qu'on écrit aussi *faulx*, du latin *falcem. Le livre* vient du latin *librum ; la livre*, du latin *libram. Le moule* (doublet savant : *module*) vient du latin *modulum ; la moule*, anciennement *muscle*, du latin *musculum. Le page*, dont ont peut rapprocher l'italien *paggio* (même sens) qui semble postérieur, est d'origine obscure; *la page* vient du latin *paginam. Le poêle* (fourneau) vient du latin *pensile ; le poêle* (dans l'expression *cordon du poêle*), du latin *pallium ; la poêle* (doublet savant : *patelle*), du latin *patellam. Le somme* vient du latin *somnum ; la somme*, du latin *summam. Le souris*, ancienne forme de *sourire*, a son origine dans le latin *subrisum ; la souris*, dans le latin *soricem. Le tour* vient du latin *tornum : la tour*, du latin *turrim. Le vase* vient du latin *vas ; la vase*, du moyen néerlandais *wase*.

Aigle est masculin :

1° Quand il désigne, d'une façon générale, l'oiseau de ce nom : **Un aigle** *des Pyrénées. — On a tué* **un grand aigle.**

2° Quand il est employé, au figuré, pour marquer la souveraineté, la supériorité : *Cet homme est* **un aigle.**

3° Quand on parle d'une décoration : **Le grand aigle** *de la Légion d'honneur. — L'ordre de* **l'aigle noir.**

4° Quand on parle d'un pupitre d'église : *Le magnifique* **aigle d'or** *du grand chœur.*

5° Quand il désigne un papier du plus grand format : *Du papier* **grand aigle.**

Il est féminin :

1° Quand il désigne spécialement la femelle : **Cette** *aigle* **noire** *a pondu deux œufs.*

2° Quand il a le sens d'étendard militaire : *L'aigle* **impériale.**

3° En terme de blason : **Une aigle éployée** *d'argent* *.

Amour, délice, orgue sont, en principe, masculin au singulier, féminin au pluriel ** :

Un fol amour, de **folles** *amours.*
Un délice **énivrant**, d'**énivrantes** *délices.*
Un **grand** *orgue, les* **grandes** *orgues.*

REMARQUE. — On tolère toutefois aujourd'hui l'emploi au masculin pluriel de *amour* et *orgue : De* **folles** *amours ou des amours* **fous,** *de* **grands** *ou de* **grandes** *orgues.*

---

* *Aigle* vient du latin *aquila*, qui était féminin. L'usage a été longtemps indécis au moyen âge, aux XVIe, XVIIe et XVIIIe siècles; le masculin a finalement prévalu quand on a voulu désigner l'oiseau en général ou l'oiseau mâle, et, par métaphore, un être supérieur, une décoration, un ornement, un papier du plus grand format.

** *Amour* et *orgue* furent d'abord du féminin à cause de leur initiale vocalique; puis on rétablit le masculin à cause de l'étymologie : lat. *amor* (masc.), lat. *organum* (neutre) : au XVIIe siècle, on faisait indifféremment *amour* du masculin ou du féminin au singulier. Cf. Racine :

... L'*amour* le plus *discret*
Laisse par quelque marque échapper son secret.

Adieu : servons tous trois d'exemple à l'univers
De l'*amour* la plus *tendre* et la plus *malheureuse*.

Quant à *delice*, le singulier, formé sur le neutre latin *delicium*, fut originellement du masculin, et le pluriel, issu du pluriel féminin latin *deliciæ*, fut tout d'abord féminin.

En outre, pour le mot *amour*, la règle est sujette à deux restrictions :

1° *Amour*, au singulier, peut être féminin en poésie.

2° *Amour* est toujours masculin quand il désigne le dieu de ce nom : **Un** *Amour joufflu.* — *Les Amours sont les* **frères** *des Ris.*

Automne est des deux genres, selon l'Académie, mais le masculin est plus usité et d'ailleurs plus recommandable * : **Un** *automne* **pluvieux.**

Chose et **personne** sont féminins, sauf lorsqu'ils sont employés sans article, avec un sens indéfini, dans les locutions : *quelque chose, autre chose, grand-chose, peu de chose,* — *personne de : J'ai appris quelque chose de* **beau** **. — *Pour savoir quelque chose, il faut l'avoir* **appris.**

Autre chose a été **fait.** — *Avez-vous autre chose de* **curieux** *à nous dire?*

Je ne vois pas grand-chose de **nouveau.** — *Peu de chose a été* **fait.**

Il n'y avait là personne de **sérieux.**

Remarque. — Quand le mot *chose,* dans la locution *quelque chose,* garde toute sa valeur nominale, il garde aussi le genre féminin : *Quelque chose que je lui aie dite, je n'ai pu le convaincre.*

Couple est féminin *** :

1° Quand il désigne un lien : **Une** *couple pour trois ou quatre chevaux.*

2° Quand il signifie deux objets semblables : **Une** *couple d'œufs.*

Il est masculin quand il désigne deux êtres unis ou appariés : **Un** *couple bien* **assorti.** — **Un** *couple d'amis.*

---

* *Automne* (on prononce *autonne*) vient du latin *autumnus,* qui est masculin.

** Cette règle n'était pas encore établie au début du XVIIe siècle. On lit chez Malherbe : « Si *quelque chose* vous accroche, coupez-*la.* — *Quelque* chose plus *générale.* » — D'autre part, Molière emploie *personnes,* au sens déterminé, tantôt au féminin, comme aujourd'hui :

Les voilà dans l'État d'importantes personnes.
Les Femmes savantes, IV, 3.

— tantôt au masculin :

Jamais je n'ai vu deux personnes être si contents l'un de l'autre.
Don Juan, I, 2.

*** *Couple* vient du latin *copula,* « lien », qui est féminin, et qui a fourni à la langue savante le féminin *copule.* Mais des hésitations sur le genre de ce mot s'étant produites dans l'ancienne langue, l'usage a introduit des nuances dans l'emploi du masculin ou du féminin.

Foudre, dans le sens de *feu du ciel,* est féminin * : **La** *foudre éclata soudain.*

Mais il est masculin :

1° Quand il désigne le récipient enflammé avec lequel Jupiter lançait la foudre : *Jupiter prit* **son** *foudre.*

2° Quand il est employé comme terme de blason : *D'argent à* **un** *foudre de sable.*

3° Quand il est employé au figuré pour marquer la supériorité : **Un** *foudre de guerre* (= un grand capitaine) ; **un** *foudre d'éloquence* (= un grand orateur).

Gent, gens. — *Gent,* singulier, est toujours féminin et signifie la *famille,* la *nation,* la *race* ** : **La** *gent* **ailée** (= la race des oiseaux).

(La Fontaine).

Mais son emploi au singulier est aujourd'hui un archaïsme littéraire.

Gens, pluriel de gent, signifie les hommes, et veut au féminin les adjectifs qui le précèdent immédiatement, quand ils ont au féminin une forme différente du masculin :

Voilà de **bonnes** *gens. Ce sont de* **vieilles** *gens.*
Instruits *par l'expérience, les* **vieilles** *gens sont* **circonspects.**
De **bonnes** *gens* **confiants** *à l'excès.*

Exceptions : 1° Toutefois lorsque *gens* désigne une profession ou une catégorie d'individus, telle que *gens de lettres* (écrivains), *gens d'épée* (militaires), *gens de robe* (magistrats, avocats, etc.), *gens de maison* (domestiques), etc., les adjectifs qui s'y rapportent, quelle que soit leur place, se mettent au masculin pluriel : *Les* **vrais** *gens de lettres.*

---

* **Foudre,** anciennement * *foldre,* vient du latin *fulgur,* qui est neutre. Au sens propre, il était employé indifféremment au masculin ou au féminin au XVIe et au XVIIe siècle. Corneille, Bossuet et Voltaire l'ont fait masculin.

Au sens de grande tonne, *foudre* vient de l'allemand *fuder,* tonneau : *un foudre de vin.* C'est un simple homonyme.

** **Gent** qui vient du latin *gentem,* féminin, était primitivement du féminin avec le sens latin de « famille, nation, race ». Puis il perdit au pluriel cette signification — qu'il n'a plus de nos jours que dans la locution le *droit des gens* (= le droit *des nations,* le droit *international*) — pour prendre celle d'*hommes,* d'*individus,* et en même temps le genre masculin qui est celui des mots *hommes* ou *individus.* C'est de ce changement de sens et de genre qu'est résulté la règle flottante qui régit ses épithètes au pluriel.

2° L'adjectif *tout* reste au masculin :

a) Quand il est le seul adjectif qui précède *gens :* **Tous** *nos gens étaient là.*

b) Quand il est suivi d'un adjectif ayant le féminin semblable au masculin : **Tous** *les honnêtes gens.*

Mais on dit d'après la règle générale : **Toutes** *les bonnes gens.*

Hymne tend à s'employer dans tous les sens au masculin ou au féminin : **Un bel** *hymne* ou **une belle** *hymne.*

Naguère encore, sans que rien justifiât la différence, on le faisait féminin quand il signifiait chant d'église et masculin dans les autres acceptions du mot *.

Merci est du féminin dans l'expression *être à la merci de quelqu'un,* et du masculin dans *donner un merci, dire un grand merci* **.

Œuvre est presque toujours du féminin.

Employé au singulier, il est toutefois masculin :

1° Quand il désigne *l'ensemble des ouvrages d'un musicien, d'un graveur :* **Tout l'œuvre** *de Rameau.* — **L'œuvre entier** *de Moreau le Jeune.*

2° Quand il désigne *la pierre philosophale.* Dans ce cas il est toujours accompagné de l'adjectif *grand :* **Le grand** *œuvre.*

3° En terme d'architecture, quand il est pris dans le sens de *bâtisse :* **Le gros œuvre** *de cette maison est enfin achevé* ***.

Orge est aujourd'hui toujours du féminin ****.

Pâque, Pâques. Au singulier, ce mot est féminin et s'écrit sans *s*

---

* **Hymne,** du latin masculin *hymnus,* fut d'abord masculin en français.

** **Merci,** qui vient du latin féminin *mercedem* (grâce, faveur) était autrefois toujours du féminin. Il semble que le masculin illogique vienne de l'expression *grand merci,* où *grand,* pris à tort pour un masculin (voir § 83 *m*) a imposé ce genre au nom lui-même.

*** **Œuvre,** du latin féminin *opera,* était autrefois, et encore au XVIIe siècle, employé aussi au masculin dans le style soutenu, lorsqu'il s'appliquait à un acte de piété, à une action d'éclat, à une composition littéraire :

Donnons à **ce grand** *œuvre une heure d'abstinence.*

(BOILEAU.)

**** Le mot **orge,** du latin neutre *hordeum,* était employé autrefois, et encore au XVIIe siècle, au masculin et au féminin. Bossuet écrit : *de l'orge moulu.* Et l'Académie, au XIXe siècle, le maintenait encore au masculin dans les expressions : *orge cassé, orge mondé, orge perlé.*

avec une minuscule lorsqu'il désigne la fête des Juifs ; il est masculin, s'écrit avec un *s* et une majuscule, et s'emploie toujours sans article lorsqu'il désigne la fête chrétienne * : *Les Juifs célèbrent* **la pâque** *pour commémorer leur sortie d'Égypte.*

A **Pâques prochain.** *Quand Pâques sera* **venu.**

Au pluriel, *Pâques* est féminin : *A* **Pâques prochaines.** — **Pâques fleuries** (le dimanche des Rameaux). *Pâques* **closes** (le dimanche de Quasimodo). *Faire de* **bonnes** *Pâques.*

Période est féminin comme terme de chronologie, de médecine, de grammaire, d'astronomie : **La** *période contemporaine.* — *La maladie est à* **sa dernière période.** — **Une** *période à trois membres.* — **La** *période solaire.*

Il est du masculin quand il signifie le plus haut point où puisse parvenir une personne ou une chose : *Bossuet a porté l'éloquence de la chaire à* **son** *plus* **haut** *période* **.

NOMS SUR LE GENRE DESQUELS ON SE TROMPE SOUVENT

56. Il est bon de noter le genre des noms suivants sur lesquels ont lieu quelquefois des erreurs :

GENRE MASCULIN

Acrostiche	Emplâtre	Mânes *(plur.)*
Albâtre	Épiderme	Obélisque
Alvéole	Épilogue	Orifice
Ambre	Épisode	Ouvrage
Andante	Épithalame	Paraphe
Antidote	Libelle	

* **Pâque,** anciennement * *pasque*, vient du latin féminin *pascha*, lequel venait lui-même d'un mot hébreu qui signifiait *passage*. Ce mot était toujours féminin à l'origine. L'*s* de *Pâques* (fête chrétienne) vient sans doute de ce qu'on a célébré en ce jour plusieurs passages, plusieurs fêtes.

** **Période** vient du latin *periodus*, qui était du féminin, mais que certains auteurs ont pu croire masculin à cause de sa terminaison masculine. De là est venue la confusion des genres.

Antipode
Antre
Aphte
Apologue
Arcane
Armistice
Astérisque
Atome
Auspice
Balustre
Centime
Chambranle
Chrysanthème
Cippe
Décombres *(plur.)*
Éclair
Effluve
Équinoxe
Érysipèle
Esclandre
Exode
Exorde
Girofle
Héliotrope
Hémisphère
Hémistiche
Hospice
Hyménée
Incendie
Indice
Intervalle
Isthme
Ivoire
Légume
Pétale
Pétiole
Planisphère
Pleur
Poulpe
Sépale
Sévices *(plur.)*
Tentacule
Thyrse
Tubercule
Ulcère
Ustensile
Vestige
Viscère
Vivres *(plur.)*

GENRE FÉMININ

Abside
Alarme
Alcôve
Anagramme *
Antichambre
Arabesque
Argile
Armoire
Arrhes *(plur.)*
Artère
Atmosphère
Ébène
Échappatoire
Écritoire
Égide
Énigme
Éphémérides *(plur.)*
Épigramme
Épigraphe
Épitaphe
Épithète **
Équivoque ***
Molécule
Moustiquaire
Nacre
Oasis
Obsèques *(plur.)*
Omoplate
Once
Orbite
Oriflamme
Outre
Palabre

---

* **Anagramme**, qui vient d'un mot grec neutre, *anagramma*, était primitivement du masculin.

** **Épithète** autrefois, et encore chez Malherbe, était du masculin.

*** Dans l'ancienne langue, et jusqu'au début du XVIIe siècle, **équivoque** était indéterminé, tantôt masculin, tantôt féminin. L'usage, plus fréquent, du féminin fut ratifié par l'Académie, en 1704.

Automobile	Esquille	Paroi
Avant-scène	Extase	Patère
Bodega	Fibre	Pédale
Clepsydre	Glaire	Phalène *
Clovisse	Horloge	Réglisse
Coquecigrue	Huile	Stalle
Créosote	Idole	Stèle
Dinde	Immondice	Ténèbres *(plur.)*
Disparate	Interview	Vicomté.
Drachme	Mandibule	

L'Académie admet les deux genres pour *après-midi* et pour *steppe. Entrecôte* est donné comme masculin par Littré, qui l'écrit *entre-côte*, et sous-entend sans doute *morceau ;* l'usage tend à le faire du féminin et la 8e éd. du Dict. de l'Académie le donne comme tel.

NOMBRES

57. Il y a deux nombres : le **singulier** et le **pluriel.**

Le singulier indique généralement une seule personne ou une seule chose : *un homme, un livre.*

Le pluriel indique plusieurs personnes ou plusieurs choses : *des hommes, des livres.*

FORMATION DU PLURIEL DANS LES NOMS

58. La grande majorité des noms forment leur pluriel en ajoutant *s* au singulier : *un homme, des homme***s**.

Remarque. — On ne saurait compter comme exception à cette règle générale les noms terminés au singulier par *s* ou par les consonnes composées de *s*, à savoir *x* et *z*. Ces noms gardent *s*, *x* ou *z* au pluriel : *Un os, des os ; une voix, des voix ; un nez, des nez.*

PLURIEL EN X

59. Mais certaines catégories de noms forment leur pluriel en **x**.

Ce sont :

* **Phalène** est bien du féminin, en dépit de l'erreur de V. Hugo, de Musset et du titre d'une pièce de feu Henry Bataille.

1° Les noms terminés au singulier par **au**, **eau**, ou par **eu** : *un noyau*, *des noyaux* ; *un bateau*, *des bateaux* ; *un cheveu*, *des cheveux*.

EXCEPTIONS. — Ont toutefois leur pluriel en **aus** ou **eus** quelques mots dont les plus usités sont : *landau, sarrau, alleu, bleu, pneu : des landaus, des sarraus, des alleus, des bleus, des pneus*.

2° Les noms terminés au singulier par **al**, qui font leur pluriel en **aux** * : *un cheval, des chevaux* ; *un mal, des maux*.

EXCEPTIONS. — *a)* Ont toutefois leur pluriel en **als** les mots : *bal, cal, carnaval, chacal, festival, narval, nopal, pal, récital, régal, serval*, qui font *bals, cals, carnavals, chacals*, etc.

b) Idéal fait au pluriel *idéals* ou *idéaux*. *Universaux*, terme de philosophie scolastique, est le pluriel de l'ancien singulier * *universal*.

3° Les sept noms suivants terminés en **ail** : *bail, corail, émail, soupirail, travail* **, *vantail, vitrail*, qui font *baux, coraux, émaux* etc., ***

4° Les sept noms suivants terminés en **ou** : *bijou, caillou, chou, genou, hibou, joujou, pou*, qui font *bijoux, cailloux, choux*, etc. **** ;

5° Le nom *listel* (terme d'architecture) qui fait au pluriel *listeaux*.

6° Le nom *appareil*, qui fait au pluriel *apparaux*, au sens de « engins nécessaires pour faire mouvoir un navire ***** » (et *appareils* dans les autres sens).

---

* La terminaison *aux* est la forme ancienne du pluriel, et les noms qui font exception sont ou des noms rarement employés au pluriel ou des noms modernes d'origine étrangère. Dans l'ancienne langue, *l* se vocalisait en *u* devant *s* : *un mal, des * maus*. Mais, dans l'écriture, on remplaçait souvent le groupe final *us* par un signe d'abréviation ressemblant à la lettre *x* : *un mal, des * max*. Plus tard on cessa de comprendre le sens de cette abréviation, et, la considérant comme un simple équivalent de *s*, on écrivit *maux*, où, en définitive, l'*l* de *mal* est représenté deux fois : par *u* et par *x*. On alla même au XVIe siècle, par souci étymologique, jusqu'à rétablir l'*l* du singulier, déjà représenté par *u* et par *x* ; on eut alors * *maulx* où l'*l* est trois fois représenté. C'est cette graphie qui s'est conservée dans *aulx*, pluriel de *ail* (voir plus loin, § 60, 2°).

** Sur le pluriel de *travail*, voir plus loin, § 60, 5°.

*** A côté du singulier collectif *bétail*, on emploie aussi le pluriel *bestiaux*, formé avec *bestial*, qui, jusqu'au XVIIe siècle, s'était employé non seulement comme adjectif, mais encore comme nom.

**** Le pluriel en *x* de certains de ces mots en *ou* s'explique comme celui des mots en *al* (voir plus haut, § 59, **n.** *). L'ancien français disait notamment * *genouil*, * *pouil* (d'où les dérivés subsistants : *agenouillé, pouilleux*). La consonne *l* cessant d'être mouillée devant une consonne, on avait au pluriel * *genouils*, * *genouls*, *genoux*.

***** *Apparaux* est formé sur l'archaïque *apparail*, forme dialectale d'*appareil*.

NOMS A DOUBLE PLURIEL

60. Les noms suivants ont au pluriel deux formes, qui chacune ont un sens différents :

1° **Aïeul** fait au pluriel **aïeux** dans le sens d'*ancêtres : les Gaulois sont nos* **aïeux.**

Il fait **aïeuls** quand il désigne *le grand-père paternel* et *le grand-père maternel* * : *ses deux* **aïeuls** *assistèrent à son mariage.*

2° **Ail** fait au pluriel **aulx** dans la langue ordinaire : *Il a des* **aulx** *dans son jardin.*

Il fait **ails** en langage de botanique : *Il y a plusieurs variétés d'***ails.**

3° **Ciel** fait au pluriel **cieux** quand il désigne l'*ensemble de la voûte céleste : la terre et les* **cieux.**

Il fait **ciels** :

1. Quand il désigne *une partie limitée de la voûte céleste : Les* **ciels** *de la Provence et de la Grèce sont les plus beaux de l'Europe.*

2. En *terme de peinture,* pour désigner la portion d'un tableau qui représente le ciel : *Ce peintre fait mal les* **ciels.**

3. Dans quelques *expressions techniques* désignant la partie supérieure d'un lit, d'une carrière, etc. : *Des* **ciels de lit.** *des* **ciels de carrière.**

4° **Œil** fait au pluriel **yeux** : *Il a mal aux* **yeux.** *Ce pain a beaucoup d'***yeux.**

Il fait **œils** quand il forme le premier élément d'un nom composé : *Des* **œils-de-bœuf** (lucarnes rondes) ; *des* **œils-de-bouc** (coquillages) ; *des* **œils-de-chats** (pierres précieuses) ; *des* **œils-de-chèvre** (plantes), etc.

5° **Travail** fait au pluriel **travaux** : *J'ai beaucoup de* **travaux** *à terminer.*

Il fait **travails** quand il désigne une *machine destinée à maintenir des chevaux vicieux* **. *Ce maréchal ferrant à trois* **travails.**

---

* Cette distinction de sens date du XVIIe siècle. La Bruyère écrit encore : *Les hommes de génie n'ont ni* **aïeuls** (= *aieux*) *ni descendants* (II, 22).

** *Travail* faisait aussi *travails* au pluriel, au XVIIe siècle et même au XVIIIe siècle, lorsqu'il désignait un rapport officiel : *ce ministre a soumis au roi plusieurs* **travails.**

PLURIEL DES NOMS COMPOSÉS

61. Parmi les noms composés, on peut distinguer différentes catégories :

1° Noms composés écrits en un seul mot.

Quand un nom composé est écrit en un seul mot, il suit la règle du pluriel des noms simples : *Un contrevent, des contrevents. Un portemanteau, des portemanteaux.*

Exception. — Toutefois *gentilhomme* et *bonhomme* font au pluriel *gentil***s***hommes* et *bon***s***hommes. Monsieur, Madame, Mademoiselle, Monseigneur*, etc., font au pluriel **Mes***sieurs*, **Mes***dames*, **Mes***demoiselles*, **Mes***seigneurs*, etc.

Par ironie, on dit parfois au pluriel : *des monsieurs, des madames, des mademoiselles, des monseigneurs*, etc.

Tous les plus gros monsieurs me parlaient chapeau bas.
(Racine, *Les Plaideurs*).

2° Noms composés de deux noms.

a) Quand un nom composé est formé de deux noms juxtaposés, dont le second joue le rôle d'un adjectif, ils prennent tous les deux la marque du pluriel : *Des chien***s***-loup***s***. Des chou***x***-navet***s***.*

Remarque. — Toutefois si le premier de ces noms est déformé et ne constitue qu'une sorte de radical, le second seul prend la marque du pluriel : *Des Gallo-Romain***s***. Des Anglo-Saxon***s***. Des tragi-comédie***s***.*

b) Quand un nom composé est formé de deux noms réunis par une préposition dont le second est le complément de l'autre, le premier seul prend la marque du pluriel : *Un chef-d'œuvre, des chef***s***-d'œuvre. Un arc-en-ciel, des arc***s***-en-ciel.*

Exceptions. — Toutefois les mots *coq-à-l'âne, pied-à-terre, pot-au-feu, tête-à-tête* restent invariables au pluriel, à cause des mots qu'il faut sous-entendre pour l'intelligence de ces expressions elliptiques.

On écrit :

Un ou *des* **coq-à-l'âne** (propos décousus où l'on passe du *coq à l'âne*).

Un ou *des* **pied-à-terre** (habitations où l'on ne séjourne pas longtemps, où l'on met seulement le *pied à terre*).

Un ou *des* **pot-au-feu** (morceaux de viande dans un *pot* mis *au feu*).

Un ou *des* **tête-à-tête** (entretien où l'on parle *tête à tête*).

REMARQUE. — Quand la préposition est sous-entendue, la règle reste la même :

*Un Hôtel-Dieu, des Hôtel***s***-Dieu* (c'est-à-dire de Dieu).
*Un timbre-poste, des timbre***s***-poste* (c'est-à-dire pour la poste) *.

3° NOMS COMPOSÉS D'UN NOM ET D'UN ADJECTIF.

Quand un nom composé est formé d'un nom et d'un adjectif, ils prennent tous les deux la marque du pluriel : *Une plate-bande, des plate***s***-bande***s** ; *une basse-cour, des basse***s***-cour***s**, etc.

EXCEPTIONS. — Toutefois les noms composés *grand-mère, grand-messe* **, *sauf-conduit* **, *blanc-seing, nouveau-né, chevau-léger, terre-plein, électro-aimant* forment leur pluriel comme les noms composés écrits en un seul mot : le second mot seulement prend un **s** : *des grand-mère***s**, *des grand-messe***s**, *des sauf-conduit***s**, *des blanc-seing***s**, *des nouveau-né***s**, *des chevau-léger***s**, *des terre-plein***s**, *des électro-aimant***s** **.

---

* Tantôt cette absence de préposition est très ancienne et perpétue un latinisme, l'ancien français, comme le latin, se bornant souvent à mettre le nom possesseur ou complément à la suite du nom possédé ou complété sans placer de préposition entre eux. De là *Hôtel-Dieu*, *Fête-Dieu*, *appuie-main*, *bain-marie* pour Hôtel *de* Dieu, Fête *de* Dieu, appui *de* la main, bain *de* Marie. De là nombre de noms de lieux : *Bourg-la-Reine* = Bourg de la Reine, *Château-Thierry* = Château de Thierry, *La Chaise-Dieu* = La Chaise de Dieu, etc.

Tantôt des noms récents ont été faits à l'imitation des anciens, comme *timbres-poste*, etc.

** Au sujet de *grand*, voir § 83, *m*. — On disait dans l'ancienne langue, *un conduit, un bon conduit ;* un *sauf-conduit* signifie un *laisser-passer en sûreté*.

Des *blanc-seings* sont des *seings* (signatures) *en blanc*. — Dans *nouveau-né, nouveau* est employé adverbialement (= des enfants nouvellement nés). — Dans *chevau-léger, chevau* est au singulier pour *cheval :* il y a une vocalisation de l'*l*. Le maintien de *chevau* au pluriel est un caprice orthographique. — *Terre-plein* s'écrivait au XVIe siècle *terre-plain*, conformément à l'étymologie *terræ planum* (un plain de terre, un espace de terre plane). — Dans *électro-aimants*, *électro* est un radical invariable mis pour *électriques*.

4° Noms composés d'un verbe et d'un nom.

Quand un nom composé est formé d'un nom et d'un verbe, le verbe reste invariable et le nom prend ou ne prend pas la marque du pluriel, selon le sens.

On dira : *des abat-jour* (c.-à-d. des instruments qui abattent le jour) ; *des prie-Dieu* (c.-à-d. des sièges pour *prier Dieu*), etc., mais l'on dira : *des serre-freins* (c.-à-d. des instruments pour serrer *les freins*) ; des *cure-dents*, etc.

Remarque. — Il suit de là que les noms composés qui ont déjà **s** au singulier ne changent pas au pluriel : *un porte-allumettes, des porte-allumettes.*

Exceptions. — Une exception, d'ailleurs purement apparente, concerne les mots composés avec **garde.**

Si *garde* désigne une personne, il est considéré comme un nom, et prend un *s* au pluriel : *des gardes-chasse, des gardes-malades* (c.-à-d. des gardes pour la chasse, des gardes pour malades).

Si *garde* désigne un objet, il est considéré comme un verbe, et reste invariable : *des garde-manger, des garde-robes* (c.-à-d. des instruments pour garder le manger, les robes).

5° Noms composés d'un mot invariable et d'un nom.

Quand un nom composé est formé d'une préposition et d'un nom, d'un adverbe et d'un nom, la préposition ou l'adverbe ne varie pas, le nom prend la marque du pluriel.

Un arrière-neveu, des arrière-neveux.
Un contre-ordre, des contre-ordres.
Un haut-parleur, des haut-parleurs (*haut* est ici adverbe ; un haut-parleur, c'est un instrument parlant haut),

Remarques. — Toutefois quand le nom est régi par la préposition, il peut ne pas prendre la marque du pluriel : *Des après-midis* ou *des après-midi ; des sous-sols* ou *des sous-sol.*

6° Noms composés de mots invariables.

Quand un nom composé n'est formé ni d'un nom ni d'un adjectif, aucune de ses deux parties ne prend la marque du pluriel : *des passe-partout, des laissez-passer, des va et vient, des on dit, des gagne petit* (*petit* est ici un adverbe, employé pour *peu*), etc.

PLURIEL DES NOMS PROPRES

62. Les noms propres peuvent ne pas prendre la marque du pluriel lorsqu'ils désignent les **individus mêmes** qui portent ces noms : *Les deux* **Corneille** *sont nés à Rouen.*

Les noms propres prennent toujours la marque du pluriel :

1° S'ils désignent des individus **semblables** à ceux que l'on nomme : *Les* **Corneilles** *sont rares* (c.-à-d. les poètes tels que Corneille *).

2° S'ils désignent métaphoriquement des **œuvres,** non des personnes : *Il a plusieurs Horaces dans sa bibliothèque* (c.-à-d. plusieurs exemplaires des œuvres d'Horace). — *Ce musée a trois Poussins* (c.-à-d. trois tableaux de Poussin).

3° S'ils désignent des familles historiques : *Les Pharaons. Les Bourbons.*

4° S'ils désignent des noms de pays : *Les Gaules. Les Guyanes. Les deux Amériques.*

Exception. — Toutefois on laissera dans tous les cas au singulier les noms propres dont la forme même semble exclure l'idée de pluriel : *Les* **La Bruyère.** *Les* **Le Brun.**

PLURIEL DES NOMS EMPRUNTÉS AUX LANGUES ÉTRANGÈRES

63. Les noms empruntés aux langues étrangères prennent un **s** au pluriel lorsqu'un long usage les a francisés :

des accessit*s*	des domino*s*	des pensum*s*
— agenda*s*	— duo*s*	— piano*s*
— album*s*	— duplicata*s*	— poney*s*

---

* On trouve l'application de la règle précédente et de celle-ci dans l'exemple suivant :
Les Boileau *et* **les Gilbert** *furent* **les Juvénals** *de leur siècle.*
(c'est-à-dire Boileau et Gilbert furent les poètes satiriques de leur temps).
Cette distinction entre les noms propres désignant des individus et ceux qui désignent en quelque sorte des espèces ou des catégories appartient aux grammaires du XVIIIe siècle. Au XVIIe siècle, on mettait toujours le signe du pluriel aux noms propres. Racine, par exemple écrivait : *Corneille comparable aux Eschyles, aux Sophocles, aux Euripides.*

— alibi*s*
— alinéa*s*
— alléluia*s*
— andante*s*
— aparté*s*
— autodafé*s*
— bénédicité*s*
— bifteck*s*
— bravo*s*
— concerto*s*
— déficit*s*
— examen*s*
— exéat*s*
— ex-voto*s*
— fac-similé*s*
— factotum*s*
— imbroglio*s*
— lavabo*s*
— lord*s*
— mémento*s*
— opéra*s*
— panorama*s*
— quatuors
— quidam*s*
— quintette*s*
— quiproquo*s*
— spécimen*s*
— ténor*s*
— trio*s*
— véto*s*
— vivat*s*
— zéro*s*

Exception. — Toutefois on laisse ordinairement invariables les noms latins de prières : *un credo, des credo ; un magnificat, des magnificat ; un pater, des pater ; un salvé, des salvé.*

Certains noms étrangers, que l'usage n'a pas encore rendus populaires, gardent leur pluriel d'origine à côté de la forme française.

Ce sont :

a) Des mots latins :

Un maximum, des maxima ou *des maximums.*
Un minimum, des minima ou *des minimums.*
Un erratum, des errata ou *des erratums.*

b) Des mots italiens :

Un carbonaro, des carbonari ou *des carbonaros.*
Un dilettante, des dilettanti ou *des dilettantes.*
Un lazarone, des lazaroni ou *des lazarones.*
Un libretto, des libretti ou *des librettos.*
Un soprano, des soprani ou *des sopranos.*
Un solo, des soli ou *des solos.*

c) Des mots anglais :

Une lady, des ladies ou *des ladys.*
Un tory, des tories ou *des torys.*

d) Des mots allemands :

Un lied, des lieder ou *des lieds.*

NOMS SANS SINGULIER

64. Un certain nombre de noms, soit à cause de leur étymologie, soit parce qu'ils ont le sens collectif, sont usités seulement au pluriel * :

abois	*besicles*	*matériaux*
accordailles	*confins*	*mœurs*
agrès	*décombres*	*mouchettes*
aguets	*dépens*	*obsèques*
alentours	*entrailles*	*prémices*
annales	*environs*	*prolégomènes*
appas	*épousailles*	*relevailles*
archives	*fiançailles*	*représailles*
armoiries	*frais*	*ténèbres*
arrhes	*funérailles*	*vêpres*
atours **	*mânes*	etc...

Remarque. — D'autres noms changent de signification en changeant de nombre : *assise, assises ; ciseau, ciseaux ; lunette, lunettes.*

NOMS SANS PLURIEL

65. N'ont pas de pluriel :

1° Certains **infinitifs** pris comme noms : *le manger, le boire.*

2° Les **adjectifs** pris comme noms et exprimant une idée abstraite : *le vrai, le beau, l'agréable,* etc.

Remarque. — Peuvent avoir un pluriel en changeant de sens :
1° Les noms **abstraits** : *la bonté, la bassesse, la pitié, la liberté, la politesse.*

---

* Les écrivains, surtout les poètes, prennent parfois la liberté d'employer quelques-uns de ces mots au singulier : *le décombre, la ténèbre,* etc.

** On écrit toutefois le mot au singulier dans *dame d'atour,* « dame qui présidait à la toilette d'une reine ou d une princesse ».

Ce pluriel s'emploie pour désigner des actes particuliers, des manifestations d'une qualité :

Je suis confus de **vos bontés.**
Le vers se sert toujours **des bassesses** *du cœur* (Boileau).
Il est vrai que ce sont **des pitiés** (Molière).
Prendre des **libertés.**
Faire **des politesses.**

2° Les noms d'**arts** ou de **sciences** : *la sculpture, la géographie*, etc.
Ce pluriel s'emploie pour désigner *des œuvres d'art, des livres : j'ai admiré ces sculptures. Il a acheté deux géogra***phies.**

3° Les noms de **matières premières, de produits** : *l'or, le fer*, etc.
Ce pluriel s'emploie pour indiquer des objets fabriqués ou des catégories de produits : **Des ors** *de diverses couleurs.* **Des fers** *forgés.*

III

L'ARTICLE

66. **L'article** * est un mot qui, placé devant le nom, en prend le genre et le nombre, et indique qu'il est employé dans un sens déterminé **.

Si je dis *village, chien,* ces mots sont pris dans un sens vague ou *indéterminé,* car on ne sait de quel livre, de quel village je parle, mais si je dis *le village, le chien,* ces mots ont un sens *déterminé,* c'est-à-dire précis.

67. Il y a trois sortes d'articles : *l'article défini ; l'article indéfini ; l'article partitif.*

I. — ARTICLE DÉFINI

FORMES

68. L'article défini a les formes suivantes : au singulier, **le** pour le masculin, **la** pour le féminin; au pluriel, **les** pour les deux genres : **le** *village,* **la** *rose;* **les** *villages,* **les** *roses.*

Ces formes sont sujettes à deux changements : l'**élision** et la **contraction** :

1° **L'élision** consiste à remplacer par une apostrophe la voyelle *e* ou *a* de l'article placé devant un mot commençant par une *voyelle* ou une *h muette :*

Le — *l'*oiseau, *l'*homme.
La — *l'*eau, *l'*herbe.

L'article qui perd ainsi sa voyelle est dit *article élidé.*

---

* Du latin *articulus* « petit membre ».

** Le latin classique n'employait pas d'article; la langue française ancienne n'en faisait qu'un usage restreint. Mais quand les désinences nominales et adjectives eurent disparu, quand on cessa d'entendre l'*s* du pluriel et l'*e* du féminin, on fit de l'article un emploi croissant, qui devint régulier au XVIe siècle.

EXCEPTIONS. — 1° L'article ne s'élide pas devant : *uhlan, yacht, un* (adj. numéral), *huit, onze, oui : Le un* a gagné, *le huit* novembre, etc.

Il peut ne pas s'élider devant le mot *ouate : la ouate* ou *l'ouate.*

2° L'article s'élide devant les noms de consonnes qui sont du féminin : *l'f, l'h, l'e, l'm, l'n, l'r, l's.* Mais cette exception n'est qu'apparente, puisqu'on prononce ces noms : *effe, ache, elle, emme, enne, erre, esse.*

2° La **contraction** de l'article consiste dans la réunion de l'article avec les prépositions *de* ou *à*.

Au singulier, *de le* se contracte en **du**, *à la* se contracte en **au** devant les mots commençant par une *consonne* ou une *h aspirée :* **du** *village,* **du** *hameau ;* **au** *village,* **au** *hameau.*

Au pluriel, **de les** se contracte en **des, à les** se contracte en **aux** * devant tous les mots : *la légèreté* **des** *enfants ; la bonté* **des** *mères ; il faut obéir* **aux** *maîtres,* **aux** *lois.*

REMARQUE. — L'article pluriel **les**, combiné avec la préposition **en**, a donné l'ancienne locution **ès** (pour *en les*), qui s'est conservée dans quelques expressions : *licencié* **ès** *lettres, docteur* **ès** *sciences, Saint Pierre* **ès** *liens,* etc. **.

SENS ET EMPLOIS

69. L'article défini, *signe de la détermination* ***, précède un nom qui peut être pris dans un sens **particulier** ou dans un sens **général.**

---

* Ces contractions s'expliquent par la *vocalisation* de la consonne *l,* qui se change en *u.* La combinaison de l'article masculin avec les prépositions *à* et *de* a donné successivement les formes suivantes :

1° Au singulier, *al, au ;* au pluriel, *als, aux.*

2° Au singulier, *del, deu, du ;* au pluriel, *dels, des.*

Quant au changement de *deu* en *du,* c'est un fait fréquent : l'ancien *eu* s'est très souvent changé en *u,* cf. *meu, mû ; bleuet, bluet ; beuvant, buvant.*

** Il y avait aussi une forme contracte de *en le,* qui a disparu; elle a été remplacée soit par *dans le,* soit par *au* dont le sens s'est étendu : *au nom* signifie *en le nom de* comme le prouvent les expressions telles que : **en** *son nom et* **au** *mien.* Dans beaucoup de locutions où *au* équivaut à *en le, dans le* (*mettre au monde, tomber au milieu de,* etc.) il tient la place de l'ancien article contracté qui était pour le singulier ce que *ès* était pour le pluriel.

***On sait que le latin classique n'a point d'article. L'article français vient de l'adjectif démonstratif latin *ille,* qui a commencé à s'employer dans ce sens vers le IVe siècle pour donner plus de clarté au discours :

illum a donné *illom,* puis *illo,* puis *lo,* puis *le ;*
illam a donné *la ;*
illos a donné *los,* puis *les.*

C'est ce sens *démonstratif,* qui est aussi son sens *étymologique,* que l'article a conservé dans quelques locutions toutes faites : *à l'instant* (= à cet instant), *de la sorte* (= de cette sorte), etc.

1. Devant un nom pris dans un sens particulier, l'article défini signifie que l'objet désigné par le nom n'est pas un objet quelconque ou non précisé de cette espèce, mais un objet déterminé soit *par ce qu'on vient de dire : Il a un fils et une fille ;* **le** *fils... ;* **la** *fille... ;* soit *par ce qu'on va dire :* **La** *lettre* **que je vous ai envoyée...**

Remarque. — Quand on dit à quelqu'un : **L'***enfant est dehors,* les circonstances sont telles que la personne à qui on s'adresse sait de quel enfant il s'agit.

Quand on dit : **Le** *soleil brille,* on considère le soleil comme le seul objet de son espèce, et il est déterminé par cela même.

2. Devant un nom pris dans un sens général, l'article défini signifie que l'objet désigné par le nom est l'objet-type de l'espèce ou, s'il s'agit d'un nom abstrait, le personnifie :

Le *chien est l'ami de l'homme.*
La *moquerie est souvent indigence d'esprit.*

OMISSIONS

70. L'article s'omet lorsqu'on veut donner aux noms un sens général ou indéterminé ou dans certains cas particuliers :

1° Après les prépositions, les adverbes de quantité, les verbes : *L'eau de la mer* (sens déterminé) ; **de l'eau de mer** (sens indéterminé).

Vous reste-t-il un peu de l'argent que vous avez reçu? (sens déterminé) ; *vous reste-t-il* **un peu d'argent?** (sens indéterminé).

Il entend la raillerie (sens déterminé) ; *il entend* **raillerie** (sens indéterminé).

2° Devant les noms en apposition, devant l'apostrophe, devant les attributs :

Napoléon, l'empereur des Français (sens déterminé emphatique).
Napoléon, empereur des Français (sens indéterminé).
Qu'en dites-vous, les amis ? (sens déterminé, langue familière).
Qu'en dites-vous, amis ? (sens indéterminé).
L'oisiveté est la mère de tous les vices (sens déterminé).
Oui, la sagesse aimable est sœur de la santé (sens indéterminé).

3° Dans les énumérations :

Adieu, veau, vache, cochon, couvée! (LA FONTAINE).
Femmes, moine, vieillard, tout était descendu. (LA FONTAINE).

4° Dans les proverbes et sentences :
Noblesse oblige.
Plus fait *douceur* que *violence.*

5° Dans un grand nombre de locutions verbales ou de locutions circonstancielles :
Avoir *faim, soif, chaud.* Prendre *feu.* Perdre *connaissance,* etc.
De main de maître. Sur terre et sur mer. De part et d'autre, etc.

6° Devant des noms désignant l'heure, le jour, le mois : *Minuit* sonne ; j'irai *dimanche ; janvier* a été froid.

7° Avec les noms accompagnés d'un adjectif déterminatif autre que *tout, même* et *autre* (voir ces mots) : *Mon livre. Ce livre. Nul livre.*

8° Dans les inscriptions, les titres d'ouvrages, les adresses, etc. : *Appartement à louer. Grammaire française. Monsieur Dupont,* 20, *Grande-Rue.*

L'ARTICLE DEVANT LES NOMS PROPRES

71. **Noms de personnes.** — Le *nom propre de personne* étant particulier à un seul être, et par suite suffisamment déterminé, ne prend pas d'article : *Molière. Louis XIV.*

EXCEPTIONS. — L'exception n'est qu'apparente dans les noms propres comme *La Fontaine, Le Goffic,* qui sont d'anciens noms communs devenus des noms propres, et dans les noms propres d'origine étrangère comme *L'Arioste, Le Tasse,* qui ont conservé l'article qu'ils avaient en italien *.

Mais l'article est exprimé :

1° Avec une nuance de *mépris* devant des noms de favorites, etc. : **La** *Pompadour.* **La** *Païva.*

---

* L'article défini se trouve en italien soit devant un nom de famille : *Il Ariosto, Il Tasso,* soit devant un prénom féminin : *La Giovanna,* mais non devant un prénom masculin. C'est donc abusivement qu'on dit *Le Guide, Le Titien,* puisqu'on a ici des prénoms d'hommes : *Guido Reni, Tiziano Vecellio.*

2° Avec une nuance de *mépris* à la ville, ou de *familiarité* à la campagne, en certains cas : *La Dupuy, La Jeanne.*

3° Quand le nom est déterminé par un adjectif ou un complément : **Le grand** *Corneille.* **Le Pascal** *des Provinciales.*

4° Devant les noms de peuples : **Le** *Français,* **les** *Français.*

72. **Noms de villes.** — Les noms de ville ne prennent pas d'article.

EXCEPTIONS. — L'exception n'est qu'apparente dans les noms comme *Le Havre, Le Mans,* qui sont d'anciens noms communs devenus des noms de villes.

Mais l'article est exprimé quand le nom de ville est déterminé par un adjectif ou un complément : **Le grand** *Paris.* **Le Paris du XVIIe siècle.**

73. **Noms de fleuves, de lacs, de montagnes.** — Les noms de cours d'eau, de lacs et de montagnes s'emploient toujours avec l'article : **La** *Seine.* **Le** *Léman.* **Les** *Pyrénées.*

EXCEPTIONS. — Toutefois la locution archaïque * *eau de Seine* s'est maintenue ; mais on dit aussi *eau de la Seine.*

74. **Noms de pays, de contrées, de provinces, de départements.** — Les noms de pays, de contrées, de provinces, de départements s'emploient avec l'article : **La** *France,* **le** *Valois,* **le** *Poitou,* **la** *Seine-et-Oise.*

REMARQUES. — 1° La plupart des anciens noms de pays étaient du féminin ; un grand nombre des noms modernes (ceux des pays d'Asie, d'Afrique, d'Amérique) sont du masculin. Mais cette règle n'est pas absolue.

2° L'article est omis après les prépositions *en* et *de,* devant les *noms de pays du féminin singulier* ** : Je vais *en Chine,* je reviens *de Chine* (mais je vais *au Japon,* je reviens *du Japon*).

---

* L'article est omis aussi devant les noms de cours d'eau dans la vieille appellation *rue de Seine,* de même que dans les noms de lieux anciens tels que : *Pont-d'Ain, Bar-sur-Aube, Chalon-sur-Saône, Nogent-sur-Seine, Vouneuil-sur-Vienne.*
Razac-sur-l'Isle, Pont-de-la-Beauronne, etc., sont des expressions plus récentes.

** Sauf pour les noms comme *la Jamaïque, la Plata,* etc., où l'article fait corps avec le nom.

75. **Noms d'îles.** — Les noms d'îles ou bien sont assimilés aux noms de villes et ne prennent pas d'article : *Jersey, Malte, Chypre, Terre-Neuve, Cuba, Madagascar, Java,* ou bien sont assimilés aux noms de pays et prennent l'article : *la Corse, l'Islande, l'Australie* *.

RÉPÉTITION DE L'ARTICLE

76. Quand plusieurs noms se suivent, l'article doit se répéter devant chacun d'eux ** : **Le** *père et* **la** *mère* ***. **Les** *officiers et* **les** *soldats.*

REMARQUE. — Il arrive même que l'article tienne lieu d'un nom précédemment exprimé : *On ne vous a pas laissé ignorer l'histoire grecque ni* **la** *romaine* (Bossuet).

Cependant l'article ne se répète pas :

1° Dans quelques locutions consacrées par l'usage, où l'ensemble des noms forme un tout étroitement uni dans la pensée : **Les** *arts et métiers.* **Les** *ponts et chaussées.* **Les** *tenants et aboutissants.* **Les** *officiers, sous-officiers et soldats.* **Les** *frères et sœurs,* etc.

2° Devant la conjonction *ou,* suivie d'un nom qui explique le premier : **Le** *coryza ou rhume de cerveau.* **Le** *lynx ou loup-cervier.*

3° Devant la conjonction *et,* quand le second nom désigne le même être que le premier : *L'empereur et roi.*

Quand deux adjectifs unis par *et* modifient le même nom, mais

---

* Toutes ces règles sur l'emploi ou l'omission de l'article sont loin d'avoir toujours été aussi arrêtées qu'aujourd'hui. Au XVIIe siècle encore, on trouve tantôt l'article omis où nous l'exprimerions :

Je fus hier *ouïr messe* aux Jacobins (MALHERBE).
Le vicomte de Turenne lui *coupa chemin* (RACINE).

— tantôt exprimé où nous l'omettrions :

Elle est fort belle et de *la* main de maître (Mme DE SÉVIGNÉ).
Nous serons les premiers à vous en faire *la* justice (MOLIÈRE).

** Au XVIIe siècle encore, il arrivait qu'on ne répétât pas l'article devant plusieurs noms se suivant, fussent-ils même de genres différents :

Les querelles, procès, faim, soif et maladie
Troublent-ils pas assez le repos de sa vie? (MOLIÈRE).

*** L'usage admet qu'au lieu de répéter l'article du singulier avec deux mots au singulier qui sont unis dans la penssée et auxquels l'article se rapporte également, on n'exprime celui-ci qu'une fois en le mettant au pluriel : **Les** *père et mère.*

ne se rapportent pas au même objet, l'article doit se répéter : **Le** *second et* **le** *quatrième étage.* **L'***histoire ancienne et* **la** *moderne* *.

S'il s'agit du même objet, l'article, d'ordinaire, ne se répète pas : **La** *vraie et solide amitié.*

II. — ARTICLE INDÉFÉNI

FORMES

77. L'**article indéfini** a les formes suivantes :

Au singulier, **un** ** pour le masculin, **une** pour le féminin ; au pluriel, **des** pour les deux genres *** : **Un** *village,* **une** *rose ;* **des** *villages,* **des** *roses.*

SENS ET EMPLOIS

78. L'article indéfini indique que l'être désigné par le nom est un individu distinct des autres individus de l'espèce, mais dont l'identité reste indéterminée. *Un rossignol chantait.* (*Un rossignol* désigne bien un individu, mais cet individu n'est défini que par l'indication vague qu'il appartient à l'espèce « rossignol »).

L'article indéfini s'emploie aussi parfois :

1° Avec la valeur de l'adjectif indéfini **quelque** :

De Rome pour **un** *temps Caïus fut les délices* (RACINE).

---

* L'usage admet que l'article, suivi de deux adjectifs au singulier, soit mis au pluriel ainsi que le nom : **Les** *second et quatrième étages.*

** L'article indéfini est venu de l'adjectif numéral latin *unus,* qui signifiait « un seul ». Il a pris peu à peu le sens de *un certain,* puis de *un quelconque.*

Comme l'article défini, il était d'un emploi restreint en ancien français. Son emploi ne s'est régularisé qu'au XVIIe siècle; encore l'omettait-on souvent à cette époque devant *autre, même, tel, dont* et dans maintes locutions :

Je serais jaloux
Qu'autre bras que le mien portât les premiers coups.
CORNEILLE.

De cet usage ancien sont demeurées quelques locutions actuelles : *Quantité de gens. Par mauvais temps. Ne souffle mot,* etc.

*** *Un* avait autrefois les formes plurielles *uns, unes,* qui ont disparu au XVIe siècle, mais qu'on retrouve dans *quelques-uns, quelques-unes ; les uns, les unes ; d'aucuns, d'aucunes,* etc.

2° Devant un nom propre, dans un sens soit péjoratif, soit, au contraire, emphatique :

*Ce qu'***un** *Napoléon peut laisser de poussière*
Dans le creux de la main (V. HUGO).

3° Devant un nom de nombre, au pluriel, dans un sens emphatique : *Il en tomba* **des** *cent et* **des** *mille.*

4° Dans des phrases exclamatives, avec l'ellipse d'un adjectif comme *tel, étonnant,* etc : *Il est d'***un** *caractère !*

5° Par euphémisme, au lieu du possessif : *Perdre* **un** *fils unique est terrible.*

III. — ARTICLE PARTITIF

79. L'**article partitif** sert à marquer que l'être dont on parle n'est pas pris dans son ensemble, mais qu'il s'agit d'une *partie* indéterminée de cet être : *quantité indéterminée* pour un nom au singulier, *nombre indéterminé* pour un nom au pluriel.

FORMES

80. L'article partitif a les formes suivantes :

Au singulier, **du** pour le masculin, **de la** pour le féminin ; au pluriel, **des** pour les deux genres : *Donnez-moi* **du** *pain,* **de** *la viande,* **des** *œufs,* c'est-à-dire une *quantité indéterminée* de pain, de viande ; un *nombre indéterminé* d'œufs.

REMARQUE. — L'article partitif n'est pas autre chose, *pour la forme,* que l'article défini précédé de la préposition *de* employée elliptiquement avec le sens de « une certaine quantité de ».

Cependant on emploie **de** seul :

1° Devant un nom précédé d'un adjectif : *Manger de bon pain, de bons fruits* *.

---

* Cette règle n'était pas bien établie au XVIIe siècle :

N'accuse point le ciel qui le laisse outrager
Et **des** *indignes fils qui n'osent le venger.*

(RACINE.)

Au reste, l'instinct populaire réagit aujourd'hui encore contre cette distinction; et l'on dit dans le langage familier : *manger* **du** *bon pain,* **des** *bons fruits.*

EXCEPTION. — Cette règle ne s'applique pas si le nom et l'adjectif forment une sorte de mot composé : *des jeunes gens, des petits fours* *.

2° Après certains adverbes de quantité : *Beaucoup* **de** *pain. Peu* **de** *fruits.*

3° Dans les phrases négatives devant le nom complément : *Il n'a pas* **de** *pain.*

4° Devant un adjectif, quand le nom est sous-entendu : *Je remarquais des faisans ; il y en avait* **de** *dorés,* **d'***argentés.*

---

* Ces règles n'étaient pas encore fixées au XVIIe siècle :
Des *grosses larmes* (Mme DE SÉVIGNÉ).
De *jeunes gens* (FÉNELON).

IV

L'ADJECTIF

81. **L'adjectif** * est un mot variable qui s'ajoute au nom pour indiquer la *qualité* de l'être ou de la chose que ce nom désigne.

GENRE

FORMATION DU FÉMININ

82. Pour former le féminin des adjectifs, on ajoute un **e** muet au masculin : *Mauvais, mauvais*e ; *joli, joli*e.

REMARQUE. — Quand les adjectifs sont déjà terminés par un *e* au masculin, ils ne changent pas : *Un homme maigr*e, *une femme maigr*e.

83. L'addition de cet *e muet* ne va pas, dans certains cas, sans certaines autres modifications de la terminaison :

a) Les adjectifs en **el, eil, en, ol, ul — et, ot** ; les adjectifs **gentil, paysan** et les adjectifs terminés par **s** redoublent au féminin la consonne finale **l, n, t, s** avant de prendre l'*e muet* :

Cru*el*,	cru*elle*.	Mu*et*,	mu*ette*.
Par*eil*,	par*eille*.	S*ot*,	s*otte*.
Gent*il*,	gent*ille*.	Pays*an*,	pays*anne*.
M*ol*,	m*olle*.	Gra*s*,	gra*sse*.
N*ul*,	n*ulle*.	Mét*is*,	mét*isse*.
Paï*en*,	paï*enne*.	Épai*s*,	épai*sse*.
B*on*,	b*onne*.		

EXCEPTIONS. — Toutefois ne redoublent pas la consonne finale :

1° *Complet, incomplet, replet — concret, discret, indiscret, secret — quiet, inquiet*, qui prennent un accent grave sur l'*e* et font *complète*, etc., *concrète*, etc., *quiète, inquiète*.

---

* Du latin *adjectivum (nomen)*, « nom qui ajoute à ».

2° *Bigot, dévot, falot, idiot, manchot, nabot,* qui font au féminin *bigote, dévote, falote, idiote, manchote, nabote.*

3° *Muscat,* qui fait *muscade.*

4° *Ras, clos, éclos, niais,* qui font *rase, close, éclose, niaise.*

5° *Frais,* qui fait *fraîche* *, *tiers,* qui fait *tierce ; absous, dissous,* qui font au féminin *absoute, dissoute.*

6° Tous les adjectifs en **ais** ou **ois** marquant la nationalité : *Français, Danois,* etc., qui font *Française, Danoise.*

b) Les adjectifs en **er, ier** prennent au féminin un accent grave sur l'**e** qui précède l'**r** : *Étranger,* étrang**è**re. *Fier,* fi**ère** ;

c) Les adjectifs terminés par un **c** *sonore* changent leur *c* en *que : Public,* publi**que**. *Turc,* tur**que**. *Franc* (français), fran**que**.

Exceptions. — *Grec* conserve le *c* final et fait *grecque* **. — *Sec* fait *sèche* ***.

Les adjectifs terminés par un **c** *muet* changent leur *c* en *che : Blanc, blan***che**. *Franc, fran***che**.

d) Les adjectifs terminés par un **g** changent *g* en *gue* : *Long* *long***ue** ****.

e) Les adjectifs terminés par un **f** changent *f* en *ve : bre***f**, *brè***ve** ; *vi***f**, *vi***ve** ; *veu***f**, *veu***ve**.

f) Les adjectifs terminés par un **x** changent *x* en *se : heureu***x**, *heureu***se** ; *jalou***x**, *jalou***se**.

Exceptions. — 1° *Faux* et *roux* redoublent l'*s : fausse, rousse* *****.

2° *Doux* change sa consonne finale en *ce : douce* ******.

---

* *Frais* vient de la forme germanique *fresc,* latinisée en *frescum ;* le féminin *fresca* a donné d'abord *fresche,* puis *fraîche.*

** Pour conserver à l'*e* un son ouvert.

*** L'exception de *sec* s'explique parce qu'autrefois son *c* final était muet : on prononçait *sé.*

**** Cette addition de l'*u* a pour effet de conserver au *g* le son guttural du *g* latin (*longus, longa*) et d'éviter le son *j* qu'a, par exemple, le *g* dans le nom *longe.*

***** *Faux* et *roux* s'écrivaient au moyen âge * *faus* et * *rous.* Leur féminin est resté celui des adjectifs en *s* (voir plus haut, *a*).

****** A cause de sa forme latine *dulcem.*

3° *Vieux* fait *vieille* *.

g) Les adjectifs en **eur** changent *eur* en *euse*, comme si leur masculin était en *eux* ** : *ment***eur**, *ment***euse** ; *tromp***eur**, *tromp***euse** ; *vol***eur**, *vol***euse**.

EXCEPTIONS. — Font exception :

1° Onze adjectifs, tirés de comparatifs latins, qui ont leur féminin en *eure*.

Ce sont : *meilleur* — *antérieur, postérieur* — *ultérieur, citérieur* — *extérieur, intérieur* — *supérieur, inférieur* — *majeur, mineur*.

*Meill***eur**, *meill***eure**.

2° Certains adjectifs en *teur*, souvent employés comme noms, qui changent *teur* en *trice* : *conduc***teur**, *conduc***trice**.

3° *Vengeur, enchanteur, pécheur*, qui font *vengeresse, enchanteresse, pécheresse*.

4° *Avant-coureur*, qui fait *avant-courrière*.

REMARQUE. — *Vainqueurs* n'a pas de féminin. On le remplace par celui de *victorieux* : *Un peuple* **vainqueur**, *une nation* **victorieuse**.

h) Les adjectifs terminés par **eau, ou,** forment leurs féminins en **elle, olle** *** : *b***eau**, *b***elle** ; *f***ou**, *f***olle**.

EXCEPTIONS. — 1° *Bedeau* « mi-parti, de deux couleurs » fait au féminin *bedeaude* : *corneille bedeaude*.

2° *Flou* et *hindou* font *floue* et *hindoue*.

3° *Andalou* fait *andalouse*.

i) Les adjectifs terminés par *gu* prennent au féminin un tréma sur l'*e* pour indiquer qu'il faut prononcer l'*e* : *aigu, aiguë*.

---

* La première forme de *vieux* était *vieil*, qu'on emploie encore devant les noms commençant par une voyelle ou un *h* muet : *vieil usage, vieil homme*. Son féminin est resté celui des adjectifs en *eil*, comme *pareil*, qui fait *pareille*, etc. (voir plus haut, *a*).

** Dans la prononciation populaire on ne faisait point entendre l'*r* final, et l'on prononçait ment*eu* comme heur*eux*. De là vient le féminin en *euse*.

*** La première forme des adjectifs *beau, jumeau, nouveau, fou, mou*, était *bel, jumel, nouvel, fol, mol*, qu'on emploie encore (sauf *jumel*) devant les mots commençant par une voyelle ou une *h* muette : *bel avenir, nouvel an, fol enfant, mol oreiller*. Leur féminin est resté celui des adjectifs terminés par *l*.

j) Les adjectifs *bénin, malin* font au féminin *bénigne, maligne* *.

k) Les adjectifs *favori* et *coi* font *favorite* et *coite* **.

l) **Drôle, ivrogne, pauvre, sauvage, suisse,** qui sont employés comme noms et comme adjectifs, ont comme noms le féminin en *esse* (*drôlesse,* etc.), mais restent masculins (de forme) comme adjectifs : *une réplique* **drôle,** *une femme* **ivrogne,** *une enfant* **pauvre,** *une peuplade* **sauvage,** *une ville* **suisse.**

REMARQUE. — **Maître** et **traître,** qu'ils soient employés comme noms ou comme adjectifs, font toujours au féminin **maîtresse** ou **traîtresse** : *Une qualité* **maîtresse,** *une femme* **traîtresse.**

m) **Grand, fort,** qui restaient invariables au féminin dans l'ancienne langue ***, le sont demeurés dans certaines expressions consacrées : *grand-chose, grand-croix, grand-garde, grand-honte, grand-mère, grand-messe, grand-père, grand-peur, grand-pitié, grand-place, grand-rue, grand-soif, grand-salle, grand-tante* — et dans les locutions *elle se fait fort de, elle se porte fort pour...*

ADJECTIFS QUI N'ONT QU'UN GENRE

84. Certains adjectifs ne s'emploient qu'au masculin ****. Tels sont : *aquilin, dispos, fat, grégeois, jobard, pers, vélin, violat.*

---

* Car ils retrouvent au féminin leur *gn* latin *(benignum, malignum)* qui s'était réduit au masculin à la finale *n.*

** Ces deux adjectifs retrouvent au féminin le *t* disparu au masculin. *Favori* vient de l'italien *favorito* et s'écrivait encore *favorit* au XVIIe siècle. *Coi* vient du latin *quietus* et est le doublet populaire de *quiet.*

*** Étaient invariables au féminin, au XIe siècle, les adjectifs de la 3e déclinaison latine qui n'avaient qu'une terminaison pour les deux genres; on disait : *une mère grand, une trahison cruel, l'herbe vert,* etc. Le XIIIe siècle, ne comprenant plus la raison de cette uniformité, crut voir une irrégularité dans ce fait que *bon* faisait *bonne,* tandis que *fort* faisait *fort,* sans changements, et il écrivit au féminin *forte, grande, cruelle, verte,* etc.

L'ancien usage persista pourtant :

1° Dans les expressions consacrées que nous avons relevées.

2° Dans les noms de villes : *Rochefort* (pour Roche forte), *Granville* (pour Grande Ville), *Grand-Combe* (pour Grande Combe), etc.

Les grammairiens du XVIe siècle crurent que *grand* était une abréviation de *grande* et introduisirent une apostrophe (d'où l'orthographe *grand'chose, grand'garde,* etc.) pour marquer la suppression d'une lettre qui n'avait jamais existé.

Cette apostrophe a été aujourd'hui remplacée par un trait d'union.

**** Ces adjectifs qui ne s'emploient qu'à un seul genre sont tous de vieux mots, dont l'usage est aujourd'hui limité à certaines locutions. Mais autrefois quelques-uns d'entre eux étaient employés aux deux genres, comme *pers.* On disait *yeux pers,* et aussi *cloche perse, aigue* (eau) *perse,* etc.

D'autres sont usités seulement au féminin : *bée* (bouche bée), *canine* (faim canine), *crasse* (ignorance crasse), *pie* (œuvre pie), *scarlatine* (fièvre scarlatine).

Quelques adjectifs restent invariables au féminin. Ce sont : *bougon, capot, châtain, chic, grognon, kaki, rosat* : *Une chevelure* **châtain**. *Une robe* **chic**. *Une vareuse* **kaki**. *De l'huile* **rosat**.

NOMBRE

FORMATION DU PLURIEL

85. On forme le pluriel des adjectifs comme celui des noms, en ajoutant une **s** au singulier.

Cette règle comporte quelques exceptions * : certaines catégories, en effet, forment leur pluriel en **x** **. Ce sont :

1° Les adjectifs terminés en **eau** : *beau, beaux* ; *nouveau, nouveaux*

2° Les adjectifs terminés en **al** : *égal, égaux*; *brutal, brutaux*.

Remarque. — Un certain nombre d'adjectifs en **al**, la plupart peu usités au pluriel, ont un pluriel indéterminé en **als** ou en **aux** *** (qu'il vaut mieux autant que possible, éviter) :
banal, fatal, final, glacial, nasal, naval, pascal, théâtral.

3° L'adjectif **hébreu** : *les peuples hébreux*.

DEGRÉS DE COMPARAISON

POSITIF, COMPARATIF ET SUPERLATIF

86. Les adjectifs qualificatifs peuvent avoir trois degrés de signification qui sont le **positif**, le **comparatif** et le **superlatif** :

1° Le **positif** indique simplement une qualité : *sage*.

---

* On ne saurait compter comme exceptions les adjectifs terminés au singulier par *s* ou *x*, lettre double composée de *s*, qui gardent *s* ou *x* au pluriel : *un homme gros, des hommes gros ; un homme heureux, des hommes heureux.*

** Pour l'explication de cet *x*, voir plus haut (§ 59, note *).

*** Quand un nouvel adjectif s'introduit dans la langue, on est porté à lui donner un pluriel en **als**. C'est ainsi, par exemple, que La Harpe (fin du XVIIe siècle) écrit : « Des effets théâtrals. » Mais, à mesure que l'usage des adjectifs en *al* devient plus fréquent, on tend à lui donner un pluriel en **aux**. On écrit aujourd'hui, presque toujours : Des effets théâtraux.

2° Le **comparatif** indique une qualité avec une idée de comparaison entre deux objets :

a) Qui la possèdent au même degré (*comparatif d'égalité* marqué par *aussi*) : *Pierre est* **aussi sage** *que Paul.*

b) Ou dont l'un la possède à un plus haut degré que l'autre (*comparatif de supériorité* marqué par *plus*) *: Pierre est* **plus sage** *que Paul.*

c) Ou dont l'un la possède à un moins haut degré que l'autre (*comparatif d'infériorité* marqué par *moins*) *: Pierre est* **moins sage** *que Paul.*

REMARQUE. — Parfois on envisage le degré de qualité par rapport à elle-même ou par rapport à une autre qualité :
Pierre est plus sage que l'an passé. Pierre est plus sage que studieux.

3° Le **superlatif** indique la qualité portée au plus haut degré ou à un très haut degré.

On appelle **superlatif relatif** celui qui indique la qualité portée au plus haut ou au plus bas degré : *le plus sage, le moins sage.*

On appelle **superlatif absolu** celui qui indique la qualité portée à un très haut degré : *très sage, fort sage, bien sage, extrêmement sage.*

COMPARATIFS ET SUPERLATIFS IRRÉGULIERS

87. Par exception à la règle générale :

1° **Bon** fait toujours **meilleur** (comparatif) et **le meilleur** (superlatif relatif). On ne dit pas *plus bon,* ni *le plus bon.*

2° **Petit** fait de préférence **moindre** (comparatif) et **le moindre** (superlatif relatif) au sens moral ; *plus petit* (comparatif) et *le plus petit* (superlatif relatif) dans les autres sens :

Une **moindre** *gloire. Un mur plus* **petit.**
La **moindre** *résistance.* **Le plus petit** *jardin.*

3° **Mauvais** fait indifféremment **pire** * ou **plus mauvais**

---

* Ces trois comparatifs irréguliers : *meilleur, moindre, pire* viennent tout formés des comparatifs latins *meliorem, minorem, pejorem.*

(comparatif), **le pire** ou **le plus mauvais** (superlatif relatif) :

Un **pire** *élève. Un* **plus mauvais** *élève.*

Le pire *résultat.* **Le plus mauvais** *résultat.*

REMARQUES. — 1° Aux comparatifs *meilleur, moindre, pire,* correspondent les adverbes *mieux, moins, pis.*

2° **Pis** s'emploie comme adverbe dans un certain nombre de locutions : *tant* **pis**, *de mal en* **pis**, *faire* **pis**, *au* **pis** *aller*, etc.

Pis s'emploie aussi :

a) Comme forme neutre de l'adjectif après certains pronoms indéterminés *rien de* **pis**, *qui* **pis** *est* (= ce qui est pis).

b) Comme nom : **le pis** (= la pire chose) *.

ADJECTIFS AYANT LA VALEUR D'UN COMPARATIF

88. On évite de mettre le signe du comparatif devant les adjectifs qui sont **déjà des comparatifs** par leur origine, tels que : **meilleur pire, moindre — supérieur, inférieur — antérieur, postérieur — extérieur, intérieur — ultérieur, citérieur — majeur mineur**, transcription directe de comparatifs latins.

On ne dira donc point : *plus supérieur, plus inférieur*, etc.

On évite pareillement de mettre le signe du superlatif devant *meilleur, pire, moindre, majeur, mineur.* On peut dire toutefois : *très supérieur, très inférieur, très antérieur*, etc.

ADJECTIFS AYANT LA VALEUR D'UN SUPERLATIF

89. On évite de mettre le signe du comparatif ou du superlatif devant les adjectifs qui sont *déjà des superlatifs :*

a) Par leur origine, tels que : **suprême, infime — intime — ultime et ses composés : pénultième, antépénultième — minime**, transcription directe de superlatifs latins.

b) Par leur suffixe (emprunté à l'italien), tels que : **illustrissime, rarissime, richissime, sérénissime**, etc.

---

* La langue a longtemps hésité entre *pis* et *pire.* Quand La Fontaine écrit :

Il nous arriva quelque chose de **pire**,

il fait sans doute l'accord avec *chose*, la locution *quelque chose* ayant encore l'acception féminine du début du XVIIe siècle (voir plus haut, § 55 et la note**, p. 77).

Mais il lui arrive d'écrire indifféremment *le pis* et *le pire :*

Le pis *fut que l'on mit en piteux équipage*
Le pauvre potage.

Le pire.
C'est qu'il en coûte cher.

c) par leur sens, qui exclut tout degré : **excellent, infini, immense.**

Toutefois on peut employer *très* devant *infime, intime, minime,* le sens du superlatif s'étant un peu effacé, et *le plus* devant *excellent, immense,* pour la même raison.

PLACE DE L'ADJECTIF

90. La place des adjectifs est généralement facultative.

Toutefois :

a) Se placent **toujours après le nom** :

1° Les adjectifs exprimant la *couleur : Une robe* **bleue** (et non pas *une* **bleue** *robe*).

2° Les adjectifs marquant ou concernant la nationalité, le sexe, l'administration, les cultes, les arts, les sciences :

Le peuple **français** (et non pas *le* **français** *peuple*).
Un arrêté **préfectoral** (et non pas *un* **préfectoral** *arrêté*).
Le culte **catholique** (et non pas le **catholique** *culte*).
Un renseignement **technique** (et non pas *un* **technique** *renseignement*).
L'acide **acétique** (et non pas l'**acétique** *acide*).

3° Les adjectifs suivis d'un complément : *Un enfant* **plein de vie** (et non pas *un* **plein de vie** *enfant*).

4° Les participes pris comme adjectifs : *Une plaisanterie* **risquée** (et non pas *une* **risquée** *plaisanterie*).

b) Se placent **généralement avant le nom** les adjectifs **formant corps** avec lui, et **toujours après le nom** les adjectifs qui **s'en détachent** pour exprimer une qualité **concrète** :

Une **grande** *route* (et non pas *une route* **grande**).
Un **petit** *jardin* (et non pas *un jardin* **petit**).

et :

Un chapeau **biscornu** (et non pas *un* **biscornu** *chapeau*).
Un goût **acide** (et non pas *un* **acide** *goût*).

Dans tous les autres cas, la place des adjectifs n'a rien de fixe et justifie le proverbe populaire qui dit : « C'est bonnet blanc et blanc bonnet * » pour dire : « C'est exactement la même chose. »

L'usage veut toutefois qu'on tienne compte pour cette place de raisons d'**euphonie.** C'est ainsi qu'on dira, pour éviter une dure rencontre de consonnes : *Un coin* **pittoresque** (et non pas *un* **pittoresque** *coin*). C'est ainsi encore qu'on dira, pour éviter de placer un adjectif assez long devant un nom monosyllabique : *Une oie* **magnifique** (et non pas *une magnifique* **oie** **).

91. Enfin il est bon de noter qu'un certain nombre d'adjectifs changent de sens en changeant de place. D'une façon générale, l'adjectif *garde son sens propre* quand il *suit* le nom, et prend un *sens figuré* quand il le *précède.* En voici quelques exemples :

1. **Air faux,** c'est-à-dire *hypocrite.* **Faux air,** c'est-à-dire *apparent.*

2. **Air mauvais,** c'est-à-dire *méchant.* **Mauvais air,** c'est-à-dire *sans distinction.*

3. **Écrivain méchant,** c'est-à-dire *mordant.* **Méchant écrivain,** c'est-à-dire *sans talent.*

4. **Homme bon,** c'est-à-dire *qui a de la bonté.* **Bon homme,** c'est-à-dire qui *a de la bonhomie, de la simplicité.*

5. **Homme brave,** c'est-à-dire *courageux.* **Brave homme,** c'est-à-dire *bon et obligeant.*

6. **Homme galant,** c'est-à-dire *empressé auprès des dames.* **Galant homme,** c'est-à-dire *de bonnes manières.*

---

* Ce proverbe remonte évidemment à l'époque déjà ancienne où l'on pouvait dire un *blanc bonnet.* L'adjectif de couleur *blanc* ne s'emploie plus devant le nom que dans des expressions anciennes et consacrées : *blanc-bec, blanc-manger, blanc-seing,* etc.

** Dans l'ancienne langue, plus près des habitudes latines, l'adjectif se plaçait plus fréquemment devant le nom.

C'est ainsi qu'on trouvait souvent à cette place l'adjectif marquant la nationalité :

*L'***éthiopique** *gent* (LA FONTAINE).
La **grecque** *beauté* (LA FONTAINE).

— l'adjectif marquant le sexe :

Foi et beauté sont tous deux du **féminin** *genre* (MALHERBE).

— le participe pris comme adjectif :

La plus **enchantée** *nouveauté* (Mme DE SÉVIGNÉ).
Une **aimante** *personne* (VOITURE).

— et, d'une façon générale, un grand nombre d'autres adjectifs.

Cet usage est resté dans certaines expressions, telles que *faire grise mine à quelqu'un* (où *gris* est pris d'ailleurs au sens figuré) et dans des mots composés : *blanc-bec,* etc. (Voir note précédente.)

7. **Homme grand**, c'est-à-dire *de haute taille.* **Grand homme**, c'est-à-dire *supérieur aux autres, éminent.*

8. **Homme honnête**, c'est-à-dire *poli.* **Honnête homme**, c'est-à-dire *probe.*

9. **Homme pauvre**, c'est-à-dire *qui n'est pas riche.* **Pauvre homme**, c'est-à-dire *pitoyable, incapable.*

10. **Individu triste**, c'est-à-dire *qui n'est pas gai.* **Triste individu**, c'est-à-dire *mauvais.*

11. **Mer haute**, c'est-à-dire *dont la marée est montée.* **Haute mer**, c'est-à-dire *éloignée des côtes.*

12. **Termes propres**, c'est-à-dire *qui expriment bien ce qu'on veut dire.* **Propres termes**, c'est-à-dire *les mêmes mots sans y rien changer.*

13. **Voix commune**, c'est-à-dire *sans distinction.* **Commune voix**, c'est-à-dire l'*unanimité.*

14. **Voix sacrée**, c'est-à-dire *sainte, religieuse.* **Sacrée voix**, c'est-à-dire *vilaine* (terme populaire) *.

RÈGLES D'ACCORD

92. L'adjectif s'accorde en genre et en nombre avec les noms (ou pronoms) auxquels il se rapporte : *un beau garçon, une* **belle** *fille*, de **beaux** *garçons, de* **belles** *filles.*

Remarques. — 1° Si l'adjectif se rapporte à plusieurs noms ou pronoms du singulier, il se met au *pluriel*, surtout quand ces noms ou pronoms sont unis par la conjonction *et : le père et le fils sont* **bons** ; *la mère et la fille sont* **bonnes**.

2° Si les noms sont de genres différents, l'adjectif se met au *pluriel masculin : le père et la mère sont* **bons** **.

3° Quand deux noms sont unis par la conjonction **ou**, l'adjectif s'accorde avec le dernier, si l'un des noms exclut l'autre ; avec les deux, s'il n'y a pas

---

* Cette distinction n'était point toujours faite dans l'ancienne langue. C'est ainsi que *sacré* se plaçait devant le nom, sans avoir le sens péjoratif qu'il a aujourd'hui :

Le **sacré** *caractère de cette cérémonie* (Mme de Sévigné).

C'est ainsi, au contraire, que *commun* se plaçait après le nom dans le sens qu'il a aujourd'hui lorsqu'il est placé devant le nom :

Et d'une voix **commune** *ils refusent une aide* (Corneille).

Il faut noter aussi que l'expression *honnête homme* avait, au xviie siècle, le sens particulier de : *homme comme il faut, homme qui sait les usages de la cour et du monde.*

** Dans l'ancienne langue, et encore au xviie siècle, conformément à l'usage latin, l'adjectif peut s'accorder avec le dernier nom :

Mais le fer, le bandeau, la flamme est **toute prête** (Racine).
Aimez-vous d'un courage et d'une foi **nouvelle** (Racine).

exclusion : *cet homme est d'une candeur ou d'une hypocrisie* **incroyable** ; *nous croyons cet homme ou son fils* **experts** *en la matière.*

4° L'adjectif reste au singulier, même avec un verbe au pluriel, après les pronoms *nous, vous,* quand ces pronoms désignent une seule personne : *vous êtes bien* **naïf**, *mon ami ; allons, mon ami, soyons* **patient.**

5° Quand l'adjectif se trouve avec un nom collectif, il peut s'accorder de deux manières :

a) Avec le nom collectif, si la pensée s'arrête sur ce nom : *j'ai vu une multitude de poissons* **prodigieuse**.

b) Avec le complément de ce collectif, si la pensée se porte sur ce complément *j'ai vu une multitude de poissons* **rouges.**

ADJECTIFS FORMÉS DE NOMS DÉSIGNANT DES COULEURS

93. Les noms pris adjectivement pour désigner une couleur restent invariables : *une robe* **marron** ; *des habits* **puce** ; *des rubans* **jonquille**, etc., c.-à.d. une robe [couleur de] marron, des habits [couleur de] puce ; des rubans [couleur de] jonquille.

Exceptions. — Font toutefois exception : **écarlate, mauve, pourpre, rose,** dont on a oublié l'origine et qui sont devenus de véritables adjectifs : *des rubans* **écarlates,** *des robes* **mauves,** *des fleurs* **pourpres,** *des pierres* **roses.**

ADJECTIFS COMPOSÉS

94. Quand des adjectifs composés sont formés de **deux qualificatifs juxtaposés,** ces deux qualificatifs s'accordent lorsque chacun d'eux peut s'appliquer au substantif :

Une femme **sourde-muette** (c'est-à-dire *sourde* et *muette*).
Des fruits **aigres-doux** (c'est-à-dire *aigres* et *doux*).
Des hommes **ivres-morts** (c'est-à-dire *ivres* au point de sembler *morts*).

Mais si le premier qualificatif modifie le second, il est adverbe et reste invariable :

Une fille **mort**-*née* (c'est-à-dire *née* en trouvant *la mort* ou après l'avoir trouvée).
Des enfants **nouveau-nés** (c'est-à-dire *nouvellement nés*).

Remarques. — 1° Dans les deux adjectifs composés *premier-né* et *dernier-né,* les deux éléments varient à la fois : *les* **premiers-nés,** *les* **derniers-nés.**

2° Quand *nouveau* est placé devant un participe passé autre que *né*, il est considéré comme adjectif et s'accorde.

De plus, on ne met pas de trait d'union entre les deux éléments : *les* **nouveaux mariés** ; *les* **nouveaux venus** ; *les* **nouvelles converties**.

3° **Frais** et **grand**, construits avec un participe et signifiant *récemment* et *grandement*, s'accordent, en dépit de leur valeur adverbiale, avec le nom qui modifie le participe :

Une porte **grande** *ouverte ; des yeux* **grands** *ouverts.*
Une maison toute **fraîche** *bâtie. Des fleurs* **fraîches** *écloses.*

Exceptions. — 1° Demeurent toutefois invariables les *adjectifs de couleur composés : une étoffe* **bleu foncé** ; *des robes* **bleu clair**. Le second adjectif qualifie le premier, qui est pris substantivement : *une étoffe d'***un bleu foncé**, etc.

2° Quand des adjectifs sont *composés de deux noms de peuples*, le premier terminé par un **o**, qui lui donne une forme de radical, reste invariable : *des ruines* **gallo-romaines**.

On peut rattacher à cette sorte d'adjectifs le composé *franc-comtois* (où *franc* reste toujours invariable) : *la cuisine franc-comtoise.*

ADJECTIFS PLACÉS APRÈS « AVOIR L'AIR »

95. Quand l'adjectif placé après **avoir l'air** peut qualifier soit le mot *air*, soit le nom sujet, il s'accorde indifféremment avec l'un ou l'autre : *Cette personne a l'air* **gai** *ou* **gaie**.

Mais quand l'adjectif ne peut qualifier que le nom sujet, c'est toujours avec lui qu'il s'accorde : *Cette personne a l'air* **sourde** (c'est la personne qui est sourde, et non l'air).

Il en résulte que, quand le nom sujet est celui d'un être inanimé, c'est toujours avec celui-ci que l'accord a lieu : *Cette pomme a l'air* **mûre**.

Nu, demi, fou, franc, possible, haut, bas, plein, sauf.

96. 1° **Nu** et **demi** sont invariables quand ils précèdent le nom et s'accordent quand ils le suivent :

Il a marché **nu**-*jambes* et **nu**-*tête pendant une* **demi**-*journée.*

Il a marché les jambes **nues** *et la tête* **nue** *pendant deux heures et* **demie.**

Remarques. — 1° *Nu* et *demi* précédant le nom sont joints à celui-ci par un trait d'union.

Exceptions. — Toutefois, dans la langue juridique, *nu* varie dans les deux expressions *la nue propriété* (c'est-à-dire la propriété d'un bien sans le revenu), *les nus propriétaires* *.

2° *Demi*, placé après un nom au pluriel, en prend le genre, mais reste au singulier, parce qu'il s'accorde en réalité avec le nom sous-entendu pris au singulier : *Deux heures et* **demie** (deux heures et une demi-heure).
On écrit par analogie *midi et demi, minuit et demi.*

3° *Demi*, employé comme nom, est du masculin en arithmétique : *Six* **demis** *font trois unités.*
Il est au féminin quand il signifie une demi-heure : *cette horloge sonne les heures et les* **demies.**

4° *Mi* et *semi* sont des particules toujours invariables et qui s'unissent par un trait d'union au mot qu'ils accompagnent : *La* **mi**-*carême. Des fleurs* **semi**-*doubles.*

2° **Feu** (= défunt) reste invariable quand il précède l'article ou un adjectif déterminatif, et s'accorde quand il le suit :

Feu *ma tante;* **feu** *les rois.*
Ma **feue** *tante; les* **feus** *rois de Suède* **.

3° **Franc,** dans la locution *franc de port*, est généralement invariable, parce qu'on l'envisage généralement comme faisant partie d'une locution adverbiale. On peut cependant l'accorder, si on le considère comme un adjectif :

Il m'envoya **franc de port** (*ou* **franche de port**) *cette caisse.*
Il m'envoya cette caisse **franc de port** (*ou* **franche de port**).

4° **Possible,** précédé de *le plus, le mieux, le moins*, reste invariable : *Il a lu* **le plus** *de livres* **possible** (c.-à-d. qu'il est *possible*).

---

* Il ne faut voir dans cette exception qu'un reste de l'ancien usage qui, dans tous les cas, accordait *nu* et *demi :*
Madame de Guitaut était **nues** *jambes* (Mme de Sévigné).
C'est seulement pour une **demie** *heure* (Molière).

** La règle de *feu* (du bas-latin *fatutum*, « qui est mort depuis peu de temps ») est postérieure au xviie siècle; l'Académie écrivait *feue la reine* en 1694, et n'a écrit *feu la reine* qu'en 1762. Elle n'a admis le pluriel *feus* qu'en 1877. — Autrefois *feu* s'accordait avec le nom dans tous les cas :
Feue *ma bonne amie* (Balzac).

Il s'accorde dans tous les autres cas :

Il a lu tous les livres **possibles.**
Il a lu **les plus rares** *livres* **possibles** *.

5° **Haut, bas, plein** ont un sens adverbial et sont invariables quand ils sont placés devant l'article ; ils s'accordent dans les autres cas :

Il a gagné **haut** *la main ; il a gagné la main* **haute.**
Haut *les mains !* **Bas** *les armes.*
Il a de l'argent **plein** *les poches ; il a les poches* **pleines** *d'argent.*

6° **Sauf** a une valeur de préposition et reste invariable quand il est placé devant le nom ou le pronom ** ; il s'accorde dans les autres cas :

Sauf *ma mère ; ma mère* **sauve** (c'est-à-dire exceptée).

---

* Autrefois et encore au XVIIe siècle, *possible* était employé adverbialement au sens de « peut-être » :

... Votre mort
Ne tardera **possible** *guères* (La Fontaine).

** C'est seulement à partir du XVIe siècle que *sauf* est devenu invariable devant le nom. Rabelais écrit encore :

Saulve *l'honneur de toute la compaignie* (IV, 7).

V

LES ADJECTIFS NUMÉRAUX

97. Il y a deux sortes d'adjectifs numéraux :
Les adjectifs numéraux cardinaux *, qui indiquent le **nombre**
Les adjectifs numéraux ordinaux, qui indiquent le **rang**.

I. — ADJECTIFS NUMÉRAUX CARDINAUX

98. Les adjectifs numéraux cardinaux sont :

1° Simples : *zéro, les seize premiers nombres, les dizaines de vingt à soixante, cent, mille.*

2° Composés par addition : *dix-sept, dix-huit, dix-neuf et les nombres intermédiaires entre les dizaines.*

3° Composés par multiplication : *quatre-vingts, et les multiples de cent.*

4° Composés par multiplication et addition à la fois : *les nombres intermédiaires entre quatre-vingt et cent, et les nombres au-dessus de deux cents.*

Remarques. — 1° De *soixante* à *cent* la langue française abandonne la numération *décimale* pour suivre la numération *vicésimale* **.

Elle dit :

Soixante-dix (au lieu de dire *septante*) ; *quatre-vingts* (au lieu de dire *octante*) ; *quatre-vingt-dix* (au lieu de dire de *nonante*) ***

2° *Un* est relié au nombre des dizaines par *et : vingt et un, trente et un,* etc.

---

* *Cardinal*, du latin *cardinalis*, dérivé de *cardo* « gond ». Les noms de nombre cardinaux sont ainsi appelés parce que ce sont ceux sur lesquels la numération tourne en quelque sorte comme sur des *gonds*.

** On a, en effet, longtemps compté par *vingtaines* et non par *dizaines*. On disait *deux vingts, trois vingts, quatre vingts, cinq vingts, six vingts*, etc., au lieu de dire *quarante, soixante, octante, cent, cent vingt*, etc.

Cette manière de compter par *vingt* a laissé des traces dans *quatre-vingts* et aussi dans quelques locutions, telles que le nom propre *Hôpital des Quinze-Vingts* (c.-à-d. *quinze fois vingt*), maison fondée par saint Louis pour recueillir 300 aveugles.

*** Les formes *septante, octante, nonante* s'entendent encore dans certaines de nos provinces du Midi et surtout en Belgique et en Suisse, et l'on dit encore aujourd'hui *les Septante* (les soixante-dix traducteurs grecs de la Bible).

Mais on dit : *quatre-vingt-un, cent un, mille un ;*

3° *Onze* est relié à *soixante* par *et : soixante et onze.*

Mais on dit : *quatre-vingt-onze, cent onze, mille onze.*

4° Le trait d'union s'emploie usuellement dans les adjectifs numéraux jusqu'à cent.

PLACE DES ADJECTIFS CARDINAUX

Les adjectifs cardinaux se placent devant le nom, entre l'article et le nom, ou après le verbe : **Deux** *camarades. Les* **Trois** *Mousquetaires. Nous étions* **dix.**

ACCORD

Les adjectifs cardinaux sont invariables : *quatre mille.*

EXCEPTIONS. — 1° **Un** prend le féminin : **Une** *personne.*

Toutefois, lorsqu'il s'agit d'indiquer la page d'un livre, la strophe d'un poème, la scène d'une pièce de théâtre, etc., *un* pris comme nombre ordinal reste invariable : *Page* **un.** *Strophe vingt et* **un.** *Scène* **un.**

2° **Vingt** et **cent** employés au pluriel, c.-à-d. précédés d'un adjectif multiplicateur, prennent un *s* quand ils ne sont suivis d'aucun autre nombre, et demeurent invariables quand ils sont suivis d'un autre nombre :

*Quatre-***vingts** *francs. Quatre-***vingt***-dix francs.*
Deux **cents** *francs. Deux* **cent** *cinq francs.*

Toutefois *vingt* et *cent,* non suivis d'un autre nombre, demeurent invariables, quand ils sont employés pour *vingtième* et *centième : Le chapitre quatre-***vingt.** *L'an deux* **cent.**

3° **Mille** est invariable : **Mille** *soldats ; dix* **mille** *soldats ; la retraite des* **Dix mille.**

Mais quand il s'agit de la date des années et que le nombre *mille* est suivi d'un autre nombre, on écrit *mil* * au singulier : *L'an* **mil** *neuf cent quarante-six* (mais l'an *mille,* l'an deux *mille,* l'an *deux mille deux cent quarante*).

---

* Cette orthographe s'explique parce que *mil* vient du latin singulier *mille* (= *un* millier, *un* seul mille), tandis que *mille* vient du latin pluriel *millia* (= plusieurs mille) : cette forme *mille* étant par elle-même un pluriel, on comprend qu'on ne lui ajoute pas d'*s,* ce qu'on exprime en disant que *mille* est invariable.

REMARQUE. — *Mille* signifiant la *mesure itinéraire* en usage dans plusieurs pays est un nom, qui prend comme tel la marque du pluriel : **Dix milles** *anglais font un peu plus de quinze kilomètres.*

4° **Million, milliard, billion,** etc., sont des noms, et prennent un *s* s'ils sont multipliés : *Il a gagné cinq* **millions.**

EMPLOIS

99. L'adjectif cardinal exprime normalement le nombre.

Mais il s'emploie aussi **à la place de l'ordinal** pour désigner :

1° L'heure et la date :

Soyez ici à **quatre** *heures* (c'est-à-dire *à la* **quatrième** *heure*).
Le **trente** *août* (c'est-à-dire *le* **trentième** [*jour d'*]*août*).
L'an **mil neuf cent quarante-six** (c'est-à-dire *l'an mil neuf cent quarante-***sixième**).

2° Le rang d'un souverain dans une dynastie : *Louis* **XVIII** (pour *Louis* **dix-huitième**).

3° La page, le chapitre, le tome d'un ouvrage : *Page* **huit,** *chapitre* **treize,** *tome* **deux** (c.-à-d. *page* **huitième,** *chapitre* **treizième,** *tome* **deuxième**).

4° Le numéro de la maison : *Il habite au* **vingt et un** (c.-à-d. *au* **vingt et unième** *numéro).*

EXCEPTION. — Toutefois on emploie normalement *premier* et non pas *un,* dans des expressions comme : *Le* **premier** *janvier, Napoléon* **Premier,** *chapitre* **premier,** *tome* **premier** *.

---

* Le français adopta à l'origine les adjectifs ordinaux latins, dont il tira *prime, second ; tiers,* fém. *tierce ; quart,* fém. *quarte ; quint,* fém. *quinte ; sexte* ou *sixte ; septime; octave ; none ; dîme* ou *décime.* On disait au moyen âge *la tierce lieue, le quart homme,* pour *la troisième lieue, le quatrième homme,* etc., etc.

De ces adjectifs ordinaux, seul *second* a persisté, parallèlement à *deuxième.*

On trouve encore *prime* dans les vieilles locutions : *de prime abord, de prime saut, prime jeunesse* (c.-à-d. du *premier abord,* du *premier saut, première jeunesse*) et aussi les composés *primesautier primevère* (première fleur du printemps), *printemps* (premier temps de l'année). On emploie substantivement *prime, tierce, sexte* et *none* pour désigner les offices de l'Église qui se célèbrent à la première heure du jour, à la troisième, à la sixième et à la neuvième.

Tiers et *quart* sont restés adjectifs dans les expressions *tiers arbitre, tiers état, tiers ordre, tiers parti, fièvre tierce* ou *main tierce,* etc., *fièvre quarte,* etc. La Fontaine, qui aimait le vieux langage, écrit :

Un quart *voleur survint* (pour *un quatrième*)

et nous disons aujourd'hui encore : l'intervention d'un *tiers* (pour d'un *troisième*). En outre, les masculins *tiers* et *quart,* les féminins *tierce, quarte, quinte, octave* sont

II. — ADJECTIFS NUMÉRAUX ORDINAUX

100. Les adjectifs numéraux ordinaux se forment en ajoutant le suffixe **ième** aux adjectifs numéraux cardinaux correspondants.

REMARQUES. — 1° Les adjectifs numéraux cardinaux terminés par un *e muet* perdent cet *e* muet devant le suffixe *ième*. *Cinq* ajoute un *u* après le *q*, la lettre *q* étant toujours suivie d'un *u* dans le corps d'un mot. *Neuf* change *f* en *v* pour donner une prononciation douce : *Quatre, quat***rième** ; *cinq, cin***quième** ; *neuf, neuv***ième**.

2° On dit *premier*, et non pas *unième*, pour l'unité : *le* **premier** *mouvement*, mais *vingt et* **unième**.

3° A côté de *deuxième*, on a *second* *.

4° Dans les adjectifs numéraux ordinaux composés, le dernier seul prend le suffixe : *quatre-vingt-dix-sep***tième**.

PLACE DES ADJECTIFS ORDINAUX

L'adjectif ordinal précède le nom.

EXCEPTIONS. — Toutefois *premier* le suit dans des expressions comme : *François* **premier**. *Tome* **premier**.

AUTRES NOMS DE NOMBRE

101. Aux adjectifs ordinaux se rattachent d'autres noms de nombre :

1° Indiquant les fractions de l'unité : *demi, tiers, quart, cinquième, sixième*, etc.

REMARQUE. — Ces noms de fractions sont à partir de *cinquième* l'ordinal précédé de l'article : *le cinquième ;* pour les nombres 2, 3, 4, les formes anciennes : *demi* (en parlant de la fraction même ou de l'heure) ou *moitié* (dans les autres cas), *tiers, quart : le quart, un demi, la moitié*.

---

employés substantivement : *le tiers, le quart d'une somme, un intervalle de quinte, l'octave d'une fête*.

Quint subsiste comme adjectif dans les noms historiques des souverains qui furent les *cinquièmes* de ce nom : *Charles-Quint, Sixte-Quint*.

Sixte et *octave* sont encore employés comme termes de musique. *Septime* est usité comme nom ou prénom d'homme, et *la dîme de nos biens* en est la dixième partie.

* *Second*, qui vient du latin *secundum*, étymologiquement « le suivant », s'employait autrefois de préférence pour deux personnes ou deux choses, et *deuxième*, pour plusieurs personnes ou plusieurs choses. Mais aujourd'hui on dit *second* sans différence de sens : *Il habite au* **second**. *Cet enfant entre en* **Seconde**.

2° Indiquant les multiplications de l'unité : *simple, double, triple, quadruple,* etc.

3° Ayant un sens collectif, pour marquer soit un nombre précis, soit une quantité approximative.

Ces noms de nombre collectifs sont terminés par *aine* ou *ain,* à l'exception de *millier* qui correspond à *mille.*

Ce sont : *dizaine, douzaine, centaine, millier.*

Une **douzaine** *d'œufs* (nombre précis). *Un* **millier** *de personnes* (nombre approximatif). *Neuvaine* (actes de dévotion qui durent neuf jours).
semaine (espace de sept jours) ; *quatrain, sizain, dixain* ou *dizain, douzain* * (strophes de 4, 6, 10, 12 vers).

---

* On appelait aussi *douzain* autrefois une monnaie. On appelle *vers neuvain* aujourd'hui un vers de neuf pieds.

VI

LES PRONOMS ET ADJECTIFS PRONOMINAUX

102. Les **pronoms** sont des mots qui, comme leur nom l'indique, *tiennent ordinairement la place d'un nom* précédemment exprimé ou dont l'idée est présente à l'esprit. Les pronoms ne représentent pas seulement l'idée du nom qu'ils remplacent ; ils y ajoutent certaines idées accessoires très précises (idées de *personne*, de *possession*, etc.) d'après lesquelles on a pu distinguer six espèces de pronoms :

1° Les pronoms **personnels**.
2° Les pronoms **possessifs**.
3° Les pronoms **démonstratifs**.
4° Les pronoms **relatifs**.
5° Les pronoms **interrogatifs**.
6° Les pronoms dits **indéfinis**.

103. Les **adjectifs pronominaux**, ainsi appelés parce qu'ils se rattachent en général au radical ou au sens d'un pronom *accompagnant le nom*, comme l'adjectif qualificatif ; mais ils déterminent le nom au lieu de le qualifier.

Ils se distinguent d'ailleurs de l'adjectif qualificatif :

1° En ce qu'ils sont le plus souvent employés sans article.
2° En ce qu'il n'ont pas de degrés de signification.

On a pu distinguer cinq espèces d'adjectifs pronominaux :

1° Les adjectifs **possessifs**.
2° Les adjectifs **démonstratifs**.
3° Les adjectifs **relatifs**.
4° Les adjectifs **interrogatifs**.
5° Les adjectifs dits **indéfinis**.

PRONOMS PERSONNELS

104. Les pronoms **personnels** représentent spécialement des noms, par rapport au rôle qu'ils jouent dans le discours. Ils sont ainsi nommés parce qu'ils marquent :

ou la personne qui parle *(première personne)*;
ou celle à qui l'on parle *(deuxième personne)*;
ou bien la personne ou la chose dont on parle *(troisième personne)*.

Les pronoms personnels sont :

	Singulier	*Pluriel*
1re personne, masc. et fém. :	**je, moi, me**	**nous**
2e personne, masc. et fém. :	**tu, toi, te**	**vous**
3e personne, masc. :	**il, le, lui**	**ils, eux, les, leur**
3e personne, fém. :	**elle, la, lui**	**elles, les, leur**
3e personne, masc., fém. et neutre :	**se, soi, en, y**	**se, soi, en, y** *

105. FORMES ÉLIDÉES. — Les pronoms *je, me, te, le, la, se,* élident leur voyelle quand ils sont suivis d'un verbe commençant par une voyelle ou une *h* muette, ou des pronoms *en* et *y* : *Elle* **m'***aime. Il* **s'***en va. J'***y** *pense* **.

REMARQUE. — Le pronom, contrairement à l'article, ne se contracte jamais avec la préposition : *Je viens de le voir.*

---

* *Ego* a donné d'abord *eo*, qu'on trouve dans *les Serments de Strasbourg* (842), puis *io, jo*, qui s'est affaibli en *je*.

Me, te, se ; nos, vos, à l'accusatif, ont donné *me, te, se* et *moi, toi, soi ; nous, vous*.

Il, masculin, est venu de *ille* ou *illum* ; il, neutre, de *illud* ; *elle* de *illa* ou *illam* ; *la* de *illam*.

Le pluriel *illi* avait donné au vieux français *il* ; mais la langue moderne a emprunté *ils* à l'accusatif *illos*, qui a aussi donné deux autres formes : *els*, qui a vocalisé son *l* pour aboutir à *eux* ; *los*, dont l'*o* s'est affaibli en *e*, et qui est devenu *les*.

Lui est dérivé de * *illui*, qui est pour *illi huic*, et qu'on trouve déjà dans une inscription romaine ; *leur*, de *illorum* ; *y*, de *ibi* ; *en*, qui dans le vieux français s'écrivait *ent*, de *inde*, comme *souvent* de *subinde*.

** Dans l'ancienne langue, *le*, après l'impératif, s'élidait dans la prononciation, devant une voyelle :

Mais, mon petit monsieur, prenez l(e) *un peu moins haut.*
(MOLIÈRE.)

106. Formes accentuées et formes non accentuées. — Les pronoms personnels ont deux séries de formes :

1° Des formes *inaccentuées*, qui précèdent ordinairement le verbe et font corps avec lui : *je, tu, il, ils, me, te, se.*

2° Des formes *accentuées*, qui mettent le pronom en relief en tête de la proposition, ou après un impératif, ou après une préposition : *moi, toi, eux, soi.*

Remarque. — Plusieurs formes sont accentuées ou inaccentuées suivant leur place dans la phrase : *nous, vous, le, la, les, lui, elle, elles, leur, en, y.*

J'agirai pour **vous** (accentué). *On* **vous** *a trompé* (inaccentué).

EMPLOIS

107. Les pronoms personnels remplissent dans la proposition les fonctions de sujet ou de complément (direct ou indirect).

1° Je, tu, il, ils.

Je, tu, il, ils sont exclusivement employés comme sujets : **Je** *parle.* **Tu** *lis.* **Il** *dort.* **Ils** *dorment.*

Remarques. — 1° Ces pronoms ne peuvent être séparés du verbe que par un autre pronom (ou d'autres pronoms) et par la négation *ne : Je* **ne vous** *parle pas. Je* **vous le** *dis. Je* **ne le** *sais pas.*

2° *Je* reste accentué dans la vieille formule suivante, du style administratif : **Je**, *soussigné, maire de la commune de* **X...**, *certifie que.*

3° *Tu, il, ils,* sont accentués à la forme interrogative : *Mangeras-***tu**? *Mangera-t-***il**? *Mangeront-***ils**?

4° *Il* peut être :

a) Le sujet d'un verbe impersonnel ou employé impersonnellement : **Il** *pleut ;* **Il** *paraît.*

b) Le sujet dit *apparent* d'un verbe construit impersonnellement : **Il** *pleuvait des balles.* **Il** *reste une solution* *.

2° Me, te.

Me, te, formes inaccentuées, d'ordinaire intercalées entre le sujet et le verbe, sont compléments d'objet direct ou indirect : *Je* **te** *verrai. Je* **te** *promets d'aller* **te** *voir.*

---

* Dans l'ancienne langue, le pronom *il* pouvait être omis devant les verbes impersonnels ou employés impersonnellement :

Trois jours y avait (= *il* y avait trois jours) (Montaigne).

Faut, *mon cœur, que vous ayez l'amertume* (= *il* faut, mon cœur, etc.) (Malherbe).

Cette omission se fait toujours dans des locutions anciennes de tour impersonnel : **Advienne** *que pourra. Si bon me semble,* etc.

REMARQUES. — 1° *Me, te* se mettent quelquefois avec un verbe par une formule *explétive* qui ne sert qu'à donner du mouvement à la phrase : *Qu'on* **me** *le pende ! Je* **te** *le fustigerai d'importance.*

2° *Me, te* se placent exceptionnellement après l'impératif affirmatif, devant *en : Donne* **m'***en. Va-***t'***en.*

3° Le, la, les.

Le, la, les sont compléments d'objet ou sujets d'un infinitif : *Je* **la** *vois. Emmène-***le**. *Je* **la** *vois venir. Laisse-***les** *venir.*

Le, la, les peuvent être aussi attributs, pour remplacer un nom déterminé.

Dans ce cas, quand le pronom **le** représente un **nom précédé de l'article**, il s'accorde avec ce nom en genre et en nombre :

Êtes-vous l'infirmière que nous attendons? — Je **la** *suis.*
Êtes-vous les soldats qui ont gagné la bataille? — Nous **les** *sommes.*

Quand le pronom *le* représente un *adjectif* ou, ce qui revient au même, *un nom pris adjectivement*, c'est-à-dire *non précédé d'un article*, il reste invariable * :

Êtes-vous folle? — Je **le** *suis.*
Êtes-vous infirmière? — Je **le** *suis.*
Êtes-vous soldats? — Nous **le** *sommes.*
Il est peu de princes qui soient dignes de **l'***être.*
*Il est fort. Sois-***le** *plus encore.*

REMARQUES. — *Le* demeure aussi invariable :

1° Lorsqu'il représente l'*idée de la proposition précédente : Vous m'aimez, je* **le** *crois. Il est traité comme il mérite de* **l'***être.*

2° Dans certaines locutions : **Le** *prendre de haut, se* **le** *tenir pour dit,* etc. (où *le* est mis pour *cela*) et dans le gallicisme **l'***emporter sur* **.

---

* Cette double règle, établie par Vaugelas, n'était pas observée dans l'ancienne langue, et l'on trouve des exemples des formes *la, les* au lieu de *le*, au XVIIe siècle et même encore au XVIIIe siècle :

Vous êtes satisfaite, et je ne **la** *suis pas* (CORNEILLE).
Infidèles témoins d'un feu mal allumé,
*Soyez-***les** *de ma honte* (CORNEILLE).
Je veux être mère parce que je la suis, et ce serait en vain que je ne **la** *voudrais pas être.* (MOLIÈRE.)

** Dans d'autres gallicismes : **l'***échapper belle,* **la** *trouver mauvaise*, le féminin **la** s'explique parce qu'à l'origine le pronom personnel représentait un nom féminin exprimé précédemment ou sous-entendu, tel que *aventure, plaisanterie*, etc., etc.

4° Moi, toi, lui, eux.

Moi, toi, lui, eux s'emploient :

1° Comme sujets accentués, à la place de *je, tu, il, ils* dans plusieurs cas bien déterminés :

a) Quand ils sont construits en apposition à un pronom de la même personne, ou qu'ils sont eux-mêmes accompagnés d'une apposition, d'un adjectif ou d'une proposition relative :

Je vous dis, **moi,** *que je l'ai vu.*
Lui, *le dernier venu, voulut passer le premier.*
Lui *seul est Dieu, madame* (RACINE).
C'est **moi** *qui vous l'annonce.*

b) Quand ils sont unis à un nom ou à un autre pronom sujet :

Mon père et **moi** *étions absents.*
Les tiens et **toi** *pouvez vaquer... à vos affaires* (LA FONTAINE).

c) Quand ils marquent une opposition :

Il le croit; **moi,** *j'en doute.*
La nature au lit se repose,
Lui *(le printemps) descend au jardin désert* (TH. GAUTIER).

d) Dans une proposition elliptique, dont le verbe est sous-entendu :

Que vous reste-t-il? — **Moi** (CORNEILLE).

e) Dans une proposition exclamative, dont le verbe est à l'infinitif :

Moi *! le faire empereur!* (RACINE).

2° Comme attributs : *Il fut toujours* **lui**-*même.*

3° Comme compléments d'objet directs, à la place de *me, te, le, la, les,* dans plusieurs cas bien déterminés :

a) Quand ils sont construits en apposition à un pronom de la même personne : *Il les a laissés,* **eux** *qui étaient mourants.*

b) Quand ils sont unis à un nom complément d'objet direct : *Il a mécontenté ses parents et* **lui**-*même.*

c) Dans une proposition elliptique (réponses) : *Qui a-t-on nommé?* — **Toi** (c.-à-d. *on t'a nommé*).

d) Après un impératif sans négation, mais seulement pour *moi* et *toi : Laisse*-**moi**. *Ménage*-**toi**.

REMARQUE. — *Moi* et *toi* peuvent, dans ce dernier cas, être sujet d'un infinitif : *Laisse-***moi** *faire.*

4° Comme compléments indirects de verbes, compléments de noms ou d'adjectifs :

Ce livre est à **toi.**
Hostile à ses ennemis, à **eux** *indifférent...*

5° Avec une valeur explétive, mais seulement pour *moi :*

*Prends-***moi** *une ficelle.*

5° Lui, leur.

Lui, leur, inaccentués, s'emploient sans préposition comme compléments d'objet ou d'attribution, et se placent devant le verbe : *On* **lui** *fit fête ; on* **leur** *fit fête.*

REMARQUES. — 1° Dans cet emploi, *lui* (singulier) et *leur* (pluriel), sont des deux genres.

2° Les mêmes pronoms sont accentués et placés après le verbe, sans préposition, si ce verbe est un impératif affirmatif : *Donne-***lui** *congé ; donne-***leur** *congé.*

6° Nous, vous.

Nous, vous, accentués ou inaccentués, jouent tous les rôles énumérés ci-dessus, et ont, en outre, quelques emplois particuliers :

1° *Nous* peut remplacer *je* dans la langue administrative ou le style emphatique :

Nous, *préfet de la Vienne, arrêtons que...*
Nous *l'avons dit plus haut.*

Dans ce cas le nom, l'adjectif, le participe se rapportant à *nous* demeurent au singulier.

2° *Nous* peut remplacer *tu* (langage familier) : **Nous** *sommes bavarde, n'est-ce pas ?*

3° *Vous* peut remplacer *tu* (forme de politesse) : *On* **vous** *attend, ma fille.*

Dans ce cas le nom, l'adjectif ou le participe se rapportant à *vous* demeurent au singulier.

4° *Vous* peut avoir un sens indéfini et remplacer, comme complément, *on* qui ne s'emploie que comme sujet : *On voit une verte vallée dont la fraîcheur* **vous** *enveloppe.*

5° *Nous* et *vous* peuvent être explétifs :

*Prends-***nous** *le parti de te taire.*
On lui lia les pieds, on **vous** *le suspendit* (LA FONTAINE).

7° **Elle, elles.**

Elle, elles peuvent être sujets inaccentués, appositions accentuées, compléments inaccentués.

Elle *court.*
Elle court bien, **elle.**
Nous pensons à **elle,** *à* **elles.**

8° **Se, soi.**

Se (inaccentué), **soi** (accentué), pronom réfléchi de la 3e personne, renvoie au sujet.

Se est toujours intercalé entre le sujet et le verbe, comme complément d'objet ou d'attribution :

Il **se** *lave.*
Il **se** *donne des vacances.*

REMARQUES. — 1° *Se* employé au pluriel, peut avoir le sens de réciprocité : *Les domestiques* **se battirent.**

2° *Se* entre dans la composition des verbes pronominaux (§ 229-230).

Soi s'emploie au lieu de *lui, elle :*

1° Après un pronom indéfini (*on, chacun, nul, personne, quiconque, rien,* etc.) :

On *a souvent besoin d'un plus petit que* **soi.**
Chacun *pour* **soi.**

REMARQUE. — Toutefois quand le pronom indéfini est accompagné d'un complément qui le détermine, on peut dire *lui* ou *elle* : *Chacun de vous pour* **lui.**

2° Après un infinitif sans sujet personnel : *Il faut aussi* **penser** *à* **soi.**

3° Après un nom de chose au singulier : **Toute faute** *entraîne après* **soi** *le repentir.*

4° Dans des locutions toutes faites, telles que : *en soi, de soi, se faire moquer de* **soi**, **soi-***disant. Une chose bonne* **en soi.** *Cela va de* **soi**. *Garder son quant à* **soi.**

REMARQUE. — Dans ce dernier cas *soi* peut renvoyer à un pluriel et s'employer au lieu de *lui ou elles : Des choses bonnes* **en soi.** *Ces* **soi-***disant patriotes* *.

9° En, y.

Les pronoms **en** et **y** s'emploient lorsqu'on parle des *animaux* et des *choses*** ; les pronoms *lui, elle, eux, elles, leur,* employés comme compléments, ne peuvent représenter que des personnes : **Ce chien** *est méchant ; n'***en** *approchez pas* (et non pas : *n'approchez pas* **de lui**).

Plus on connaît **son pays**, *plus on* **y** *découvre de beautés* (et non pas : *plus on découvre* **en lui** *de beautés*).

Cette règle toutefois n'est pas absolue *** ; la commodité des pronoms monosyllabiques *en* et *y* (au lieu de *de lui, d'elle, d'eux, à lui, à elle, à eux,* etc.) a entraîné beaucoup de bons auteurs à employer dans certains cas *y* et *en* pour les personnes.

Plus on approfondit **l'homme**, *plus on* **y** *découvre de faiblesse et de grandeur.*

(MARMONTEL).

REMARQUES. — 1° *En* et *y* peuvent représenter une idée tout entière ; *en* signifie alors *de cela,* et *y* signifie *à cela : Il a été bon jusqu'à s'***en** *repentir. Il essaie de vaincre, mais n'***y** *réussit pas.*

2° *En* s'emploie dans des propositions de sens partitif, après des adverbes

---

* Dans l'ancienne langue, et jusqu'au XVIIIe siècle, l'emploi de *soi* était beaucoup plus étendu. On le trouve se rapportant à des noms de personnes, au singulier et au pluriel :

Il *crache presque sur* **soi** (LA BRUYÈRE).
Telles gens *par leurs bons avis*
Tirent à **soi** *filles et femmes* (LA FONTAINE).

— à des noms de choses au pluriel :

Les profanations que **les guerres** *traînent après* **soi** (MASSILLON).

** Si les pronoms *en* et *y* s'appliquent surtout aux choses, c'est qu'ils sont étymologiquement des adverbes de lieu, et n'ont par conséquent pas de sens propre, tout comme les choses elles-mêmes.

*** Elle n'était nullement fixée au XVIIe siècle, et l'on trouve chez les meilleurs auteurs de ce temps une foule de phrases dans lesquelles *lui, elle, eux, elles,* précédés d'une préposition, représentent des animaux ou des choses, et d'autres phrases dans lesquelles *en, y* se rapportent à des noms de personnes :

Ésope eut-il sujet de remercier **la nature** *ou de se plaindre* **d'elle?** (LA FONTAINE).

J'ai le cœur et l'imagination tout remplis **de vous** ; *je n'***y** *puis penser sans pleurer et j'***y** *pense toujours* (Mme DE SÉVIGNÉ).

de quantité ou des adjectifs numéraux non suivis d'un nom : *Il a fait* **plus de** *tableaux que je n'***en** *ai vu. Au lieu de* **deux,** *j'***en** *ai rencontré trois.*

3° *En* et *y* figurent dans un grand nombre de locutions : *N'***en** *pouvoir plus.* **En** *être ainsi.* **En** *aller de même.* **En** *être fait. S'***en** *prendre à quelqu'un ou quelque chose, s'***en** *remettre,* **en** *vouloir à quelqu'un.* **En** *avoir à quelqu'un.* **En** *imposer.* **En** *user. A* **en** *croire...* **En** *venir aux mains,* etc.

Y *aller de...* **Y** *revenir. N'***y** *pas passer. S'***y** *prendre bien* (*ou mal*). **Y** *prendre quelqu'un.*

Et l'on écrit couramment, sans être incorrect, des phrases comme : *Parlez de* **moi** ! *J'***en** *parle* (ou *je* parle de *vous*) — *Pensez à* **moi** ! *J'***y** *pense* (ou je pense *à vous*).

RÉPÉTITION DU PRONOM PERSONNEL

I. Pronom sujet.

108. *Sujet* de plusieurs verbes qui se suivent au même temps, un même pronom ne se répète pas, sauf intention particulière, quand les propositions sont juxtaposées ou coordonnées par les conjonctions *et, ni, ou :*

Elle bâtit un nid, pond, couve et fait éclore (LA FONTAINE).
Je plie et ne romps pas (LA FONTAINE).

EXCEPTION. — Toutefois le pronom se répète d'ordinaire quand on passe d'une proposition négative à une proposition affirmative : *Je ne sais et* **je** *doute.*

Mais un même pronom se répète toujours :

1° Quand les propositions sont unies par des conjonctions autres que *et, ni, ou :*

Je pense, donc **je** *suis* (DESCARTES).

2° Quand on veut donner plus de force à l'expression de la pensée :

Il *dort le jour,* **il** *dort la nuit, et profondément,* **il** *ronfle en compagnie.* (LA BRUYÈRE).

3° Quand il est suivi d'un deuxième sujet introduit par *et: Vous le regretterez,* **vous** *et les vôtres* *.

* Dans l'ancienne langue, ce pronom était souvent omis :
Vous périrez peut-être, et toute votre race (RACINE).

II. Pronom complément.

109. *Complément* de plusieurs verbes qui se suivent, un même pronom se répète avec chaque verbe, sauf lorsque le verbe est à un temps composé et qu'on ne répète pas l'auxiliaire : *Je* **le** *lis et* **le** *relis.* Mais : *Je l'ai lu et relu.*

REMARQUE. — La répétition du pronom est obligatoire quand les verbes exigent un complément différent : *Les morts et les vivants* **se** *succèdent et* **se** *remplacent continuellement.*

Reprise d'un nom par un pronom ou d'un pronom par un nom.

110. Les pronoms personnels, sujets ou compléments, peuvent former pléonasme avec le nom qu'ils représentent pour attirer l'attention sur ce nom :

Le **bien,** *nous* **le** *faisons ; le mal, c'est la fortune.* (LA FONTAINE).

Inversement on peut aussi exprimer d'abord le pronom, puis le nom : **Ils** *arrivèrent enfin, ces fameux* **comices.** (FLAUBERT).

REMARQUE. — Un pronom sujet répète un nom sujet dans des phrases interrogatives, concessives ou après certains adverbes (voir § suivant).

PLACE DU PRONOM PERSONNEL

I. Pronom sujet.

111. *Sujets,* les pronoms personnels *je, tu, il, elle, nous, vous, ils, elles, lui, eux,* se placent immédiatement avant le verbe, et ne peuvent en être séparés que par un pronom complément ou par *ne :* **J'***y suis.* **Il** *ne faut pas venir.*

Toutefois les pronoms personnels sujets se placent immédiatement après le verbe, et lui sont toujours unis par un trait d'union :

1° Dans les interrogations et quelquefois dans les exclamations :

*Iras-***tu**, *Curiace?* (CORNEILLE).
Combien y en a-t-il qui sont morts!

2° Dans les concessions : *On devait le pendre, fût-***il** *mort ou vif.*

3° Dans les incises, pour rapporter les paroles de quelqu'un : *Viens ici, lui dit*-**il**.

Remarque. — Dans les temps composés, le pronom sujet se place après l'auxiliaire : *Ah! m'a-t-***il** *dit, cours vite.*

4° Dans les souhaits : *Puissé*-**je** *vous avoir!*

5° Souvent après certains adverbes, tels que : *peut-être, à peine, du moins, en vain, aussi, encore, toujours.* **A peine** *l'eut*-**il** *vu* qu'il s'écria...

II. **Pronom complément.**

112. *Compléments*, les pronoms personnels se placent tantôt avant, tantôt après le verbe :

1° Les pronoms *me, te, se, nous, vous, le, la, les, lui, leur, en, y* se placent ordinairement avant le verbe et, s'ils sont compléments indirects, ils se construisent sans préposition : *Je* **le** *vois. Tu* **me** *parles.*

Exception. — 1° Quand le verbe est à l'*impératif affirmatif*, le pronom est placé après le verbe avec un trait d'union : *Écoutez*-**les**. *Venge*-**nous**.

2° Dans les locutions formées d'un verbe à un mode personnel et d'un infinitif, le pronom complément de l'infinitif s'intercale entre les deux verbes : *Il peut* **le** *dire* *.

Mais le pronom se place avant les deux verbes :

a) S'il est à la fois complément du premier et sujet du second : *On crut* **le** *voir paraître.*

b) Si l'infinitif est complément des verbes *voir, entendre, sentir, envoyer, faire, laisser : Je* **les** *ai fait chercher.*

3° Les pronoms *moi, toi, soi, eux, elles* se placent toujours après le verbe : *Ote*-**toi** *de là.*

---

* Dans l'ancienne langue, et aussi au xviiie siècle, on préférait mettre le pronom complément de l'infinitif devant le premier verbe :

Il **le** *peut dire* (Bossuet).
S'il **le** *veut croire* (La Fontaine).

III. **Deux pronoms compléments.**

113. Le même verbe peut avoir *deux pronoms compléments*, l'un d'objet direct, l'autre d'objet indirect :

1° Quand les deux pronoms compléments *suivent* le verbe, le complément indirect est placé *après* le complément direct : *Dis-le-***lui.**

2° Quand les deux pronoms compléments *précèdent* le verbe, le complément indirect est placé *avant* le complément direct, sauf *lui* et *leur*, qui sont placés toujours après : *On* **te** *l'a dit. On* **vous** *l'a dit On le* **lui** *a dit. On le* **leur** *a dit.*

3° Les pronoms *en* et *y* sont toujours placés après les autres compléments : *Ne vous* **y** *fiez pas. Allez-vous-***en** *d'ici.*

REMARQUE. — Les pronoms de la première personne *moi* et *nous*, employés comme sujets ou comme compléments avec uu nom ou un autre pronom, s'énoncent les derniers par politesse : *A peine nous a-t-on vus, vous et* **nous.**

Le roi, l'âne ou **moi,** *nous mourrons* (LA FONTAINE).

ADJECTIFS ET PRONOMS POSSESSIFS

114. Les **adjectifs possessifs** déterminent le nom en lui ajoutant une idée de possession : **Mon** *père.* **Nos** *camarades.*

REMARQUE. — L'adjectif possessif peut aussi ajouter au nom des idées moins étroites que la possession, par exemple, l'origine : *Mon village;* l'affection : *Mon Émile;* le respect : *Mon capitaine;* l'allusion : *Notre héros, Votre Monsieur Untel,* etc.

Les adjectifs possessifs ont une forme particulière pour marquer :

1° Qu'il y a *un seul* ou *plusieurs* objets possédés ; 2° que l'objet possesseur est de la *première,* de la *deuxième* ou de la *troisième* personne ; 3° que l'objet possédé est du *masculin* ou du *féminin ;* 4° que l'objet possédé est du *singulier* ou du *pluriel :*

Le père aime **son** *fils.*

(L'adjectif possessif *son* marque : 1° Qu'il n'y a qu'un seul possesseur, *le père ;* 2° que ce possesseur est de la 3e personne ; 3° que l'objet possédé, *fils,* est du masculin ; 4° que cet objet possédé est du singulier).

Les adjectifs possessifs sont :

1° *Pour marquer un seul possesseur.*

	SINGULIER		PLURIEL
	Masc.	Fém.	Des deux genres
1re personne.............	**mon**	**ma**	**mes**
2e —	**ton**	**ta**	**tes**
3e —	**son**	**sa**	**ses**

2° *Pour marquer plusieurs possesseurs.*

	SINGULIER	PLURIEL
	Des deux genres	Des deux genres
1re personne...........	**notre**	**nos**
2e —	**votre**	**vos**
3e —	**leur**	**leurs**

REMARQUE. — *Mon, ton, son* s'emploient au féminin au lieu de *ma, ta, sa,* devant les mots commençant par une *voyelle* ou une *h muette* * : **Mon** *épée,* **son** *horloge.*

RÉPÉTITION OU OMISSION DE L'ADJECTIF POSSESSIF

115. L'adjectif possessif est soumis à deux des règles de l'article :

1° Comme l'article, il doit être répété devant chaque nom : **Leur** *frère ou* **leur** *sœur.*

REMARQUE. — Il peut, comme l'article lui-même, être mis devant le second nom quand deux noms qui se suivent désignent deux êtres ou choses de sens voisin, dans des expressions consacrées : **Vos** *nom et prénoms. A* **ses** *risques et périls.* **Leurs** *faits et gestes.*

2° Comme l'article, l'adjectif possessif doit être répété devant deux adjectifs unis par *et*, quand ils modifient le même nom et ne se rapportent pas au même objet : *Les nouveaux mariés doivent aimer* **leur** *ancienne* et **leur** *nouvelle famille.*

* Cet emploi n'est pas très ancien. Dans l'ancienne langue, et jusqu'au XVe siècle, on élidait devant une voyelle l'*a* de l'adjectif féminin possessif, et l'on disait : *m'amie, t'amie, s'amie,* de même qu'on dit *l'amie.* Nous avons conservé de cet usage *ma mie* et *mamour* qui sont pour *m'amie* et *m'amour* (ce dernier mot, voir plus haut, § 55, étant alors féminin). Vaugelas (*Remarques* sur *mon, ton, son*) écrit *m'amie* et *m'amour* ; Molière, dans *Le Malade imaginaire,* écrit *m'amour.*

REMARQUE. — L'adjectif possessif, comme l'article lui-même, peut être omis devant le second adjectif, quand les deux adjectifs sont de sens voisin et se rapportent au même objet : **Notre** *longue et bonne amitié.*

116. L'adjectif possessif est remplacé par l'article quand le rapport de possession est assez clairement indiqué par le sens général de la phrase, surtout s'il est question d'une partie du corps :

Il s'est cassé **le** *bras* (et non pas *il s'est cassé* **son** *bras*).
J'ai mal à **la** *tête* (et non pas *j'ai mal à* **ma** *tête*).
Il y perdit **la** *vie* (et non pas *il y perdit* **sa** *vie*).

REMARQUE. — Cependant l'adjectif possessif est maintenu :

a) Quand on insiste sur le rapport de possession : *Je l'ai vu de* **mes** *yeux.*

b) Quand on exprime un fait d'habitude : *Elle a* **sa** *migraine* (entendez : la *migraine qui lui est coutumière*).

c) Quand le nom est qualifié : *On lui coupa* **ses** *cheveux bouclés* *.

EMPLOI DU PRONOM « EN » A LA PLACE DU POSSESSIF

117. En parlant de choses on emploie, au lieu de l'adjectif possessif, le pronom **en** (équivalent à *de lui, d'elle, d'eux, d'elles*) avec l'article, quand l'objet possédé est dans une autre proposition que l'objet possesseur et remplit dans cette proposition la fonction de complément d'objet direct ou de sujet :

*J'ai vu cette ville et j'***en** *ai admiré la beauté.*
Cette affaire est délicate, le succès **en** *est douteux.*

Dans tous les autres cas, même avec les noms de chose, on use de l'adjectif possessif **.

J'ai vu cette ville et j'ai admiré la beauté de **ses** *monuments.*

* Dans l'ancienne langue, et encore au XVIIe siècle, l'article est employé très souvent pour l'adjectif possessif :

Peuples, qu'on mette sur **la** *tête*
Tout ce que la terre a de fleurs (MALHERBE).

Inversement l'adjectif possessif était employé là où nous nous contentons de l'article :

Il reçut sur **sa** *tête un coup de sabre* (RACINE).

** Dans l'ancienne langue, et encore au XVIIe siècle, on employait parfois *en* pour renvoyer à un nom de personne :

C'est une jeune esclave à Rhodes achetée,
L'âge **en** *est de seize ans* (LA FONTAINE).

ACCORD

118. L'adjectif possessif s'accorde en genre et en nombre avec le nom de l'être ou de la chose possédés :

Il aime **son** *père,* **sa** *mère,* **ses** *sœurs.*

Les adjectifs *notre, votre, leur,* communs aux deux genres, s'accordent en nombre suivant le sens :

Romulus et Rémus n'ont pas connu **leur père** (le singulier, parce qu'ils n'avaient qu'un père commun).

Paul et Virginie ne pensaient qu'à faire plaisir à **leurs mères** (le pluriel parce qu'ils avaient chacun une mère différente).

Les pères mourants envoient **leurs fils** *pleurer sur* **leur** *général mort.* (FLÉCHIER).

REMARQUE. — Sur l'emploi de l'adjectif possessif avec *chacun,* voir la syntaxe des pronoms indéfinis, § 158.

ADJECTIF POSSESSIF ACCENTUÉ

119. A côté des formes *mon, ton, son, notre, votre,* qui sont inaccentuées, il existe des formes accentuées de l'adjectif possessif : **mien, tien, sien, nôtre, vôtre** : *Un* **mien** *cousin. Elle est* **tienne.** *Il a fait* **sienne** *ma proposition.*

Les formes accentuées de l'adjectif possessif, ainsi que *leur* précédé de l'article, *le mien, le tien, le sien, le nôtre, le vôtre, le leur,* sont prises comme pronoms pour remplacer un nom déjà cité ou qui va être cité : *Suis ton idée ; moi, je suivrai* **la mienne.**

PRONOMS POSSESSIFS

120. Le pronom possessif peut s'employer d'une manière absolue :

1° Au masculin singulier, pour indiquer *le bien de chacun* (de moi, de toi, de lui, etc.) :

Et **le tien** *et* **le mien,** *deux frères pointilleux* (BOILEAU).

2° Au masculin pluriel pour désigner *les parents, les amis : On n'est jamais trahi que par* **les siens.**

3° Dans certaines locutions : *Faire des* **siennes.** *Y mettre* **du sien**, etc.

REMARQUE. — Les pronoms possessifs *le vôtre, la vôtre, les vôtres* s'emploient par politesse au lieu de *le tien, la tienne, les tiens, les tiennes*, comme *vous* au lieu de *tu : J'ai reçu une lettre plus longue que la* **vôtre.**

ADJECTIFS ET PRONOMS DÉMONSTRATIFS

121. Les **adjectifs démonstratifs** déterminent le nom en *montrant* l'objet dont on parle : **Ce** *livre.* **Ces** *maisons.*

Les *adjectifs démonstratifs* sont :

au masculin singulier, **ce** ou **cet** ;

au féminin singulier, **cette** ;

au masculin et féminin pluriels, **ces.**

REMARQUES. — 1° *Ce* s'emploie devant les mots commençant par une *consonne* ou une *h aspirée ; cet* devant les mots commençant par *une voyelle* ou une *h muette :* **ce** *cheval,* **ce** *hibou ;* **cet** *enfant,* **cet** *homme.*

2° Pour insister sur l'être déterminé, on fait souvent suivre le nom des adverbes *ci* et *là*, rattachés au nom par un trait d'union, et indiquant, *ci* la proximité, *là* l'éloignement : **ce** *cheval-***ci, cet** *enfant-***là.**

EMPLOIS ET SENS

122. Outre leur emploi dans un sens démonstratif, les adjectifs démonstratifs peuvent aussi exprimer :

1° La proximité dans le temps : *J'irai dès* **ce** *matin.*

2° L'allusion à ce dont on a parlé ou l'annonce de ce qu'on va dire : *J'ai vu un loup étrange.* **Cet** *animal avait....* etc. *Rendez-moi* **cette** *justice, que je n'y suis pour rien.*

3° La possession à la première personne : **Cette** *épée vous protègera* (c.-à-d. *mon* épée).

4° Un sens emphatique ou péjoratif : *Bayard,* **ce** *héros.* **Cet** *individu.*

PRONOMS DÉMONSTRATIFS

123. Les **pronoms démonstratifs** désignent en le *montrant* l'objet indiqué par le nom qu'ils représentent.

Il y a deux groupes de pronoms démonstratifs : les pronoms démonstratifs *simples* et les pronoms démonstratifs *composés.*

Les **pronoms démonstratifs simples** sont :

au masculin singulier, **celui** ;
au féminin singulier, **celle** ;
au neutre singulier, **ce** ;
au masculin pluriel, **ceux** ;
au féminin pluriel, **celles** *.

Les **pronoms démonstratifs composés** sont formés des pronoms démontratifs simples et des adverbes *ci* et *là,* indiquant *ci* la proximité, *là* l'éloignement.

Ce sont : au masculin singulier, **celui-ci, celui-là** ; au féminin singulier, **celle-ci, celle-là** ; au neutre singulier, **ceci, cela** ; au féminin pluriel, **celles-ci, celles-là** **.

REMARQUES. — 1° Un trait d'union joint toujours *celui, celle, ceux, celles* à *ci* et *là ;* mais *ceci* et *cela* s'écrivent en un seul mot. De plus, *là* a toujours un accent grave dans *celui-là, celle-là, ceux-là, celles-là,* mais n'a pas d'accent dans *cela.*

2° L'*e* de *ce* s'élide devant une voyelle et le *c* prend une cédille devant un *a : c'est vrai ; ç'a été vrai.*

3° *Cela* est souvent remplacé, dans le style familier, par la forme syncopée *ça.*

4° *Ce* se dit le plus souvent des êtres inanimés, et dans ce cas peut être

---

* *Ce,* pronom neutre, vient de *ecce hoc,* qui a donné successivement *iço, ço, ce. Celui, celle, ceux, celles,* viennent de *ecce illum, ecce illam, ecce illos, ecce illas,* qui ont donné d'abord *icelui, icelle, icels, icelles.*

Racine, parodiant le langage de la vieille procédure, a dit dans *Les Plaideurs :*

De ma cause et des faits renfermés en **icelle.**

Molière, imitant le style de chancellerie, écrit de son côté dans *les Fâcheux : supplie humblement Votre Majesté de créer... une charge de contrôleur... et d'***icelle** *honorer le suppliant.* Et l'on trouve encore dans Malherbe *icelui* communément employé pour celui-ci *:*

Il y avait un tapis velu..., et, dessus, un escabeau..., et sur **icelui** *un bassin vermeil doré.*

** Jusqu'au XVIe siècle, le français employait aussi comme adjectifs ces formes, devenues pronominales à partir du siècle suivant.

Racine, toujours parodiant le langage du Palais, emploie encore *icelui* comme adjectif dans *les Plaideurs :*

Témoin trois procureurs
Don **icelui** *Citron a déchiré la robe.*

Aujourd'hui encore la locution *à seule fin de* est une survivance, par déformation, de *à celle fin de.*

considéré comme un pronom neutre singulier équivalent à *il* neutre * : *C'est un beau spectacle.*

Mais il se dit parfois des êtres animés, et dans ce cas s'emploie pour les pronoms masculins *il, ils,* féminins *elle, elles :* **C'***était un vieux bandit.* **Ce** *sont des brigands.*

Emplois des pronoms simples celui, celle.

124. Les pronoms démonstratifs simples **celui, celle, ceux, celles** ne s'emploient que comme antécédents du pronom relatif *qui, que, dont,* etc. ** : **Celui qui** *a parlé;* **ceux dont** *on parle;* ou suivis de la préposition *de,* soit avec un complément de nom soit dans le sens partitif :

Ce livre n'est pas le mien, c'est **celui de** *mon frère.*
Je punirai **ceux de vous** *qui désobéiront.*

125. Bien que le pronom tienne la place du nom, il ne peut être comme le nom, suivi d'un adjectif ou d'un participe. Ainsi, l'on ne dira pas : *Ces personnes s'ajoutent à* **celles déjà nommées,** mais *aux personnes déjà nommées,* ou bien *à celles qui ont été déjà nommées* ***.

Emplois de ce.

Le pronom démonstratif **ce** est d'un usage très étendu :

1° Il s'emploie surtout comme antécédent du relatif :

Ce que *l'on conçoit bien s'énonce clairement* (BOILEAU).

---

* La langue actuelle a substitué *ce* à *il,* de sens neutre, dans un grand nombre de locutions :

Par ma barbe, dit l'autre, **il** *est bon* (LA FONTAINE).

Nous dirions aujourd'hui : **c'***est bon.*

Inversement, nous employons aujourd'hui le pronom *il,* de sens neutre, là où l'on mettait encore **ce** au XVIIe siècle : c'est ainsi que Balzac et Molière écrivaient encore *quoi que* **c'***en soit* là où nous disons toujours *quoi qu'***il** *en soit.*

** Le pronom démonstratif *celui, celle, ceux, celles,* joint au relatif *qui,* formait, au XVIe siècle, deux locutions toutes latines, qui avaient déjà disparu au temps de Vaugelas (1647) :

1° Avec le verbe *être* ou la locution *il y a,* accompagné d'une double négation (le verbe suivant au subjonctif), il avait le sens de *nullus est qui* « il n'y a personne qui ».

N'y eut celuy *du conseil* **qui** *n'en fust marri* (AMYOT).

2° Avec *comme* et l'indicatif, il a le sens du latin *ut qui, utpote qui* « comme il est naturel qui le soit quelqu'un qui » : *Lycurgue mesme fut bon capitaine* **comme celuy qui** *s'était trouvé en plusieurs batailles* (AMYOT).

*** L'ancien usage autorisait la construction du pronom démonstratif suivi d'un participe :

Je joins à cette lettre **celle écrite** *par le prince* (RACINE).

2° Il s'emploie aussi devant le verbe *être*, pour rappeler ou pour annoncer le sujet logique :

Ce que je sais le mieux, **c'***est mon commencement* (RACINE).

REMARQUE. — Quand *ce* annonce le sujet logique, il lui est uni par *que*, si c'est un nom, par *de*, par *que de* ou par *que*, si c'est un infinitif.

Ce fut un grand soldat, fils, **que** *ce petit homme* (HUGO).
C'*est erreur, ou plutôt* **c'***est crime* **de** *le croire* (LA FONTAINE).
C'*est avoir profité* **que de** *savoir s'y plaire* (BOILEAU).
Mais **c'***est mourir deux fois* **que** *souffrir tes atteintes* (LA FONTAINE).

3° Il s'emploie encore devant le verbe *être*, pour former les locutions emphatiques *c'est... qui, c'est... que.* On intercale entre *c'est* et *qui* ou *que* le mot ou le groupe de mots sur lequel on veut appeler l'attention.

C'*est toi qui l'as nommé* (RACINE).
C'*est ma vie,* **c'***est mon âme que votre amitié* (Mme de Sévigné).
C'*est une étrange entreprise que celle de faire rire les honnêtes gens* (MOLIÈRE).

4° Il entre enfin dans un grand nombre de locutions toutes faites :

Ce *semble.*
Ce *dit-on.*
Il avait dessein d'attaquer, et pour **ce** (*pour* **ce** *faire*) *il commanda...* (Acad.).
Sur **ce,** *nous partîmes.*
Je lui ai parlé fermement, et **ce** *pour le convaincre.*
C'*est affaire à lui.*
C'*est à savoir.*
C'*est-à-dire.*
C'*est à qui l'aura.*
C'*est à qui mieux mieux.*
*Est-***ce** *à dire que?*
*Qu'est-***ce** *à dire?*
*Est-***ce** *compris?*
*Sera-***ce** *pour demain?* etc.

Emplois des pronoms composés **celui-ci, celui-là.**

127. **Celui-ci, celui-là** représentent des noms précédemment énoncés et s'emploient en opposition, *celui-ci* désignant la personne ou la chose la plus rapprochée dans ce qu'on a dit précédemment et *celui-là* la personne ou la chose la plus éloignée : *Turenne et Condé commandèrent des armées l'un contre l'autre;* **celui-ci** *était plus impétueux,* **celui-là** *plus réfléchi.*

REMARQUES. — 1° *Celui-ci, celui-là,* étant déjà déterminés par *ci* et par *là,* ne peuvent pas être déterminés de nouveau par une phrase conjonctive. Ainsi, comme l'observe Littré, ce serait une faute de dire : *Ceux-là qui aiment Dieu gardent ses commandements.*

Mais la phrase conjonctive peut être évidemment admise, quand elle est une simple incidente explicative. Ainsi : *Turenne et Condé... ;* **celui-là, qui fut tué d'un coup de canon,** *fut enseveli dans son triomphe ;* **celui-ci, qui finit sa vie** *dans son lit, jouit longtemps de l'éclat de sa renommée* (VOLTAIRE).

2° *Celui-là* remplace *celui* comme antécédent du relatif quand il en est séparé par quelques mots : **Celui-là** *seul mérite nos hommages,* **qui** *fonde sa grandeur sur la vertu* (LA BRUYÈRE).

3° *Celui-là, celle-là* peuvent avoir une valeur emphatique : *Ah!* **celui-là,** *quel grand général!*

Ou, au contraire, péjorative : *Je ne m'attendais pas à* **celle-là** !

Emplois de ceci, cela.

128. **Ceci, cela** peuvent s'employer en opposition, dans les mêmes conditions où l'on emploie *celui-ci* et *celui-là :* **Ceci** *tuera* **cela** (V. HUGO).

Mais ils peuvent aussi s'employer séparément l'un pour l'autre, et sans marquer l'opposition : *On m'a dit* **ceci.** *J'ai vu* **cela.**

REMARQUES. — 1° *Cela* s'emploie dans quelques expressions familières, et se dit quelquefois même plaisamment des personnes : *C'est* **cela.** *Comment* **cela?** *Et avec* **cela?** *Voyez ces enfants,* **cela** *ne fait que jouer.*

2° Appliqué aux personnes, *cela* prend facilement un sens péjoratif : **Cela** *fait l'intéressant!*

PRONOMS RELATIFS

129. Les **pronoms relatifs** représentent un nom ou un pronom et servent à unir une proposition à une autre.

On les nomme *relatifs* parce qu'ils sont en *relation* avec le nom ou pronom précédemment exprimé, et qui s'appelle *antécédent.*

Ainsi dans la phrase : *J'aime les enfants* **qui** *travaillent,* le pronom *qui* représente *enfants* et a *enfants* pour antécédent ; il sert de plus à unir la proposition *qui travaillent* à la proposition *j'aime les enfants.*

REMARQUES. — 1° Tout pronom relatif suppose un antécédent exprimé ou sous-entendu : *Aimez* **qui** *vous aime* (c'est-à-dire **celui qui**). *C'est en* **quoi** *vous faites fausse route* (c'est-à-dire **ce en quoi**). *Voilà* **qui** *m'est égal* (c'est-à-dire **quelque chose qui**). **Qui** *m'aime me suive* (c'est-à-dire que **celui qui** *m'aime me suive*)*.

2° Le pronom relatif et son antécédent font toujours partie de deux propositions différentes, le relatif ayant pour principale mission de tenir dans la proposition dont il fait partie *la place de l'antécédent*.

FORMES

130. Il y a deux groupes de pronoms relatifs, les pronoms relatifs *simples* et les pronoms relatifs *composés*.

1° Les pronoms relatifs *simples* sont : **qui, que, quoi, dont, où.**

Les pronoms *qui, que, dont, où* sont invariables et servent pour les deux genres, les deux nombres et les trois personnes.

Le pronom *quoi* est aussi invariable, et généralement de sens neutre.

Remarque. — *Que* s'élide comme le pronom démonstratif *ce : Ces pays* **qu'***avec vous j'ai vus.*

2° Les pronoms relatifs *composés* ont les deux genres et les deux nombres ; ils servent pour toutes les personnes.

Ce sont : au masculin singulier, *lequel, duquel, auquel ;* au masculin pluriel, *lesquels, desquels, auxquels ;* au féminin singulier, *laquelle, de laquelle, à laquelle ;* au féminin pluriel, *lesquelles, desquelles, auxquelles.*

Emplois de qui.

131. **Qui** peut être employé :

1° Comme *sujet*, avec ou sans antécédent :

Le premier **qui** *bouge sera fusillé.*
Qui *dort dîne* (= celui qui dort...)

---

* Au xvie et au xviie siècle, l'omission de l'antécédent était beaucoup plus fréquente qu'aujourd'hui. C'est ainsi qu'on trouve le pronom relatif *qui* sans autre antécédent qu'un groupe de mots : il équivaut à *ce qui*.

Il faut encore savoir écrire, **qui** *est une seconde science.*
Balzac.

Il a la permission de ne pas venir, **qui** *est une grande dépense épargnée.*
Mme de Sévigné.

(Nous employons aujourd'hui encore *qui* sans antécédent dans les vieilles locutions *qui pis est, qui plus est,* etc.).

C'est ainsi encore qu'on emploiyait *dont* sans l'antécédent *ce :*

Hélène est arrivée, **dont** *je suis ravie* (ce dont...).
Mme de Sévigné.

Oui, mais il veut avoir trop d'esprit, **dont** *j'enrage* (ce dont...).
Molière.

2° Comme *complément avec préposition*, si l'antécédent est un nom de personne ou de chose personnifiée : *l'homme à* **qui** *vous m'avez adressé était sorti.*

REMARQUES. — 1° *Qui*, répété, s'emploie quelquefois dans le sens indéfini pour *l'un..., l'autre...* ou *les uns..., les autres... : Ils s'emparèrent* **qui** *d'une épée,* **qui** *d'une pique.*

2° *Qui*, suivi de *que* et du verbe *être* au subjonctif, forme la locution elliptique **qui** *que ce soit* (c'est-à-dire *quelque personne que ce soit*).

3° *Qui* est employé encore avec diverses ellipses, apparentes ou réelles : *Il l'a entendu dire de je ne sais plus* **qui.** (Il n'y a pas ellipse réelle, mais inversion : *Il l'a entendu dire de qui? Je ne sais plus.*)

On est venu vous voir : devinez qui. (Il y a ellipse : devinez qui *est venu*) *.

4° *Qui* figure en outre dans quelques locutions : *C'était à* **qui** *parlerait le premier. Ils criaient tous à* **qui** *mieux mieux.*

5° Quand le relatif *qui* a pour antécédent immédiat un pronom démonstratif, les deux mots forment une locution conjonctive du genre neutre : *ce qui*, où *qui* est toujours sujet. **Ce qui** *me fâche,* **c'***est votre insistance.*

Emplois de que.

132. **Que** peut être employé :

1° Comme *complément d'objet direct :*

L'homme **que** *j'ai vu était petit et boiteux.*
Montrez-moi ce **que** *vous tenez.*

2° Comme *attribut* ** :

Il s'est montré tel **qu'***il est.*
Vous êtes aujourd'hui ce **qu'***autrefois je fus* (CORNEILLE).

---

* Au XVIe et au XVIIe siècle, le relatif *qui* s'employait souvent dans le sens de *si quelqu'un* (latin *si quis*) :

Qui *parle du loup, on en voit la queue* (proverbe cité par PASQUIER) (= Si quelqu'un parle du loup...).

Qui *m'aurait fait croire tout d'une vue tout ce que j'ai souffert, je n'aurais jamais cru y résister* (Mme DE SÉVIGNÉ) (= si quelqu'un m'avait fait croire...).

Halte-là, **qui** *vive* (= ... si quelqu'un vit).

Cette construction ne se trouve plus usitée aujourd'hui que dans l'elliptique *qui vive* et dans *comme qui dirait* (= comme si l'on disait).

** **Que** n'est sujet que dans des locutions anciennes où il a le sens neutre :

Fais ce que dois, advienne **que** *pourra.*
Je ferai ce **que** *bon me semble.*

Ces emplois s'expliquent par l'ellipse, fréquente dans l'ancienne langue, des pronoms personnels et des antécédents :

Fais ce que dois, [*qu'il*] *advienne* [*ce*] *qu'*[*il*] *pourra.*
Je ferai ce que bon [*il*] *me semble.*

3° Comme *complément indirect* ou *circonstanciel :*

C'est à vous **que** *je parle* (c'est-à-dire à vous *à qui...*) *.
Du temps **que** *les bêtes parlaient* (c'est-à-dire : du temps *pendant lequel...*)

Emplois de quoi.

133. **Quoi** est toujours employé comme complément et toujours précédé d'une préposition.

Il est généralement amené par un antécédent, qui peut être soit un pronom neutre, soit un nom ou même toute une phrase :

Voilà donc ce à **quoi** *vous tendez.*
Parmi les faiblesses extrêmes à **quoi** *je sens que mon esprit est sujet.*
(BOURDALOUE)

Il arrive parfois que l'antécédent soit elliptique :

Donnez-moi de **quoi** *écrire.*
Avoir de **quoi** *vivre ;* et familièrement, avec ellipse du verbe, *avoir* **de quoi.**
Il n'y a pas de **quoi** (sous-entendez : *me remercier*).

REMARQUE. — *Quoi,* suivi de *que,* équivaut à *quelque chose que :* **Quoi que** *vous disiez, mon siège est fait.*
Il s'écrit alors en deux mots et ne doit pas être confondu avec la conjonction *quoique :* **Quoique** *vous disiez de bonnes choses, mon siège est fait.*

Emplois de dont.

134. **Dont,** qui équivaut à *de qui, du quel, de laquelle — desquels, desquelles,* se dit des êtres animés et inanimés et peut être employé comme complément :

1° de nom : *Une maison* **dont** *la porte est fermée ;*
2° d'adjectif : *Je vous montrerai ce* **dont** *je suis capable ;*
3° de verbe : *C'est un homme* **dont** *je vous réponds;*
4° d'adverbe : *Des gens* **dont** *beaucoup me sont connus.*

REMARQUES. — 1° *Dont* est toujours remplacé par *de qui, duquel,* etc., quand le relatif dépend d'un nom précédé d'une préposition :

---

* Dans l'ancienne langue, et encore au XVIIe siècle, on écrivait souvent *à qui* au lieu de que :
C'est à vous, mon Esprit, **à qui** *je veux parler* (BOILEAU).

...Trois ou quatre seulement
Au nombre **desquels** *on me range* * (Malherbe).

2° *Dont* et *d'où*, qui ont étymologiquement le même sens, s'employaient indifféremment autrefois pour marquer l'origine, l'extraction, la provenance. Aujourd'hui, on emploie exclusivement *d'où* au sens *propre* et pour représenter des *choses : La ville* **d'où** *j'arrive.... La maison* **d'où** *je sors...*

Et l'on emploie *dont*, dans ce sens, au *figuré* et pour représenter des *personnes : La maison* **dont** *je sors...* (*maison* est pris ici au sens figuré de *race, famille*). *Les preux* **dont** *il descend...* **

Emplois de où.

135. **Où,** adverbe de lieu, peut être employé comme pronom relatif, seul ou précédé des prépositions *de, par, jusque,* pour exprimer le lieu ou le temps *** :

Au moment **où** *j'arrive...*
Le mauvais pas **d'où** *il s'est tiré.*
Les lieux **par où** *nous passâmes.*

Où a généralement un antécédent. Mais cet antécédent peut ne pas être exprimé :

---

* Au XVIIe siècle, on employait parfois encore, même dans ce cas, *dont* pour *duquel :*
L'objet de votre amour, lui **dont** *à la maison*
Votre imposture enlève un brillant héritage.
Molière.

On dirait aujourd'hui : *à la maison duquel.*

** Cette distinction dans l'emploi de *dont* et *d'où* est déjà indiquée par Vaugelas, mais la règle n'avait pas le caractère absolu qu'elle a maintenant, et les meilleurs écrivains ne l'observèrent pas toujours :
Le corps retourne à la terre **dont** *il a été tiré* (Bossuet).
Abîmes redoutés **dont** *Ninus est sorti* (Voltaire).
Ces livres **dont** *s'étaient envolées tant de rodomontades* (Théophile Gautier).

*** Au XVIIe siècle, *où* faisait encore office de pronom relatif pour désigner des choses n'exprimant ni le lieu ni le temps, avec le sens de *auquel, dans lequel, vers lequel,* etc. *L'honneur* **où** *j'aspire... Les affaires* **où** *je suis intéressé... C'est le but* **où** *je tends,* etc. Il se disait aussi des personnes, et équivalait alors à un pronom relatif précédé d'une des prépositions *à, en, dans, de,* etc.
Le véritable Amphitryon
Est l'Amphitryon **où** *l'on dîne* (Molière).
On lit à ce sujet dans Vaugelas, *Remarques sur la langue française :* « Où, adverbe, pour le pronom relatif. — L'usage en est élégant et commode. Par exemple, *le mauvais état où je vous ai laissé* est incomparablement mieux dit que *le mauvais état auquel je vous ai laissé.* Le pronom *lequel* est d'ordinaire si rude en tous ses cas que notre langue semble y avoir pourvu en nous donnant de certains mots plus doux et plus courts pour substituer en sa place, comme *où* en cet exemple, et *dont, quoi* en une infinité de rencontres. » Vaugelas n'a pas cessé d'avoir raison, et il est à regretter que l'emploi de *où,* dans le sens qu'il signale, soit un peu tombé en désuétude.

Voilà **où** *la Providence triomphe* * (Mme DE SÉVIGNÉ).
C'est **où** *je l'attends.*

REMARQUE. — *Où* sert à former la locution conjonctive *où que*, signifiant *en quelque lieu que.*

Emplois de lequel.

136. Le relatif composé *lequel*, qui a l'avantage, par sa forme même, de marquer clairement le genre et le nombre *(laquelle, lesquels, lesquelles)*, a toujours un antécédent.

Il s'emploie :

1° Pour éviter une équivoque, quand le relatif ne suit pas immédiatement l'antécédent :

Ainsi, au lieu de : *La femme du voisin à qui j'ai parlé hier est morte le soir*, il faut dire selon le sens : *auquel* ou *à laquelle j'ai parlé.*

2° A la place de *qui* pour représenter des noms de choses ou d'animaux : *C'est une condition* **de laquelle** *je ne puis me départir,* **à laquelle** *je ne puis renoncer,* **sans laquelle** *je ne consentirai à rien. Il a un gros chat* **auquel** *il confie ses secrets* **.

3° Concurremment avec *qui* pour représenter des noms de personnes ou d'êtres personnifiés : *Il ignore les gens* **avec lesquels** *il vit.*

REMARQUE. — *Duquel* (voir plus haut § 134) remplace *dont* quand le relatif dépend d'un nom précédé d'une préposition.

PLACE DU PRONOM RELATIF

137. Le pronom relatif doit être, pour dissiper toute équivoque, aussi près que possible de son antécédent ***.

---

* Notons toutefois que dans cet exemple l'ellipse de l'antécédent n'est qu'apparente puisque c'est *là*, contenu dans *voilà*.

** Cette différence n'a pas toujours été observée, même au XVIIe siècle :

Un faix sous **qui** *Rome succombe* (CORNEILLE).
Une de ces injures pour **qui** *un honnête homme doit périr* (MOLIÈRE).
Un prix à **qui** *tout cède* (RACINE).
Ces châteaux de **qui** *nous entretiennent les poètes* (BOSSUET).

*** Au XVIIe siècle, l'antécédent se plaçait souvent à quelque distance du relatif, ce qui donnait aux phrases plus de vivacité, sans pour autant créer d'équivoque :

Il lui faut aussi **un cheval**, *pour monter son valet,* **qui** *coûtera bien trente pistoles.*
MOLIÈRE.

Je vis hier **une chose** *chez Mademoiselle* **qui** *me fit plaisir* (Mme DE SÉVIGNÉ).
De telles constructions ne sont nullement interdites.

Il est toujours en tête de la proposition relative, sauf :

1° S'il est précédé d'une préposition : *Les paysans, pour* **qui** *Sully avait tant fait...*

2° S'il complète un nom précédé d'une préposition : *L'arbre, du tronc* **duquel** *tant de branches avaient poussé...*

RÉPÉTITION DU PRONOM RELATIF

138. Dans les propositions coordonnées où entre un pronom relatif, la répétition du relatif n'est obligatoire que si sa fonction change *.

On pourra dire indifféremment : *L'humanité n'est pas seulement un être qui pense, c'est un être* **qui** *sent,* **qui** *agit et* **qui** *vit,* ou *c'est un être qui sent, agit et vit.*

Mais on dira : *Celui* **qui** *règne dans les cieux et* **de qui** *relèvent tous les empires est aussi le seul qui se glorifie de faire la loi aux rois* (BOSSUET).

ACCORD DU RELATIF

139. Le pronom relatif, même invariable, est considéré comme s'accordant en genre et en nombre avec son antécédent. En effet, l'adjectif attribut, s'il y en a un, qui s'accorde avec le relatif sujet, prend, par l'intermédiaire de celui-ci, le genre et le nombre de l'antécédent.

*L'***église** *qui est* **grande...**
Les **enfants** *qui sont* **turbulents...**

---

* Cette règle n'est presque jamais observée au XVIe siècle, et ne l'est pas toujours au XVIIe. On trouve souvent un seul pronom, même quand il faut marquer deux fonctions différentes :

Vous avez ce que tous humains appètent naturellement, et à peu d'iceux n'est octroyé.
RABELAIS.

D'autres fois le pronom relatif, au lieu d'être omis dans la seconde proposition, est remplacé par un pronom démonstratif :

Le druide Adamas, **à qui** *les bergères du Lignon allaient conter leurs infortunes,* **et en recevaient** *une grande consolation* (au lieu de *et dont* elles recevaient...) (Mme DE SÉVIGNÉ).

Cette dernière construction est toute latine. Cicéron dit dans l'*Orator* : « *Species pulchritudinis eximia quædam, quam intuens in eaque defixus...* »

Le verbe s'accorde en nombre et en personne, par l'intermédiaire du relatif sujet, avec l'antécédent de ce relatif : *C'est* **toi** *qui l'as fait.*

Toutefois quand l'antécédent est suivi d'un attribut, d'une apposition ou d'un complément, on fait rapporter le pronom relatif à celui des deux termes sur lequel on désire appeler l'attention.

Relatif rapporté au sujet	Relatif apporté à un autre terme
Et *je* serai le seul *qui ne pourrai* rien dire (BOILEAU).	Et je serai *le seul qui ne pourra* rien dire.
Je suis Diomède, roi d'Étolie, *qui blessai* Vénus au siège de Troie (FÉNELON).	Je suis Diomède, *le roi d'Étolie qui blessa* Vénus au siège de Troie.
C'est *une* des raisons *qui fait* murmurer (Mme DE SÉVIGNÉ).	C'est une *des raisons qui font* murmurer *.

RELATIFS DE SENS INDÉFINI

140. Il existe des relatifs de sens indéfini. Ce sont : *quiconque, qui que, quoi que, qui que ce soit qui.*

Quiconque est un relatif masculin qui ne se dit que des personnes. Il s'emploie sans antécédent ** et toujours avec deux propositions. Il peut être :

1° Le sujet de ces deux propositions :

---

* Au XVIIe et au XVIIIe siècles, le relatif était le plus souvent rapporté au sujet, non à l'attribut ou au complément du sujet :

Je *ne suis pas le seul* **qui l'ai** *r marqué* (VAUGELAS).

C'est **une** *des personnes du monde* **qui a** *le plus de bonnes qualités* (Mme DE SÉVIGNÉ).

Souvent aussi le pronom relatif était mis à une autre personne que le sujet, par suite de l'ellipse de quelque attribut :

Il ne voit à son sort que moi **qui s'intéresse**
(pour : il ne voit... *nul autre* que moi *qui s'intéresse*).
RACINE.

Ce ne serait pas moi **qui se ferait** *prier*
(pour : je ne serais pas *celui qui se ferait prier*).
MOLIÈRE.

** Jusqu'au XVIIe siècle, on l'employait souvent en lui donnant un antécédent comme en latin *(quicumque..., ille...)* :

Il *passe pour tyran* **quiconque** *s'y fait maître* (CORNEILLE).
Quiconque *ne sait pas dévorer un affront,*
*Loin de l'aspect des rois qu'***il** *s'écarte, qu'***il** *fuie !* (RACINE).

Quiconque *a beaucoup vu*
Peut avoir beaucoup retenu (LA FONTAINE).
Quiconque *est loup agisse en loup* (LA FONTAINE).

REMARQUE. — Quand le verbe de la seconde proposition est le même que celui de la première, on peut le sous-entendre : *Il le fait mieux que* **quiconque.**

2° Le complément d'une des propositions et le sujet de l'autre : *Elle protège ses petits contre* **quiconque** *les attaquerait.*

REMARQUE. — Le verbe de la seconde proposition peut être sous-entendu : *Elle protège ses petits contre* **quiconque.**

Qui que, quoi que, qui que ce soit qui, suivis du subjonctif, s'emploient pour exprimer une supposition de sens indéfini :

Qui que *vous soyez, vous pouvez entrer.*
Quoi qu'*on en dise, je continuerai.*
Qui que ce soit qui *l'ait fait, il a bien pris ses précautions.*

REMARQUE. — Dans ces relatifs composés, *qui* et *quoi* sont d'anciens interrogatifs.

ADJECTIFS RELATIFS

141. **Lequel** peut s'employer aussi comme adjectif relatif, mais il est d'un emploi vieilli et qu'on ne trouve plus guère que dans la langue de la procédure : *Ont comparu devant nous les propriétaires Untel, Untel et Untel,* **lesquels propriétaires** *ont déclaré...*

PRONOMS ET ADJECTIFS INTERROGATIFS

142. Les **pronoms interrogatifs** représentent un nom et servent à interroger.

Ainsi : **Qui** *va là?* Le pronom *qui* représente un nom : *quelle personne,* et sert à interroger.

Les pronoms interrogatifs n'ont jamais d'antécédents.

FORMES

143. On distingue trois groupes de pronoms interrogatifs : les pronoms interrogatifs *simples,* les pronoms interrogatifs *composés,* les pronoms interrogatifs *renforcés.*

1° Les pronoms interrogatifs *simples* sont : **qui? que? quoi?**

Le pronom *qui* est invariable et sert pour les deux genres et les deux nombres.

Les pronoms *que* et *quoi* sont aussi invariables, mais servent uniquement à représenter des êtres inanimés.

REMARQUE. — Les formes du pronom interrogatif simple sont les mêmes que celles du relatif ; toutefois *dont* n'est que relatif, et *où* interrogatif est adverbe, mais non pronom.

2° Les pronoms interrogatifs *composés* ont les deux genres et les deux nombres. Ce sont :

au masculin singulier, **lequel, duquel, auquel ;**

au masculin pluriel, **lesquels, desquels, auxquels ;**

au féminin singulier, **laquelle, de laquelle, à laquelle ;**

au féminin pluriel, **lesquelles, desquelles, auxquelles.**

3° Les pronoms interrogatifs *renforcés* sont :

Au masculin et au féminin, **qui est-ce qui? Qui est-ce que?**

Au neutre, **qu'est-ce qui? qu'est-ce que?** et **à quoi est-ce que? par quoi est-ce que?** etc.

Emplois de **qui**.

144. **Qui** peut être employé :

1° Comme sujet : **Qui** *vient?*

2° Comme attribut : **Qui** *es-tu?*

3° Comme complément d'objet direct ou indirect : **Qui** *cherches-tu? De* **qui** *parles-tu?*

4° Comme complément circonstanciel : *Avec* **qui** *êtes-vous?*

5° Comme complément de nom : *Au nom de* **qui** *parlez-vous?*

6° Comme complément d'adjectif : *A* **qui** *êtes-vous favorable?*

Ainsi que le montrent ces divers exemples, *qui* ne désigne aujourd'hui * que des personnes.

Remarque. — *Qui* employé comme sujet n'a jamais le sens pluriel et, par suite, commande toujours un verbe du singulier. Mais il peut l'avoir comme attribut : *Ces enfants* **qui** *sont-ils?*

Emplois de **que**.

145. **Que** est le plus souvent employé comme complément d'objet direct : **Que** *faites-vous?*

Mais il peut l'être aussi :

1° Comme sujet : **Que** *peut-il arriver?* **Qu'***importe?*

2° Comme attribut : **Que** *sont les bonheurs d'ici-bas?*

Remarque. — *Que* peut servir d'attribut à un nom de personne : **Qu'***est-il devenu?*

3° Comme complément d'objet indirect ou comme complément circonstanciel ** :

Du zèle de ma loi **que** *sert de vous parer?* (Racine.)
Que *tardez-vous?*

Emplois de **quoi**.

Quoi est le plus souvent employé comme complément d'objet indirect ou comme complément de nom : **De quoi** *parlez-vous?* **De quoi** *est-il question?*

---

* Jusqu'au xviie siècle *qui*, interrogatif, s'est employé aussi pour les choses, au sens neutre :

Qui *fait l'oiseau? C'est le plumage* (La Fontaine).

** Dans ces derniers emplois, *que* a vieilli, et l'on dit plus souvent aujourd'hui avec le même sens : **A quoi** *sert-il?* **Pourquoi** *tardez-vous?* etc.

Mais il peut l'être aussi :

1° Comme sujet, soit dans certaines phrases elliptiques : **Quoi** *de plus heureux que ce qui nous arrive?* **Quoi** *de neuf?* soit pour former à lui seul une proposition elliptique: **Quoi?** = *Qu'arrive-t-il?*

2° Comme complément d'objet direct : **Quoi** *faire? — L'assiéger* (BOILEAU). **Quoi** *de plus?* **Quoi** *donc?* = *Qu'avez-vous?*

Emplois de lequel.

146. **Lequel** interrogatif peut être employé quand l'interrogation porte sur des personnes ou des choses désignées avant ou après :

1° Comme sujet : **Lequel** *des deux orateurs peut avoir la manière la plus vive?*

2° Comme attribut : **Lequel** *est-il?*

3° Comme complément : **Lequel** *des deux tableaux préférez-vous?* **Duquel** *des deux parlez-vous?* **Par lequel** *des chemins êtes-vous passé?*

L'INTERROGATION INDIRECTE

147. Les mêmes pronoms servent à l'interrogation directe et à l'interrogation indirecte (voir § 392).

Qui *êtes-vous?* (int. dir.).
Dites-moi **qui** *vous êtes* (int. indir.).
De qui *êtes-vous la fille?* (int. dir.).
Montrez-nous **de qui** *vous êtes la fille* (interr. ind.).

Toutefois, au neutre, *que* est remplacé par *ce qui* (sujet), *ce que* (attribut et complément d'objet) :

Dites-nous **ce qui** *est arrivé* (équivalant à : *Qu'est-il arrivé? Dites-nous-le*).

Vous voyez **ce que** *c'est que de nous* (équivalant à : *Qu'en est-il de nous? Vous le voyez*).

REMARQUE. — *Que* ne s'emploie, dans l'interrogation indirecte, que devant un infinitif : *Il ne savait* **que** *faire ni* **que** *dire.*

L'ADJECTIF INTERROGATIF

148. L'adjectif interrogatif est *quel, quelle* (masc. et fém. sing.), *quels, quelles* (masc. et fém. pluriel).

Il s'emploie pour interroger :

1° Sur l'identité : **Quel** *est l'enfant que vous avez perdu?*

2° Sur le rang : **Quelle** *heure est-il?*

3° Sur la qualité : **Quel** *homme est-il?*

Il se place toujours devant le nom, sauf quand il est attribut, auquel cas il précède le verbe : **Quels** *plaisirs sont les nôtres?* **Quels** *sont nos plaisirs?*

REMARQUE. — L'adjectif interrogatif peut aussi s'employer comme exclamatif : **Quel** *homme!* **Quelle** *journée!*

ADJECTIFS ET PRONOMS INDÉFINIS

I. — ADJECTIFS INDÉFINIS

149. Les **adjectifs indéfinis** déterminent encore les noms, mais d'une manière plus vague et plus générale que les autres adjectifs

Ces adjectifs sont :

aucun, féminin *aucune ;*
nul, féminin *nulle ;*
même (des deux genres) ;
autre (des deux genres) ;
certain, féminin *certaine ;*
tel, féminin *telle ;*
maint, féminin *mainte ;*
plusieurs (des deux genres, usité seulement au pluriel) ;
chaque (des deux genres, usité seulement au singulier) ;
quelque (des deux genres) ;
quelconque (des deux genres) ;
tout, féminin *toute.*

1. Aucun.

150. L'adjectif indéfini *aucun* a le sens de *quelque* * lorsqu'il n'est pas accompagné d'une négation ; il ne s'emploie en ce sens que dans les propositions interrogatives ou subordonnées dubitatives : *Avez-vous* **aucun** *reproche à lui faire? Je doute que vous ayez* **aucune** *faute à lui reprocher.*

Accompagné de la négation ou de la préposition *sans*, qui renferme une idée de négation, *aucun* signifie *pas un, nul :* **Aucun** *succès* **n'***a récompensé ses efforts. Il a réussi* **sans aucune** *peine.*

Remarque. — *Aucun* peut se placer après le nom quand celui-ci est précédé de *sans : Sans réserve* **aucune.** (Molière).

---

* *Aucun* (ancien français *alquns*) est composé de *alque* (latin *aliquem*) et de *un* (lat. *unum*).

Aucun ne prend aujourd'hui * la marque du pluriel qu'à côté d'un nom inusité au singulier : *Sans* **aucuns frais.**

2. Nul,

151. *Nul*, employé comme adjectif indéfini, précède toujours le nom et doit être toujours accompagné d'une négation ou de la préposition *sans*, qui renferme l'idée d'une négation : **Nul** *homme* **n'***est content de son sort. Il a tout avoué* **sans nulle** *hésitation.*

Remarque. — *Nul*, adjectif indéfini, ne doit pas être confondu avec l'adjectif qualificatif *nul*, qui signifie *sans effet, sans valeur ;* celui-ci suit toujours le nom ou est employé comme attribut : *Le notaire a fait un testament* **nul.** *Le résultat est* **nul.**

3. Même.

152. L'adjectif indéfini *même* ** s'emploie, précédé ou non de l'article, devant le nom pour y ajouter une idée d'*identité : C'est* **le même** *poète. Nous avons* **mêmes** *goûts.*

Placé, sans article, immédiatement après le nom ou le pronom, il sert à désigner plus expressément, avec *emphase*, la personne ou la chose dont on parle : *Le poète* **même.** *Moi*-**même** ***.

Un trait d'union joint *même* aux pronoms personnels.

Remarque. — Il ne faut pas confondre l'adjectif indéfini *même*, qui est variable ****, avec l'adverbe *même* *****, signifiant *encore, aussi,* qui est invariable. On reconnaît que *même* est adverbe :

---

* Au XVIIe et au XVIIIe siècles, on employait encore *aucun* au pluriel même avec un nom ayant un singulier :

> **Aucuns monstres,** *par moi domptés jusqu'aujourd'hui*
> *Ne m'ont acquis le droit de faillir comme lui* (Racine).
> *Rome n'imposait* **aucunes lois** *générales* (Montesquieu).
> *Je n'ose faire* **aucuns projets** (Voltaire).

** *Même* (ancien français *medisme, medesme, meesme, mesme*) vient du bas-latin *metipsimum*, forme contractée de *metipsissimum.*

*** Au XVIIe siècle, *même*, placé devant le nom, avait souvent le même sens qu'il a aujourd'hui placé après :
Sais-tu que ce vieillard fut **la même** *vertu* (c.-à-d. *la vertu* **même**)? (Corneille).
Et inversement, placé après le nom, il avait quelquefois le même sens qu'il a aujourd'hui placé avant :
Sans être rivaux, nous aimons en lieu **même** (c.-à-d. *en* **même** *lieu*) (Corneille).

**** Autrefois, et jusqu'au XVIIIe siècle, *même* adjectif restait souvent invariable :
Eux-même *ils détruiront cet effroyable ouvrage* (Voltaire).

***** D'une façon générale, au XVIe et encore au XVIIe siècle on mettait une *s* à *même* employé adverbialement :
Mêmes *quand la mer est calme, à peine y peut-on travailler* (Vaugelas).

1° Quand il modifie un verbe, un autre adverbe ou un adjectif : *Ses grands talents imposaient* **même** *à ses ennemis.* **Même** *de loin, ses yeux percent la nuit. Les magasins,* **même** *vides, demeuraient éclairés.*

2° Quand, placé après un nom, il pourrait être déplacé et mis avant le nom : *Aux yeux de ses enfants* **même,** *il était blâmable.*

On pourrait dire : **même** *aux yeux de ses enfants* *.

4. Autre.

153. L'adjectif indéfini *autre* marque la *distinction* ou la *différence* ** : *Mon cœur n'est point* **autre.** *J'ai une* **autre** *cachette. Nous* **autres,** *vous* **autres.**

Il peut se répéter pour marquer une *opposition* : **Autres** *sont les temps de Moïse,* **autres** *ceux de Josué* (BOSSUET).

Il peut être suivi de *que,* comme l'adjectif *même,* quand il exprime la *corrélation : Il n'a d'***autre** *règle* **que** *ses passions.*

REMARQUES. — 1° *Autre* peut aussi signifier *un second,* mais un second semblable au précédent, et marquer alors une ressemblance : *Il fallut réveiller d'un profond sommeil cet* **autre** *Alexandre* [le prince de Condé] (BOSSUET).

2° *Autre* peut aussi, à l'idée de différence, joindre une nuance emphatique de supériorité : *Les exemples vivants sont d'un* **autre** *pouvoir* (CORNEILLE).

3° Précédé de l'article et accompagné d'un nom au singulier, *autre* opposé à *un* entre dans la locution *l'un et l'autre,* qui sert à désigner deux objets de même espèce : *Je vois, sans me troubler,* **l'une et l'autre** *fortune* (REGNARD).

Dans cette locution, toute préposition placée devant l'*un* doit être répétée devant l'*autre,* quand les deux objets sont considérés comme distincts : **Dans** *l'un et* **dans** *l'autre camp. Ni* **dans** *l'un ni* **dans** *l'autre parti.*

Mais la préposition peut n'être pas répétée, si les deux objets sont réunis par la pensée en une sorte d'idée collective : **Dans** *l'une et l'autre armée* (CORNEILLE).

4° Précédé de l'article défini, *autre* s'emploie avec une indication de temps passé : *J'étais* **l'autre jour** *dans une société où je me divertis fort* (MONTESQUIEU).

5. Certain.

154. L'adjectif indéfini *certain,* signifiant « quelque », précède toujours le nom : **Certaines** *personnes prétendent...*

Il peut être précédé lui-même de l'article *un* pour le singulier

---

* A vrai dire, à côté d'un nom, la distinction est souvent subtile entre *même* adjectif et *même* adverbe. On peut interpréter ici : **Même** *aux yeux de ses enfants* (adverbe) ou *aux yeux de ses enfants eux-***mêmes** (adjectif). Aussi les deux orthographes sont-elles aujourd'hui admises. (Arrêté ministériel du 26 février 1907.)

** *Autre* (ancien français *altre*) vient du latin *alterum,* qu'on retrouve dans le verbe *altérer.*

ou de la préposition *de* pour le pluriel : **Un certain** *jour nous ne le vîmes plus. Il est* **de certains** *jours* où l'on ne sait que faire.

Ainsi construit, *certain* peut joindre, à l'idée d'une qualification vague, une nuance péjorative : **Un certain** *monsieur Duranton.*

REMARQUE. — L'adjectif indéfini *certain* ne doit pas être confondu avec l'adjectif qualificatif *certain*, qui signifie « sûr, assuré » et qui est toujours placé après le nom ou employé comme attribut : *Le résultat est* **certain** *d'avance. C'est une chose* **certaine** *.

6. Tel.

155. L'adjectif indéfini *tel* a des sens très divers et s'emploie avec diverses constructions :

1° *Tel* marque la *similitude* et signifie « semblable » : **Telle** *est la vie de la plupart des hommes.*

REMARQUES. — *a) Tel*, répété, marque toujours la *similitude*, mais indique en plus une idée de *comparaison :* **Tel** *père,* **tel** *fils ;* (façon abrégée de dire : **tel qu'***est le père,* [**tel**] *est le fils*).

La corrélation entre deux idées est marquée, en effet, par *tel* suivi de *que* amenant une *comparaison : Un héros* **tel qu'***Alexandre* **.

b) La locution abréviative *tel quel* s'emploie au sens de « tel qu'il est, comme il se trouve » et, parfois, par suite de « médiocres » : *Il m'a remis ce paquet* **tel quel.** *J'ai laissé les choses* **telles quelles.**

2° *Tel* marque le *degré*, soit dans un sens emphatique, soit dans un sens péjoratif : *Un secret d'une* **telle** *importance. On ne répond pas à de* **tels** *individus, on les ignore.*

REMARQUE. — *Tel* marquant le degré peut être suivi de la conjonction *que* amenant une *conséquence : Sa bonté est* **telle qu'***il se fait aimer de tous.*

3° *Tel*, placé devant le nom sans article, sert à désigner un objet d'une manière vague : **Telle** *page de Chateaubriand est admirable.*

On le trouve employé en ce sens dans des locutions : *En* **telle et telle** *occasion, faire* **telle** *ou* **telle** *chose,* etc.

---

* La distinction de sens fondée sur la place de *certain* n'était pas encore établie au XVIIe siècle, les deux mots ayant même origine, le latin vulgaire *certenum*, dérivé de *certum* « sûr » :

Vous savez, Iris, de **certaine** *science* (= de science certaine, sûre) (LA FONTAINE).

** *Tel que* marquant la comparaison et suivi du verbe *être* a son équivalent elliptique dans l'expression elliptique *tel quel :*

Je vous rends votre livre **tel quel** (entendez : *tel qu'il était*). On disait d'ailleurs autrefois : *tel quel* [*il*] *était.*

Tel que comparatif et *tel quel* viennent du latin *talem qualem ; tel que* consécutif, du latin *talem ut.*

7. Maint.

156. L'adjectif indéfini *maint* signifie « beaucoup * » et s'emploie au singulier et au pluriel devant un nom :

Car, si les loups mangeaient **mainte** *bête égarée,*
Les bergers de leur peau se faisaient **maints** *habits* (LA FONTAINE).

On l'emploie surtout dans des locutions consacrées, telles que : *maintes fois, en maintes circonstances,* et souvent en le répétant : *maintes et maintes fois, en maintes et maintes circonstances,* etc.

8. Plusieurs.

157. L'adjectif indéfini *plusieurs* a une valeur de pluriel indéterminé et signifie « plus d'un ** » : *Je le lui ai dit* **plusieurs** *fois.*

9. Chaque.

158. L'adjectif indéfini *chaque,* toujours employé au singulier, a le sens distributif de « tous pris séparément *** » : **Chaque** *homme a ses défauts.*

REMARQUE. — L'adjectif indéfini *chaque* ne doit pas être confondu avec le pronom indéfini *chacun* ****.

10. Quelque.

159. L'adjectif indéfini *quelque* ***** s'emploie devant un nom seul ou devant un nom accompagné d'une épithète, avec le sens de « un certain » au singulier, et celui de « une certaine quantité, plusieurs, certains » au pluriel : *Il a sans doute fait* **quelque** *achat,* **quelques** *gros achats. Nous avons reçu* **quelques** *livres,* **quelques** *bons livres.*

Suivi de *que,* et devant un nom seul ou devant un nom accom-

---

* *Maint* vient du gaulois * *manti,* « quantité ».

** *Plusieurs* a pour origine le bas-latin *pluriores,* mis pour *plures,* qui avait perdu partiellement son sens de comparatif.

*** *Chaque* (ancien français *quesque, chesque, chasque*) vient du latin *quisque.*

**** Dans l'ancienne langue one mployait *chacun* comme adjectif indéfini; cet emploi, constant jusqu'au XVe siècle, ou encore fréquent au XVIe siècle se raréfie au XVIIe :

Deux cents livres de rentes par **chacun** *an* (MALHERBE).
Chacune *sœur* (LA FONTAINE).

***** *Quelque* est formé de *quel* (latin *qualem*) et de la conjonction *que,* ne formant qu'un seul mot.

pagné d'une épithète, il a le sens de « n'importe quel(s) » : **Quelques** *vains lauriers* **que** *vous ayez conquis, ne vous en prévalez pas.* (C'est comme si l'on disait : **Quoique** *vous ayez conquis* **quelques** *vains lauriers, ne vous en prévalez pas.*)

REMARQUES. — 1° Il ne faut pas confondre l'adjectif indéfini et variable *quelque* avec l'adverbe invariable *quelque*, qui s'emploie devant un nom de nombre cardinal ou l'adverbe *peu*, avec un sens d'approximation * : *J'ai* **quelque** *cinquante ans.* (Mais on écrira : *Nous comptâmes les blessés ; il y en avait cinquante et* **quelques**.) *Il hésita* **quelque** *peu.*

2° Il ne faut pas non plus confondre l'adjectif *quelque* avec la locution *quel que*, où *quel*, adjectif, s'accorde avec le sujet du verbe tandis que *que*, conjonction, reste invariable. On distingue cette dernière locution de *quelque* à ce qu'elle est toujours *immédiatement suivie du verbe* ** : **Quelle que** *soit votre joie, tâchez de la contenir.* **Quels qu'***aient été vos malheurs, il en est de plus grands.*

3° Il ne faut pas enfin confondre *quelque... que*, adjectif où *quelque* est variable, avec *quelque... que*, adverbe, où *quelque* ne varie pas. *Quelque... que* est adverbe quand il modifie non un nom, mais un adjectif, un participe ou un adverbe ; il a, dans ce cas, le sens de *si*, et doit toujours être suivi du subjonctif *** : *Nos ennemis,* **quelque** *puissants qu'ils soient, seront vaincus.* **Quelque** *atteints que soient nos soldats ils ne perdent pas courage.* **Quelque** *adroitement conçus que soient ces projets, ils ont peu de chance de réussir.*

11. Quelconque.

160. L'adjectif indéfini *quelconque* se place toujours après le nom ; il a le sens de « n'importe lequel », avec parfois une nuance péjorative : *Il n'a mal* **quelconque**. *C'est un endroit* **quelconque**.

---

* Cette distinction entre *quelque* adjectif et *quelque* adverbe, établie par Vaugelas était ignorée de notre ancienne langue, et au XVIIe siècle encore on trouve l'adverbe *quelque* traité comme un adjectif, et prenant la marque du pluriel :
Quatre-vingts docteurs séculiers et **quelques** *quarante moines mendiants* (PASCAL).

** Au XVIIe siècle encore, on employait *quel... que* avec un nom placé entre les deux mots :
En **quel** *lieu* **que** *ce soit, je veux suivre tes pas* (MOLIÈRE).
Nous disons aujourd'hui avec plus de lourdeur :
En **quelque** *lieu* **que** *ce soit...*

*** La distinction entre *quelque que* adjectif et *quelque que* adverbe était ignorée de notre ancienne langue, qui faisait l'accord devant un adjectif ou un participe :
Quelques *bons* **qu'***ils soient* (MALHERBE).
Elle continuait d'être méconnue encore, en dépit de Vaugelas, par des écrivains de la fin du XVIIe siècle :
Quelques *différentes* **que** *mes lettres aient pu vous paraître, je puis vous assurer*, etc. (Mme DE MAINTENON.)
On ne sait pas la distance d'une étoile d'une autre étoile, **quelques** *voisines* **qu'***elles nous paraissent* (LA BRUYÈRE).

12. Tout.

161. L'adjectif indéfini *tout* détermine un nom * ou un pronom, avec lequel il s'accorde en genre et en nombre : *En* **toute** *franchise. Nous* **tous.** *Nous* **toutes.**

Le nom peut être précédé de l'article, du démonstratif ou du possessif : **Toute la** *ville.* **Tous ces** *enfants.* **Toutes mes** *sympathies.*

Employé au singulier, sans article, il signifie « chaque » : **Tout** *homme est sujet à la mort.*

Avec ou sans article, il peut aussi marquer la totalité : **Toute** *la terre.* **Tout** *Paris.*

Ou exprimer l'idée de « seul » : *Pour* **tout** *résultat.*

Au pluriel, il exprime la pluralité sans exception : **Tous** *les hommes sont sujets à la mort.*

EXCEPTIONS. — Toutefois on peut laisser tout invariable lorsqu'il précède immédiatement un nom propre de ville, d'auteur, d'artiste, d'ouvrage et qu'il sert à désigner tous les habitants d'une ville, toutes les œuvres d'un auteur ou d'un artiste, un ouvrage qui forme un tout ** : **Tout** *Marseille.* — **Tout** *Madame de Sévigné.* — **Tout** *Berthe Morizot.* — **Tout** *les Plaideurs.*

REMARQUE. — L'adjectif indéfini *tout* ne doit pas être confondu avec l'adverbe *tout*, signifiant « tout à fait, entièrement », qui modifie un adjectif, un participe, un adverbe, une locution adverbiale, ou même un nom ayant une valeur d'adjectif et qu'on trouve aussi devant *en* suivi d'un participe présent ou dans la locution *tout... que : Il a les cheveux* **tout** *blancs* (tout à fait blancs). *Il a les oreilles* **tout** *écorchées* (tout à fait écorchées). *Elle parlait* **tout** *doucement.* (tout à fait doucement). *Elle était* **tout** *en larmes* (tout à fait en larmes). *Une étoffe* **tout** *soie* (entièrement en soie). *Elle était* **tout** *yeux,* **tout** *oreilles.* **Tout**

---

* Quand le nom est sous-entendu, *tout* employé devant un nom de nombre cardinal s'accorde avec ce nom non exprimé : **Tous** *les deux* ou **toutes** *les deux*, **tous** *deux* et **toutes** *deux* (selon qu'il s'agit de noms d'objets ou de personnes du mascilun ou du féminin).

On dira aussi, avec ou sans article, **tous** *trois*, **tous** *quatre*, **tous** *les trois*, **toutes** *les quatre*, ou **toutes** trois, **toutes** quatre, **tous** les trois, **tous** les quatre, et, à partir de 5, toujours avec l'article, **tous** *les cinq* ou **toutes** *les cinq*, etc.

** En parlant d'un ouvrage formé d'un recueil de chants ou de morceaux, on dira par contre :

Toute *l'Énéide.* **Toutes** *les Feuilles d'automne.*

en criant, elles lançaient des pierres. **Tout** *princes* **que** *vous êtes, vous n'en êtes pas moins hommes.*

Cependant *tout*, quoique adverbe, s'accorde quand il modifie un *adjectif féminin* ou une *locution ayant valeur d'adjectif* commençant par une consonne ou une *h* aspirée * : *Elle était* **toute** *honteuse,* **toute** *tremblante. Une armure* **toute** *d'acier.*

N.-B. — 1° *Tout* placé devant un adjectif n'est pas forcément adverbe. Pratiquement on distingue dans une phrase *tout*, adjectif, de *tout*, adverbe, à ce que le second peut se remplacer par *tout à fait, entièrement : Ces roses sont* **toutes** *aussi fraîches qu'hier*, c'est-à-dire *toutes ces roses, chacune de ces roses* (adjectif). *Ces roses sont* **tout** *aussi fraîches qu'hier*, c'est-à-dire *tout à fait aussi fraîches* (adverbe).

2° *Tout* placé immédiatement devant l'adjectif *autre* est tantôt adjectif, tantôt adverbe. Il est adjectif quand il détermine le nom qui suit *autre :* il signifie alors « n'importe quel », et il est toujours possible de placer le nom entre *tout* et *autre : Demandez-moi* **toute** *autre chose* (entendez : *n'importe quelle chose autre*).

Il est adverbe quand il modifie l'adjectif *autre*, et qu'il signifie « tout à fait » : *C'est* **tout** *autre chose* (entendez : *c'est tout à fait autre chose*).

PRONOMS INDÉFINIS

162. Les *pronoms indéfinis* représentent un nom en désignant l'être d'une manière vague et générale.

Ces pronoms sont :

1° Les adjectifs indéfinis **aucun, nul, autre, certain, tel, maint, plusieurs** et **tout** employés comme pronoms, et qui, dans ce cas, ne sont pas joints à un nom.

2° Les mots **autrui, chacun, quelqu'un, on, personne, rien.**

Les pronoms *plusieurs, autrui, on, personne, rien* sont invariables; les autres pronoms sont sujets à des modifications de genre et de nombre.

---

* Cette exception est conforme à l'ancienne manière de parler, où *tout* n'était jamais employé adverbialement :

Des regards **tous** *remplis d'amour* (CORNEILLE).

Les dieux, qui **tous** *rois que nous sommes, puniront nos forfaits* (CORNEILLE).

1. Aucun.

163. Le pronom *aucun* s'emploie avec le sens de *quelqu'un* dans les propositions interrogatives ou subordonnées dubitatives : *Y a-t-il* **aucun** *de vous qui l'ait cru? Je ne crois pas qu'***aucun** *vous admire.*

Mais il s'emploie surtout aujourd'hui accompagné de la négation *ne,* ou dans une réponse, avec le sens de *personne, pas un :* **Aucun** *ne m'a répondu. En avez-vous vu un?* — **Aucun.**

Le pronom *aucun* n'est employé au pluriel que dans la locution *d'aucuns,* au sens de *certains,* qui est légèrement archaïque * : **D'aucuns** *disent que vous avez tort.*

2. Nul.

164. Le pronom *nul* s'emploie, accompagné de *ne,* au sens de *pas un : Que nul ne sorte !*

Il est toujours au singulier ** et ne peut être que sujet.

3. Autre.

165. Le pronom *autre* s'emploie, au singulier et au pluriel, précédé soit de l'article simple *(l'autre, les autres),* soit de l'article indéfini *(un autre, d'autres),* soit encore d'un nom de nombre *(les deux autres)* ou des pronoms personnels *nous* et *vous* ***.

Précédé de l'article simple, *l'autre, les autres* sont généralement opposés à *l'un, les uns : L'***un** *est riche et l'***autre** *est pauvre.* **Les uns** *s'enfuirent,* **les autres** *résistèrent.*

Remarques. 1° La locution *l'un et l'autre* représente des noms déjà exprimés et signifie « tous les deux » : *Taisez-vous* **l'un et l'autre.**

---

* Jusqu'au XVIe siècle, *aucun* était employé au pluriel et pouvait être précédé de l'article défini :

Car **les aucuns** *disaient que...* (Rabelais, *Pantagruel*).

Au XVIIe siècle on employait encore *aucun* au pluriel, même non précédé de *de :*

*Phèdre était si succinct qu'***aucuns** *l'en ont blâmé.*

** Au XVIIe siècle, le pronom *nul* s'employait encore au pluriel :

Que **nuls** *ne puissent être arrêtés dans la lecture de Théophraste* (La Bruyère).

*** L'ancienne langue pouvait employer *autre* seul :

Autre *n'a mieux que toi soutenu cette guerre* (Corneille).

On l'ajoutait parfois, au cours du XVIIe siècle, aux pronoms personnels de la 3e personne du pluriel : *eux, elles,* et l'on disait *eux autres, elles autres.*

Quand ces deux mots sont compléments et réunis par une préposition au mot complété, la préposition est exprimée devant chacun d'eux : *Il s'en prend* **à** *l'un et* **à** *l'autre.*

Cependant on dit : *Je fais une différence* **entre** *l'un et l'autre.*

L'un et l'autre sont souvent résumés par le pronom personnel *les* (complément d'objet direct) ou *leur* (complément indirect), placé devant le verbe et formant pléonasme : *Je* **les** *aime l'un et l'autre. Je le* **leur** *ai dit à l'un et à l'autre.*

2° La locution *l'un l'autre*, ne formant pour ainsi ire qu'un seul mot, marque la réciprocité : *En ce monde il se faut* **l'un l'autre** *secourir* (La Fontaine). *Aimez-vous* **les uns les autres.**

L'*un* est sujet, l'*autre* complément, et, comme tel, peut être précédé d'une préposition : *Ils sont faits l'un* **pour** *l'autre. Ils se sont succédé les uns* **aux** *autres*, etc.

4. Certains.

166. Le pronom *certains*, ayant le sens de « un nombre indéterminé », ne s'emploie qu'au pluriel : **Certains** *l'affirment, d'autres le nient. Toutes le voudront*, **certaines** *ne le pourront pas.*

5. Tel.

167. Le pronom *tel*, qui signifie « quelqu'un » avec un sens indéterminé, est toujours du masculin singulier :

Tel *qui rit vendredi dimanche pleurera.* (Racine).

Remarque. — Précédé de l'article indéfini, il peut être employé aux deux genres dans les locutions *un tel, une telle*, pour désigner une personne indéterminée qu'on ne peut nommer plus précisément : *Oui, je me nomme* **un tel** (Regnard).

6. Maint.

168. *Maint* peut être employé comme pronom, aux deux genres et aux deux nombres, avec le sens de *beaucoup* :

Je le dis à **maints** *et à* **maintes** (La Fontaine).

7. Plusieurs.

169. *Plusieurs*, employé comme pronom, n'a qu'une forme pour les deux genres : *Les hommes, les femmes étaient émus :* **plusieurs** *pleuraient.*

8. Tout.

170. *Tout*, pronom, s'emploie au singulier avec un sens collectif pour désigner le plus souvent des choses, et parfois des personnes :

Tout *conspire à me nuire* (RACINE).
Femmes, moine, vieillard, **tout** *était descendu* (LA FONTAINE).

Au pluriel, *tous* et *toutes* renvoient à des êtres ou à des objets dont on vient de parler : *J'ai vu ces présents;* **tous** *me plaisent.*

Tous peut aussi être pris absolument, au masculin, pour dire « tout le monde ». *Nous mourrons* **tous**.

REMARQUE. — Précédé d'un article ou d'un adjectif, *tout* peut s'employer comme nom, il fait alors au pluriel *touts :* **Le tout** *est plus grand qu'une de ses parties. Plusieurs* **touts** *distincts les uns des autres.*

9. Autrui,

171. Le pronom *autrui* est du masculin singulier et signifie « les autres ». Il s'emploie rarement comme sujet, le plus souvent comme complément * et n'est jamais lui-même complété :

*Qu'***autrui** *vous soit indifférent.*
Aimer **autrui**.
Manger l'herbe **d'autrui!** (LA FONTAINE).
Ne faites pas **à autrui** *ce que vous ne voudriez pas qu'on vous fît à vous-même.*

10. Chacun.

172. Le pronom *chacun,* qui correspond à l'adjectif *chaque,* peut s'employer de deux façons :

1° D'une façon absolue, c'est-à-dire sans rapport avec aucun nom, avec le sens de « toute personne, tout le monde ». Il est alors du masculin singulier, ne se dit que des personnes et peut désigner une femme aussi bien qu'un homme : **Chacun** *peut se tromper.*

2° D'une façon relative, c'est-à-dire en rapport avec un nom déjà exprimé ou qui lui sert de complément. Il prend alors le genre

---

* *Autrui* était, en effet, dans l'ancienne langue, le cas régime de *autre*; il était formé d'après *lui.*

** On employait beaucoup dans l'ancienne langue la locution pléonastique *un chacun,* qui avait son origine dans le latin *unum quemque,* à côté de *quemque :*

Pour moi j'aime **un chacun** (CORNEILLE).
Un chacun *bâille et s'endort* (RACINE).

On employait aussi *tout chacun, tout un chacun :*

Cela ne s'étend pas à **tout chacun** (CALVIN).

Ces locutions ont aujourd'hui très vieilli et l'on en use seulement dans la langue familière.

de ce nom, mais reste toujours au singulier, et se dit des êtres animés et inanimés : *Toutes les dames étaient arrivées et* **chacune** *dans sa voiture.*

REMARQUE. — 1° Le pronom *chacun* ne doit pas être confondu avec l'adjectif *chaque*, lequel accompagne toujours un nom. On dira toujours : *Ces livres coûtent vingt francs* **chacun** (et non pas *vingt francs* **chaque**).

2° Précédé de l'adjectif possessif et employé dans la langue familière, *chacun* forme un véritable nom : *Chacun avec* **sa chacune.**

11. Quelqu'un.

173. Le pronom *quelqu'un*, qui correspond à l'adjectif *quelque*, comme *chacun* correspond à *chaque*, peut, comme *chacun*, s'employer de deux façons :

1° D'une façon absolue, c'est-à-dire sans rapport avec aucun nom. Il est alors du masculin *, peut s'employer au singulier et au pluriel, ne se dit que des personnes et peut désigner une femme aussi bien qu'un homme : *J'attends* **quelqu'un.**

REMARQUE. — *Quelqu'un* ainsi employé est susceptible de toutes les fonctions grammaticales, sauf de celle de complément d'objet direct quand il est au pluriel. On ne pourrait pas dire, par exemple, *j'attends* **quelques-uns.**

2° D'une façon relative, c'est-à-dire en rapport avec un nom déjà exprimé ou qui lui sert de complément. Il prend alors le genre de ce nom, peut s'employer au singulier et au pluriel, et se dit des êtres animés et inanimés : *Parmi ces femmes, il y en avait* **quelques-unes** *de jolies.*

Quand *quelqu'un* est accompagné d'une épithète, cette épithète lui est unie par la préposition explétive *de : J'attends quelqu'un* **d'***aimable.*

REMARQUE. — *Quelqu'un* peut s'employer, comme attribut invariable, avec le sens de « personnage considérable ». *Il était quelqu'un* **.

---

* *Quelque chose* sert de neutre à *quelqu'un*. L'adjectif qui l'accompagne est au masculin et lui est uni par la préposition *de :* **Quelque chose** *de gros apparaissait dans l'ombre.*

** En ce dernier sens, *quelque chose* sert aussi de neutre à *quelqu'un* et peut s'employer, comme attribut, avec le sens de « chose considérable » :

De loin c'est **quelque chose**, *et de près ce n'est rien* (LA FONTAINE).

Il peut même être substitué à *quelqu'un*, au sens de « personnage considérable »

Pour être plus qu'un roi tu te crois **quelque chose** (CORNEILLE).

12. On.

174. Le pronom indéfini *on*, qui désigne des hommes en général ou un homme indéterminé, est toujours du masculin singulier, ne se dit que des personnes et ne s'emploie que comme sujet. Il se répète devant chaque verbe : **On** *cherche Vatel,* **on** *va à sa chambre,* **on** *heurte,* **on** *enfonce sa porte,* **on** *le trouve noyé dans son sang.* (Mme DE SÉVIGNÉ).

Quoique masculin et singulier par sa forme *, *on* peut être accompagné d'un attribut au *féminin* quand il désigne une femme, et d'un attribut au *pluriel* quand il représente plusieurs personnes, mais le verbe est toujours au singulier : *Quand* **on** *est fille,* **on** *doit être* **coquette. On** *a beau être* **citoyens, on** *n'est pas toujours* **égaux.**

REMARQUES. — 1° Quelquefois, par euphonie, on dit l'*on* ** au lieu de *on*, surtout après les mots *que, qui, et, si, où, ou : Il faut que* **l'on** *consente.*

2° *On* est parfois suivi de la négation *ne* qui, élidant son *e*, ne se fait pas entendre dans la prononciation, mais qu'il faut bien se garder d'omettre dans l'écriture : **On n'***apprend rien sans peine.*

Pour reconnaître s'il faut ou non la négation, il suffit de remplacer *on* par un autre pronom : *Nous* n'apprenons rien sans peine. *Personne n'apprend rien sans peine,* etc.

3° *On* peut, dans la langue familière, remplacer les pronoms de la première et de la seconde personne : **On** *a certains attraits, un certain enjouement que personne ne peut me disputer, je pense* (c'est-à-dire *j'ai* certains attraits) (REGNARD).

On *va bien? — Comme vous voyez* (c'est-à-dire *Vous* allez bien?...).

4° Pour exprimer un complément se rapportant à *on*, l'on se sert de *nous, vous, soi : Qu'***on** *hait un ennemi quand il est près de* **nous** ! (RACINE).

Ce n'est pas **soi** *qu'***on** *voit* (LA FONTAINE).

5° *On* sert à former quelques mots composés : *des* **on dit,** *des* **qu'en dira-t-on.**

13. Personne.

175. Le pronom indéfini *personne* est du masculin et n'a pas de pluriel.

Il est employé avec le sens de « quelqu'un » dans les propositions

---

* *On* vient de *homo* « l'homme » et était à l'origine un nom. Il s'est écrit successivement : *l'homs, l'hom, l'om, l'on,* qui était le cas sujet de « l'homme ».

** Cette forme *l'on* est d'ailleurs un archaïsme (cf. la note précédente). Au XVIIe siècle, *l'on* se rencontre souvent au commencement des phrases, par exemple chez La Bruyère. Jusqu'à la fin du XVIe siècle, on a employé *l'on* concurremment avec *t-on* après les verbes au sujet inversé : *dira-***l'on,** à côté de *dira-t-on.*

interrogatives et dans les propositions subordonnées de sens dubitatif ou négatif : **Personne** *a-t-il dit cela?* (pour : **quelqu'un** *a-t-il dit cela?*). *Je doute que* **personne** *y réussisse* (pour : *que quelqu'un...*). *Je ne veux pas que* **personne** *vous voie* (pour : *que* **quelqu'un** *vous voie*).

Mais il s'emploie surtout accompagné de *ne* qui lui donne un sens négatif : **Personne n'***a été* **méchant** *pour vous.*

Et il conserve ce sens négatif lorsqu'il est employé seul dans les réponses ou les phrases sans verbe : *Qui va là?* — **Personne** (c.-à-d. **Personne** [*ne va là*]. **Personne** *dans les rues,* **personne** *aux portes de la ville* (c.-à-d. *Il n'y avait personne...*).

Lorsqu'on veut qualifier le pronom indéfini *personne*, on joint l'épithète par la préposition explétive *de : Il n'y a personne* **de** *malade* *.

Remarque. — Le pronom *personne* ne saurait être confondu avec le nom féminin ** *personne*, qui est généralement accompagné de l'article ou d'un adjectif déterminatif et peut être employé au singulier et au pluriel : *Ces* **personnes** *sont* **méchantes**. *J'ai vu ces demoiselles* : **personnes** *bien* **nées,** *elles avaient une tenue modeste.*

Toutefois quand le pronom *personne* désigne lui-même évidemment une femme, on met au féminin les mots qui s'accordent avec lui : **Personne** *n'est plus que moi* **votre servante.**

14. Rien.

176. Le pronom indéfini *rien* est du masculin *** et n'a pas de pluriel.

Il est employé avec le sens de « quelque chose » dans des phrases interrogatives et après *si* et *sans : Est-il* **rien** *de plus beau que la vertu? Si* **rien** *pouvait lui faire plaisir, c'était cette nouvelle. Il est parti sans* **rien** *vouloir accepter.*

Mais, le plus souvent, *rien* est employé négativement avec la

---

* Au XVIIe siècle, *de* n'était pas obligatoire :
Je ne vois **personne si heureux** *que vous* (Vaugelas).

** Il arrive toutefois à de bons auteurs d'écrire, comme La Bruyère :
Les **personnes** *d'esprit ont en* **eux** *les semences de toutes les vérités.*
La correction voudrait *en elles*. L'accord est fait ici selon le sens, « les personnes », dans la pensée de l'auteur, équivalant à « les hommes, les gens ».

*** *Rien* est un ancien nom féminin (on disait autrefois * *une rien*) venu du latin *rem* chose ».

négation *ne*, et signifie alors « aucune chose » : **Rien ne** *se fait de rien.*

Rien garde souvent son sens négatif même quand il n'est pas accompagné de *ne*, et notamment dans la locution *ce n'est pas rien*, littéralement « ce n'est pas nulle chose », c'est-à-dire « c'est quelque chose », dans une proposition elliptique ou dans une réponse : *Dieu a créé le monde de* **rien**. *Qu'avez-vous?* — **Rien.** *Il a travaillé pour* **rien.**

Lorsqu'on veut qualifier le pronom indéfini *rien*, on joint l'épithète par la préposition *de : Il n'y a* **rien** *de nouveau* *.

REMARQUES. — 1° *Rien* entre dans les locutions *rien moins que* et *rien de moins que*, qu'il ne faut pas confondre, la première étant négative, et la seconde positive : *Il n'est* **rien moins** *qu'un héros* = il est tout plus qu'un héros, il n'est nullement un héros. *Il n'est* **rien de moins qu'***un héros* = il n'est pas moins qu'un héros, il est bel et bien un héros.

2° *Rien* précédé d'un article est un véritable nom, qui a le sens de « chose sans importance, bagatelle » : *Dire* **des riens.**

* Jusqu'au XVIIe siècle l'épithète pouvait suivre le pronom *rien* sans être précédée de la préposition de :

A qui venge son père il n'est **rien impossible** (CORNEILLE).
Il n'est **rien si commun** *qu'un nom à la latine* (MOLIÈRE).

VII

LE VERBE

DÉFINITIONS ET GÉNÉRALITÉS

177. Le **verbe** * est le **mot essentiel** de la proposition.

Si, en effet, l'on entend dire : *Le chien..., L'homme..., La mère..., Le navire...*, on comprend qu'il s'agit de différents êtres ou objets ; mais c'est tout. Si l'on complète ces mots en disant : *Le chien* **gît,** *l'homme* **travaille,** *la mère* **se lamente,** *le navire* **fut coulé,** on apprend que le chien est dans un certain *état*, que l'homme et la mère font une certaine *action*, que le navire a subi une *action*. Les mots **gît, travaille, se lamente, fut coulé,** qui expriment l'*action* ou l'*état*, sont des verbes.

178. Le verbe peut subir cinq modifications : la **voix,** le **mode,** le **temps,** le **nombre** et la **personne.**

VOIX

179. On appelle **voix** la forme que peut revêtir le verbe.

Il y a trois voix : la voix **active,** la voix **passive,** la voix **pronominale.**

Le verbe est à la voix **active** quand il exprime soit l'action faite par le sujet, soit l'état où se trouve le sujet : *Le chat* **mange** *la souris. Il* **souffre.**

Le verbe est à la voix **passive** ** quand il exprime soit l'action subie par le sujet, soit l'état qui résulte pour celui-ci de l'action contenue dans le verbe : *La souris* **est mangée** *par le chat. La cabane* **est construite.**

Le verbe est à la voix **pronominale** quand il se conjugue avec *deux pronoms de la même personne* dont l'un est l'objet de l'action :
Tu te blesses;
ou forme un *gallicisme: Il s'évanouit.*

---

* Du latin *verbum* « mot ».
** Passif, du latin *passivus* « qui souffre, qui subit ».

MODE

180. Le **mode** * indique la manière de présenter l'action ou l'état exprimé par le verbe.

Il y a six modes : l'**indicatif**, le **conditionnel**, l'**impératif**, le **subjonctif**, l'**infinitif**, le **participe**.

L'**indicatif** présente l'action ou l'état comme *réel*, *certain*, *positif : Je lis, j'ai lu, je lirai des livres.*

Le **conditionnel** présente l'action ou l'état comme dépendant *d'une condition : Je* **lirais, si** *j'avais quelque chose à lire.*

L'**impératif** présente l'action ou l'état avec *commandement*, *exhortation* ou *prière :* **Lis. — Allons, partons. — Ayez** *pitié de nous.*

Le **subjonctif** présente l'action ou l'état comme *subordonné*, c'est-à-dire comme seulement possible : *Je souhaite* **que** *vous* **lisiez** *ce livre.*

L'**infinitif** présente l'action ou l'état d'une manière *indéterminée et vague :* c'est le nom du verbe. **Lire** *et bien* **lire** *sont deux choses différentes.*

Le **participe** peut être considéré comme l'adjectif du verbe : *Bien* **lu.**

181. MODES PERSONNELS ET MODES IMPERSONNELS. — Ces six modes se subdivisent en modes dits *personnels* et en modes dits *impersonnels.*

On appelle **modes personnels** ceux qui indiquent les personnes : ce sont l'*indicatif*, le *conditionnel*, l'*impératif* et le *subjonctif.*

On appelle **modes impersonnels** ceux qui n'indiquent pas de personnes : ce sont l'*infinitif* et le *participe.*

TEMPS

182. Le **temps** indique à quel moment se fait l'action ou a lieu l'état qu'exprime le verbe.

Il y a trois temps naturels : le **présent**, le **passé**, le **futur**.

---

* Du latin *modus* « manière ».

Le **présent** indique une action faite ou un état existant *au moment où l'on parle : Je travaille maintenant.*

Le **passé** indique une action faite ou un état existant *avant le moment où l'on parle : J'ai travaillé hier.*

Le **futur** indique une action faite ou un état existant *après le moment ou l'on parle : Je travaillerai demain.*

Le **présent** est un et indivisible : il n'y a donc qu'un présent.

Le **passé** et le **futur** peuvent être subdivisés en catégories différentes, selon qu'ils expriment telle ou telle période différente.

183. TEMPS SIMPLES ET TEMPS COMPOSÉS. — Les temps d'un verbe sont dits **simples** ou **composés.**

Simples quand ils sont formés d'un seul mot : *Nous* **marchons.** *Nous* **marchions.** *Nous* **marcherons.** *Nous* **marchâmes.**

Composés quand ils sont formés de deux mots, dont le premier est le verbe **avoir** ou le verbe **être,** et le second un **participe passé** : *Nous* **avons marché.** *Nous* **sommes allés.** *Nous* **aurons marché.**

Les verbes **avoir** et **être** qui aident à la conjugaison du verbe sont dits **verbes auxiliaires.**

184. TEMPS SURCOMPOSÉS.— Aux temps **simples** et aux temps **composés,** il convient d'ajouter les temps **surcomposés,** en usage dans la langue moderne.

Les temps **surcomposés** les plus employés sont :

Le passé antérieur de l'indicatif : *J'ai eu fini.*

Le plus-que-parfait de l'indicatif : *J'avais eu fini.*

Le futur antérieur de l'indicatif : *J'aurai eu fini.*

Le passé du conditionnel : *J'aurais eu fini.*

S'emploient plus rarement :

Le subjonctif passé : *Que j'aie eu fini.*

L'infinitif passé : *Avoir eu fini.*

Le participe passé : *Ayant eu fini.*

N.-B. — Les temps **surcomposés** se rencontrent rarement dans les verbes conjugués avec l'auxiliaire **être.**

NOMBRE

185. Le verbe a deux **nombres** : le **singulier** et le **pluriel** : *Je travaille. Ils travaillent.*

PERSONNE

186. Le verbe a **trois personnes,** correspondant aux trois personnes du pronom personnel.

On met le verbe à la première, à la seconde ou à la troisième personne, suivant que son sujet est lui-même de la première, de la seconde ou de la troisième personne.

La première personne est celle **qui** parle : *Je travaille. Nous travaillons.*

La seconde, celle **à qui** l'on parle : *Tu travailles. Vous travaillez.*

La troisième, celle **de qui** l'on parle : *Il (elle) travaille. Ils (elles) travaillent.*

187. Désinences. — Les personnes sont indiquées, dans le verbe même, par des terminaisons différentes. On donne à ces terminaisons le nom de **désinences personnelles.**

Ces désinences sont d'ordinaire au singulier : **s** pour la deuxième personne, **t** pour la troisième ;
au pluriel : **mes ou ns** pour la première personne, **tes** ou **z** pour la seconde, **nt** pour la troisième.

N.-B. — Il convient toutefois de faire les remarques suivantes :

1° La première personne du singulier a perdu sa désinence dans la plupart des verbes : *J'aime.*

2° Les désinences ne distinguent pas toujours les personnes des verbes pour l'oreille : Je *cours,* tu *cours,* il *court,* ils *courent,* ont la même prononciation.

Il en résulte que ce sont les pronoms personnels ou les noms sujets qui rendent la personne sensible à l'oreille et parfois même à l'œil.

188. Radical. — Si d'un verbe on supprime la **désinence,** il en reste le **radical.**

N.-B. — Ce radical n'est pas toujours invariable ; il subit souvent des altérations :

1° Par perte de la consonne finale : *sort-ant*, tu *sor-s*.

2° Par modification ou transformation en diphtongue de la voyelle qu'il contient : *buv-ant*, *que je boive*. *Je meur-s*, *nous mour-ons*, etc.

CONJUGUER UN VERBE

189. Conjuguer un verbe c'est énumérer d'après un ordre déterminé toutes les formes qu'il peut prendre.

On remarquera, en conjuguant un verbe, que certains temps, qu'on peut dire **primitifs**, servent à former les autres.

FORMATION DES TEMPS

190. Le **présent de l'infinitif** forme :

1° Le **futur** par le changement de **r** en **rai, ras, ra, rons, rez, ront** : *Aimer*, *j'aime***rai**, etc. ; *finir*, *je fini***rai**, etc.

2° Le **présent du conditionnel** par le changement de **r** en **rais, rais, rait, rions, riez, raient** : *Aimer*, *j'aime***rais**, etc. ; *finir*, *je fini***rais**, etc.

Le **participe présent** forme :

1° Le pluriel du **présent de l'indicatif**, par le changement de **ant** en **ons, ez, ent** : *Aim***ant**, *nous aim***ons**, *vous aim***ez**, *ils aim***ent**.

2° **L'imparfait de l'indicatif**, par le changement de **ant** en **ais, ais, ait, ions, iez, aient** : *Aim***ant**, *j'aim***ais**, etc. ;

3° Le **présent du subjonctif**, par le changement de **ant** en **e, es, e, ions, iez, ent** : *Aim***ant**, *que j'aim***e**, etc.

Le **participe passé** forme :

Tous les temps composés au moyen de l'auxiliaire **avoir** ou de l'auxiliaire **être** : *Aimé*, *j'ai aimé*, *j'aurais aimé*, *j'ai été aimé*, etc.

Le **présent de l'indicatif** forme :

L'impératif, par la suppression des pronoms sujets et, en outre, de la consonne finale **s** à la 2e personne du singulier des verbes de la 1re conjugaison : *Tu aimes*, *aime* ; *nous aimons*, *aimons* ; *vous aimez*, *aimez*.

N.-B. — Cependant, par raison d'euphonie, on conserve cette consonne finale **s** devant les pronoms **en, y** : *Ramène***s-en**, *va***s-y**.

Le **passé simple** *ou* **défini** forme :

L'imparfait du subjonctif, par le changement de l'**s** final de la 2e personne du singulier en **sse, sses**, [**â**]**t** ([**î**]**t**, [**û**]**t**), **ssions, ssiez, ssent** : *Tu aimas*, *que j'aima***sse**, etc.

CONJUGAISONS

191. Les verbes français, au nombre de 4.000 environ, sont communément répartis en *trois groupes* de conjugaisons, salon la forme de leur *indicatif présent* et de leur *infinitif présent.*

192. Le 1er groupe, qui compte à lui seul plus de 3.600 verbes, c'est-à-dire les 9/10 de la totalité des verbes, comprend ceux qui ont le présent de l'indicatif en **e** et l'infinitif en **er**. Modèle : **aimer**.

193. Le 2e groupe réunit environ 350 verbes : ce sont ceux qui ont le présent de l'indicatif en **is**, l'infinitif en **ir** et qui, à certaines formes, intercalent la syllabe **iss** entre le radical et la désinence. Modèle : **finir**.

194. Le 3e groupe comprend :

1o Les verbes en **ir** (au nombre de 28) qui, contrairement à ceux du 2e groupe, n'intercalent jamais **iss** entre le radical et la désinence. Modèle : **partir**.

2o Les verbes en **oir** (au nombre de 17). Modèle : **recevoir**.

3o Les verbes en **re** (au nombre de 60 environ). Modèle : **rompre**.

195. CONJUGAISONS VIVANTES ET CONJUGAISONS MORTES. — On donne quelquefois le nom de conjugaisons **vivantes** aux verbes du premier et du second groupe, parce que ces groupes continuent de s'accroître de tous les nouveaux verbes que l'on crée.

On donne celui de conjugaisons **mortes** aux trois conjugaisons du troisième groupe, qui, bien loin de s'accroître, voient peu à peu diminuer le nombre de leurs verbes.

Faillir, quérir cèdent peu à peu la place à *manquer, chercher ; choir* à *tomber ; clore* à *fermer*, etc.

196. *Remarque importante.* — Il convient de faire une place à part aux deux *verbes auxiliaires*, **avoir** et **être**, qui échappent à la classification qu'on vient d'indiquer, et dont nous donnons d'abord la conjugaison.

197. VERBES AUXILIAIRES

Auxiliaire AVOIR

Indicatif.

TEMPS SIMPLES	TEMPS COMPOSÉS
Présent.	*Passé composé (ou indéfini).*
J' ai.	J'ai eu.
Tu as.	Tu as eu.
Il a.	Il a eu.
Nous avons.	Nous avons eu.
Vous avez.	Vous avez eu.
Ils ont.	Ils ont eu.
Imparfait.	*Plus-que-parfait.*
J' avais.	J'avais eu.
Tu avais.	Tu avais eu.
Il avait.	Il avait eu.
Nous avions.	Nous avions eu.
Vous aviez.	Vous aviez eu.
Ils avaient.	Ils avaient eu.
Passé simple (ou défini).	*Passé antérieur.*
J' eus.	J'eus eu.
Tu eus.	Tu eus eu.
Il eut.	Il eut eu.
Nous eûmes.	Nous eûmes eu.
Vous eûtes.	Vous eûtes eu.
Ils eurent.	Ils eurent eu.
Futur.	*Futur antérieur.*
J' aurai.	J'aurai eu.
Tu auras.	Tu auras eu.
Il aura.	Il aura eu.
Nous aurons.	Nous aurons eu.
Vous aurez.	Vous aurez eu.
Ils auront.	Ils auront eu.

Impératif.

TEMPS SIMPLES	TEMPS COMPOSÉS
Présent.	*Passé.*
Sing. 2e *pers.* Aie.	*Sing.* 2e *pers.* Aie eu.
Plur. 1re *pers.* Ayons.	*Plur.* 1re *pers.* Ayons eu.
— 2e *pers.* Ayez.	— 2e *pers.* Ayez eu.

Conditionnel.

Présent.	*Passé (1re forme).*
J'aurais	J'aurais eu.
Tu aurais.	Tu aurais eu.
Il aurait.	Il aurait eu.
Nous aurions.	Nous aurions eu.
Vous auriez.	Vous auriez eu.
Ils auraient.	Ils auraient eu.

	Passé (2e forme).
	J'eusse eu
	Tu eusses eu.
	Il eût eu.
	Nous eussions eu.
	Vous eussiez eu.
	Ils eussent eu.

Subjonctif.

Présent.	*Passé.*
Que j'aie.	Que j'aie eu
Que tu aies.	Que tu aies eu.
Qu'il ait.	Qu'il ait eu.
Que nous ayons.	Que nous ayons eu.
Que vous ayez.	Que vous ayez eu.
Qu'ils aient.	Qu'ils aient eu.

Imparfait.	*Plus-que-parfait.*
Que j'eusse.	Que j'eusse eu
Que tu eusses.	Que tu eusses eu.
Qu'il eût.	Qu'il eût eu.
Que nous eussions.	Que nous eussions eu.
Que vous eussiez.	Que vous eussiez eu.
Qu'ils eussent.	Qu'ils eussent eu.

Infinitif.

TEMPS SIMPLES	TEMPS COMPOSÉS
Présent.	*Passé.*
Avoir.	Avoir eu.

Participe.

Présent.	*Passé.*
Ayant.	Ayant eu.

Auxiliaire ÊTRE

Indicatif.

TEMPS SIMPLES		TEMPS COMPOSÉS	
Présent.		*Passé composé (ou indéfini).*	
Je	suis.	J'ai	été.
Tu	es.	Tu as	été.
Il	est.	Il a	été.
Nous	sommes.	Nous avons	été.
Vous	êtes.	Vous avez	été.
Ils	sont.	Ils ont	été.
Imparfait.		*Plus-que-parfait.*	
J'	étais.	J'avais	été.
Tu	étais.	Tu avais	été.
Il	était.	Il avait	été.
Nous	étions.	Nous avions	été.
Vous	étiez.	Vous aviez	été.
Ils	étaient.	Ils avaient	été.
Passé simple (ou défini).		*Passé antérieur*	
Je	fus.	J'eus	été.
Tu	fus.	Tu eus	été.
Il	fut.	Il eut	été.
Nous	fûmes.	Nous eûmes	été.
Vous	fûtes.	Vous eûtes	été.
Ils	furent.	Ils eurent	été.
Futur.		*Futur antérieur*	
Je	serai.	J'aurai	été.
Tu	seras.	Tu auras	été.
Il	sera.	Il aura	été.
Nous	serons.	Nous aurons	été.
Vous	serez.	Vous aurez	été.
Ils	seront.	Ils auront	été.

Impératif.

Présent.	*Passé.*
Sing. 2e *pers.* Sois.	*Sing.* 2e *pers.* Aie été.
Plur. 1re *pers.* Soyons.	*Plur.* 1re *pers.* Ayons été.
— 2e *pers.* Soyez.	— 2e *pers.* Ayez été.

Conditionnel.

TEMPS SIMPLES	TEMPS COMPOSÉS
Présent.	*Passé (1re forme).*
Je serais.	J'aurais été.
Tu serais.	Tu aurais été.
Il serait.	Il aurait été.
Nous serions.	Nous aurions été.
Vous seriez.	Vous auriez été.
Ils seraient.	Ils auraient été.
	Passé (2e forme).
	J'eusse été.
	Tu eusses été.
	Il eût été.
	Nous eussions été.
	Vous eussiez été.
	Ils eussent été.

Subjonctif.

TEMPS SIMPLES	TEMPS COMPOSÉS
Présent.	*Passé.*
Que je sois.	Que j'aie été.
Que tu sois.	Que tu aies été.
Qu'il soit.	Qu'il ait été.
Que nous soyons.	Que nous ayons été.
Que vous soyez.	Que vous ayez été.
Qu'ils soient.	Qu'ils aient été.
Imparfait.	*Plus-que-parfait.*
Que je fusse.	Que j'eusse été.
Que tu fusses	Que tu eusses été.
Qu'il fût.	Qu'il eût été
Que nous fussions.	Que nous eussions été.
Que vous fussiez.	Que vous eussiez été.
Qu'ils fussent.	Qu'ils eussent été.

Infinitif.

Présent.	*Passé.*
Être.	Avoir été.

Participe.

Présent.	*Passé.*
Étant.	Ayant été.

VERBES DU 1er GROUPE

Indicatif en e, infinitif en er.

199. Le radical de ces verbes s'obtient en retranchant l'**e** de la 3e personne du singulier de l'indicatif présent ou l'**er** de l'infinitif.

N. B. — Le passé simple est en **ai,** le participe passé en **é.**

AIMER

Indicatif.

TEMPS SIMPBES		TEMPS COMPOSÉS	
Present.		*Passé composé (ou indéfini).*	
J'	aime.	J'ai	aimé.
Tu	aimes.	Tu as	aimé.
Il	aime.	Il a	aimé.
Nous	aimons.	Nous avons	aimé.
Vous	aimez.	Vous avez	aimé.
Ils	aiment.	Ils ont	aimé.
Imparfait.		*Plus-que-parfait.*	
J'	aimais.	J'avais	aimé.
Tu	aimais.	Tu avais	aimé.
Il	aimait.	Il avait	aimé.
Nous	aimions.	Nous avions	aimé.
Vous	aimiez.	Vous aviez	aimé.
Ils	aimaient.	Ils avaient	aimé.
Passé simple (ou défini).		*Passé antérieur.*	
J'	aimai.	J'eus	aimé.
Tu	aimas.	Tu eus	aimé.
Il	aima.	Il eut	aimé.
Nous	aimâmes.	Nous eûmes	aimé.
Vous	aimâtes.	Vous eûtes	aimé.
Ils	aimèrent.	Ils eurent	aimé.
Futur.		*Futur antérieur.*	
J'	aimerai.	J'aurai	aimé.
Tu	aimeras.	Tu auras	aimé.
Il	aimera.	Il aura	aimé.
Nous	aimerons.	Nous aurons	aimé.
Vous	aimerez.	Vous aurez	aimé.
Ils	aimeront.	Ils auront	aimé.

Impératif.

TEMPS SIMPLES	TEMPS COMPOSÉS
Présent.	*Passé.*
Sing. 2e *pers.* Aime.	*Sing.* 2e *pers.* Aie aimé.
Plur. 1re *pers.* Aimons.	*Plur.* 1re *pers.* Ayons aimé.
— 2e *pers.* Aimez.	— 2e *pers.* Ayez aimé.

Conditionnel.

Présent.	*Passé* (1re *forme*).
J' aimerais.	J'aurais aimé.
Tu aimerais.	Tu aurais aimé.
Il aimerait.	Il aurait aimé.
Nous aimerions.	Nous aurions aimé.
Vous aimeriez.	Vous auriez aimé.
Ils aimeraient.	Ils auraient aimé.
	Passé (2e *forme*).
	J'eusse aimé.
	Tu eusses aimé.
	Il eût aimé.
	Nous eussions aimé.
	Vous eussiez aimé.
	Ils eussent aimé.

Subjonctif.

Présent.	*Passé.*
Que j' aime.	Que j'aie aimé.
Que tu aimes.	Que tu aies aimé.
Qu'il aime.	Qu'il ait aimé.
Que nous aimions.	Que nous ayons aimé.
Que vous aimiez.	Que vous ayez aimé.
Qu'ils aiment.	Qu'ils aient aimé.
Imparfait.	*Plus-que-parfait.*
Que j' aimasse.	Que j'eusse aimé.
Que tu aimasses.	Que tu eusses aimé.
Qu'il aimât.	Qu'il eût aimé.
Que nous aimassions	Que nous eussions aimé.
Que vous aimassiez.	Que vous eussiez aimé.
Qu'ils aimassent.	Qu'ils eussent aimé.

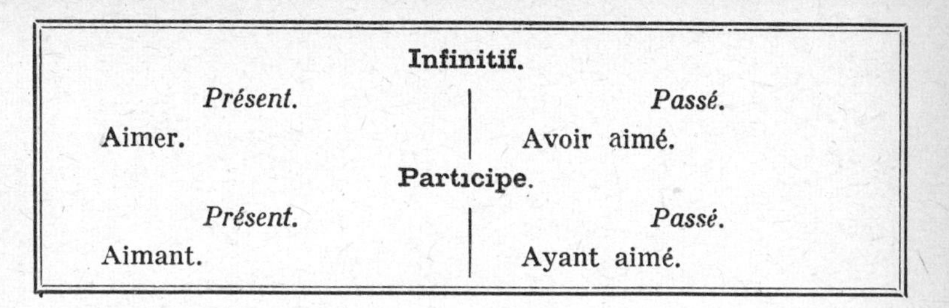

Infinitif.

Présent.	*Passé.*
Aimer.	Avoir aimé.

Participe.

Présent.	*Passé.*
Aimant.	Ayant aimé.

REMARQUES SUR LA CONJUGAISON DES VERBES DU 1er GROUPE

200. A. — *Variations du radical dues à la prononciation.*

1° Verbes en *cer.* — Les verbes terminés à l'infinitif par *cer* comme *placer, percer,* etc. s'écrivent avec une cédille sous le *c (ç),* devant les voyelles *a, o,* de façon à maintenir la prononciation du *c* doux (= *ss*) : *Placer : il plaça, nous plaçons* (mais nous *placions vous placiez*).

2° Verbes en *ger.* — Les verbes terminés à l'infinitif par *ger,* comme *juger,* etc., s'écrivent avec un *e* muet après le *g* devant les voyelles *a, o,* de façon à maintenir la prononciation en *g* doux (= *j*) : *Juger : il jugea, nous jugeons.*

3° Verbes en *yer.* — Les verbes terminés à l'infinitif par *oyer, uyer,* comme *tutoyer, appuyer,* etc., changent l'*y* en *i* devant un *e* muet : *Tutoyer : il tutoya, il tutoie. Appuyer : il appuya, il appuie**;*

Remarque. — L'*y* est toujours maintenu devant un *e* muet dans les verbes en *eyer,* et il peut être dans les verbes en *ayer : grasseyer : il grasseya, il grasseye ; rayer : il raya, il raye ou il raie* **.

* Les verbes en *yer* et en *ier* s'écrivent avec *yi* et avec *ii* aux deux premières personnes du pluriel de l'imparfait de l'indicatif et du présent du subjonctif :
Ployer : nous ployions, vous ployiez ; que nous ployions, que vous ployiez.
Copier : nous copiions, vous copiiez ; que nous copiions, que vous copiiez.
L'*yi* et l'*ii* proviennent de la rencontre de l'*y* ou de l'*i* final du radical avec l'*i* initial des terminaisons *ions, iez.*

** Cette différence d'orthographe entre les deux groupes de verbes en *yer* tient à une différence de prononciation. Devant une syllabe muette le son mouillé de l'*y* se maintient en général dans les verbes en *eyer,* tandis qu'il disparaît complètement dans les verbes en *oyer, uyer.* Dans les verbes en *ayer,* il y a une tendance populaire à introduire le radical *ay (é-y)* dans la prononciation de toute la conjugaison; dans la prononciation correcte de je *paie,* je *paierai,* je *paierais,* il n'y a qu'un simple *e* sans *y.*

4° Verbes en *guer*. — Les verbes en *guer* où l'*u* se prononce, comme *arguer*, peuvent avoir un tréma sur l'*e* quand cet *e* est muet : *j'arguë, tu arguës, il arguë, ils arguënt, j'arguërai*, etc.

Les verbes en *guer* où l'*u* ne se prononce pas, comme *alléguer, distinguer*, n'ont pas ce tréma : *je distingue, nous distinguerons*.

201. B. — *Variations du radical dues à l'accent tonique.*

1° Verbes en *eler, eter*. — Les verbes terminés à l'infinitif par *eler, eter*, comme *appeler, jeter*, etc., redoublent l'*l* ou le *t* devant un *e muet*.

*Appeler : il appe**la**; j'appe**lle**, j'appe**ll**erai.*
*Jeter : il je**ta**; je je**tte**, je je**tt**erai.*

Exceptions. — Ne redoublent pas l'*l* ou le *t*, mais prennent simplement un accent grave sur l'*e* pénultième, les verbes : *bourreler, celer* et son *composé déceler, ciseler, démanteler, écarteler, geler* et ses composés *congeler* et *dégeler ; harceler, marteler, modeler, peler* et les verbes : *acheter* et son composé *racheter, béqueter, colleter* et son composé *décolleter, corseter, crocheter, épousseter, étiqueter, fureter, haleter*, etc.

*Peler : il pe**la**; je p**è**le, je p**è**lerai.*
*Acheter : il ache**ta**; j'ach**è**te. j'ach**è**terai.*

2° Verbes en *éler, éter* et verbes qui ont un *e fermé* à l'avant-dernière syllabe. — Les verbes terminés à l'infinitif par *éler, éter : recéler, révéler, compléter, décréter, empiéter, inquiéter, refléter*, et tous ceux qui ont un *e* fermé à l'avant-dernière syllabe changent l'*e* fermé *(é)* en *e* ouvert *(è)* devant un *e* muet, quand celui-ci termine le verbe, mais conservent l'*e* fermé *(é)* au futur et au conditionnel, où l'*e* muet ne termine pas le verbe :

*Recéler : il rec**é**la, je rec**è**le, je rec**é**lerai, je rec**é**lerais.*
*Compléter : il compl**é**ta, je compl**è**te, je compl**é**terai, je compl**é**terais.*
*Posséder : il poss**é**da, je poss**è**de, je poss**é**derai, je poss**é**derais*

3° Verbes qui ont un *e muet* à l'avant-dernière syllabe. — Les verbes autres que ceux en *eler, eter*, qui ont un *e muet* à l'avant-dernière syllabe, comme *achever*, *mener*, etc., changent cet *e muet* en *e ouvert (è)*, quand leur radical est accentué :

Achever : il acheva, j'achève, j'achèverai.
Mener : il mena, je mène, je mènerai.

202. C. — *Variations dues à l'inversion du pronom sujet.*

A la 1re personne du singulier de l'indicatif présent, et dans une proposition interrogative ou incidente, l'inversion du sujet entraîne le changement de l'*e muet (e)* en *e fermé (é)* : *J'aime* devient *aimé*-**je** ?

203. D. — **Aller**. — Le verbe *aller*, qui appartient au premier groupe, est très irrégulier.

Il fait, au présent de l'indicatif : **je vais** **, **tu vas, il va**, *nous allons, vous allez,* **ils vont** ; au présent du subjonctif : **que j'aille, que tu ailles, qu'il aille**, *que nous allions, que vous alliez*, **qu'ils aillent** ; au passé simple : *j'allai*, etc. ; au futur : **j'irai**, etc. ; à l'impératif : **va**, *allons, allez ;* au participe présent : *allant ;* au participe passé : *allé*.

Les temps composés se conjugent avec l'auxiliaire *être : je suis allé.*

Remarques. — 1° Les irrégularités de ce verbe viennent de ce qu'il a trois radicaux : 1° VA ; 2° IR ; 3° ALL ***.

---

* En dehors des variations que nous venons de signaler, le *radical* des verbes en *er* est sans changement.

Mais il n'en a pas toujours été ainsi. Dans le passage du latin au français, la voyelle accentuée a pris souvent une autre forme que la voyelle inaccentuée; par suite dans l'ancienne langue, et encore au XVIIe siècle, *un grand nombre de verbes* avaient *deux radicaux*. On disait : **je treuve** etc., *nous* **trouvons**, etc.; *je* **preuve**, etc., *nous* **prouvons**, etc. :

L'amour que je ressens pour cette jeune veuve
Ne ferme pas mon âme aux défauts que j'y **treuve** (Molière).

Au dire de Vaugelas (1647) les deux formes sont bonnes, mais « sensiblement meilleure la forme moderne, la seule en usage à la « cour » et chez les « bons auteurs ».

** Au XVIIe siècle, on employait encore à la première personne la forme *je vas*, amenée par l'analogie de la 2e, *tu vas :*

Savais-je qu'on me ferait aller où je **vas?** (La Fontaine).

L'emploi relève aujourd'hui du parler paysan.

*** Dans les deux premiers de ces radicaux, on reconnaît ceux des verbes latins qui ont le même sens : *vadere, ire.* — L'origine du troisième radical paraît être *adnare* « nager vers », comme *arriver* vient de *arripare* « aborder ».

Le premier se trouve à l'indicatif présent et à l'impératif (*je vais, tu vas, il va, ils vont, — va*).

Le deuxième est au futur et au conditionnel (*j'irai, j'irais*).

Le troisième apparaît aux deux premières personnes du pluriel de l'indicatif présent (*nous allons, vous allez*), à l'infinitif et au participe présent (*aller, allant*), au passé simple (*j'allai*), etc.

2° Sur *aller* se conjugue le composé *s'en aller ;* le mot *en* se place immédiatement avant l'auxiliaire : *il s'en est allé* *.

A l'impératif on écrit *va-t'en* avec une apostrophe, *t'* étant le pronom *te* élidé ; au pluriel, *allez-vous-en.*

Avec *y* on écrit *vas-y.*

204. E. — **Envoyer** et **renvoyer**. — *Envoyer* et son composé *renvoyer* font au futur : *j'enverrai, je renverrai,* etc., et au conditionnel : *j'enverrais, je renverrais,* etc. **.

VERBES DU 2e GROUPE

Indicatif en **s**, infinitif en **ir**.

205. Le radical de ces verbes s'obtient en retranchant **it** de la 3e personne du singulier de l'indicatif présent, ou **ir** de l'infinitif.

Au pluriel de l'indicatif présent et de l'impératif présent, au subjonctif présent et imparfait, au participe présent, à l'imparfait de l'indicatif, la syllabe **iss** s'intercale entre le radical et la terminaison.

N. B. — Le passé simple est en **is**, le participe passé en **i**.

---

* Toutefois, de même que l'ancien verbe *s'en fuir* (on écrivait autrefois *il s'en est fui*) s'est figé en *s'enfuir*, il y a tendance, non seulement dans la langue parlée, mais dans la langue littéraire, à placer *en* après l'auxiliaire et immédiatement devant le participe :

Dieu! comme il se sera brusquement **en allé**! (V. Hugo).

Il y a tendance aussi à considérer comme adjectif l'expression *en allé* prise séparément :

Une à une **en allée** (Verlaine).

** *Enverrai,* pour *enveerrai,* est la forme régulière du futur du vieux verbe *enveer,* devenu plus tard *enveier, envoier, envoyer.* Au XVIe siècle, on a tiré de l'infinitif *envoyer* le futur *j'envoyerai* ou *j'envoierai* ou *j'envoirai,* et cette forme du futur se trouve chez les écrivains du XVIIe siècle les plus soucieux de la langue, chez Vaugelas, par exemple, et chez Racine.

Ehnvéer, plus anciennement * *entveer,* venait du latin *inde-viare.*

FINIR

Indicatif.

TEMPS SIMPLES		TEMPS COMPOSÉS	
Présent.		*Passé composé (ou indéfini).*	
Je	finis.	J'ai	fini.
Tu	finis.	Tu as	fini.
Il	finit.	Il a	fini.
Nous	fin**iss**ons.	Nous avons	fini.
Vous	fin**iss**ez.	Vous avez	fini.
Ils	fin**iss**ent.	Ils ont	fini.
Imparfait.		*Passé antérieur.*	
Je	fin**iss**ais.	J'eus	fini.
Tu	fin**iss**ais	Tu eus	fini.
Il	fin**iss**ait.	Il eut	fini.
Nous	fin**iss**ions.	Nous eûmes	fini.
Vous	fin**iss**iez.	Vous eûtes	fini.
Ils	fin**iss**aient.	Ils eurent	fini.
Passé simple (ou défini).		*Plus-que-parfait.*	
Je	finis.	J'avais	fini.
Tu	finis.	Tu avais	fini.
Il	finit.	Il avait	fini.
Nous	finîmes.	Nous avions	fini.
Vous	finîtes.	Vous aviez	fini.
Ils	finirent.	Ils avaient	fini.

TEMPS SIMPLES		TEMPS COMPOSÉS	
Futur.		*Futur antérieur.*	
Je	finirai.	J'aurai	fini.
Tu	finiras.	Tu auras	fini.
Il	finira.	Il aura	fini.
Nous	finirons.	Nous aurons	fini.
Vous	finirez.	Vous aurez	fini.
Ils	finiront.	Ils auront	fini.

Impératif.

Présent.	*Passé.*
Sing. 2e *pers.* Finis.	*Sing.* 2e *pers.* Aie fini.
Plur. 1re *pers.* Fini**ss**ons.	*Plur.* 1re *pers.* Ayons fini.
— 2e *pers.* Fini**ss**ez.	— 2e *pers.* Ayez fini.

Conditionnel.

Présent.	*Passé (1re forme).*
Je finirais.	J'aurais fini.
Tu finirais.	Tu aurais fini.
Il finirait.	Il aurait fini.
Nous finirions,	Nous aurions fini.
Vous finiriez.	Vous auriez fini.
Ils finiraient.	Ils auraient fini.
	Passé (2e forme).
	J'eusse fini.
	Tu eusses fini.
	Il eût fini.
	Nous eussions fini.
	Vous eussiez fini.
	Ils eussent fini.

Subjonctif.

Présent.	*Passé.*
Que je fini**ss**e.	Que j'aie fini.
Que tu fini**ss**es.	Que tu aies fini.
Qu'il fini**ss**e.	Qu'il ait fini.
Que nous fini**ss**ions.	Que nous ayons fini.
Que vous fini**ss**iez.	Que vous ayez fini.
Qu'ils fini**ss**ent.	Qu'ils aient fini.
Imparfait.	*Plus-que-parfait.*
Que je fini**ss**e.	Que j'eusse fini.
Que tu fini**ss**es.	Que tu eusses fini.
Qu'il finît *.	Qu'il eût fini.
Que nous fini**ss**ions.	Que nous eussions fini.
Que vous fini**ss**iez.	Que vous eussiez fini.
Qu'ils fini**ss**ent.	Qu'ils eussent fini.

*** A la 3e personne du singulier de l'imparfait du subjonctif, l'accent circonflexe sur l'i tient lieu des ss disparus.**

Infinitif.

Présent.	*Passé.*
Finir.	Avoir fini.

Participe.

Présent.	*Passé.*
Finissant.	Ayant fini.

REMARQUES SUR LA CONJUGAISON DES VERBES DU 2e GROUPE

206. A. — *Sens de la syllabe intercalaire* **iss.** — Cette syllabe a pour origine un suffixe latin, qui marquait le *commencement de l'action* *.

Ce sens *inchoatif* se retrouve encore dans les verbes en *ir* qui sont dérivés d'adjectifs : *blondir, jaunir, pâlir, verdir,* etc.

Les épis jaunissaient équivaut à *les épis commençaient à devenir jaunes.*

207. B. — **Bénir.** — *Bénir,* qui se conjugue sur *finir,* fait au participe passé *bénit, bénit***e**, lorsqu'il s'agit d'un objet consacré par un prêtre : *Du pain bénit, de l'eau bénit***e**.

Il fait normalement *béni, béni***e** dans tous les autres cas : *Des filles béni***es** *par leur mère.*

Remarque. — *Béni,* conjugué avec l'auxiliaire avoir, ne prend jamais de *t,* quelle que soit son acception. On écrira : *La mère a béni ses filles, le prêtre a béni les navires.*

Mais on doit écrire : *Ces navires ont été bénits par l'évêque* **.

208. C. — **Fleurir.** — *Fleurir,* qui se conjugue régulièrement sur *finir* quand il signifie *être en fleurs* (sens propre), fait au participe présent *florissant,* devenu adjectif verbal, et à l'imparfait *je floris-*

* La syllabe intercalaire *iss* vient, en effet, des formes *esc(o), isc(o),* que présentent les verbes inchoatifs latins, et qui se sont généralisées dans le passage de la langue latine au français : *floreo, floresco; florissant; — gemeo, gemisco; gémissant.*

** Le participe passé de *bénir* s'écrivait primitivement *bénit (benedictum)* dans tous les sens, comme on écrit *dit (dictum).* Ce n'est qu'à une époque assez récente de la langue qu'on a écrit *béni :* 1° Parce que la conjugaison du verbe *bénir* s'est assimilée en français à celle du verbe *finir,* bien que leur origine fût différente *(benedicere, finire)* ; 2° pour mieux distinguer les deux sens du verbe. C'est Vaugelas (1647) qui paraît avoir établi entre *béni* et *bénit* la distinction qui est admise aujourd'hui. Mais on trouve dans Bossuet *bénit* où l'usage actuel demanderait *béni,* et, au contraire, dans Voltaire, *béni,* là où l'on exige maintenant *bénit.*

sais, etc., lorsqu'il signifie *prospérer* (sens figuré) : *Une santé* **florissante;** *les arts* **florissaient** *en Italie* *.

209. D. — **Haïr.** — *Haïr,* dont le radical est *haï* (avec un tréma sur l'*i*) ne prend pas de tréma aux trois personnes du singulier du présent de l'indicatif et à la deuxième personne du singulier de l'impératif : *Je hais, tu hais, il hait. — Hais* **.

VERBES DU 3e GROUPE

Indicatif en s, infinitif en ir (sans iss), ou en oir, ou en re.

210. Le *radical* de ces verbes est *souvent variable.*

I. — Verbes à infinitif en **ir** (sans **iss**).

211. On les subdivise en cinq catégories :

1° Ceux qui, aux deux premières personnes du singulier de l'indicatif présent et à l'impératif présent singulier, *perdent la consonne finale du radical.*

N. B. — Le passé simple est en **is,** le futur en **irai,** le participe passé en **i.** Modèle : **partir.**

Indicatif présent : Je **pars,** *tu* **pars,** *il part, nous partons,* etc...

Impératif présent : sg. **pars,** pl. *partons, partez.*

Sur **partir** (et ses composés) se conjuguent : **dormir** (et ses composés), **mentir** (et ses composés), **se repentir, sentir, servir.**

2° Ceux qui, au présent de l'indicatif, ont les *terminaisons des verbes* en **er.**

N. B. — Le passé simple est en **is,** le futur en **irai** (sauf pour **cueillir** qui fait **cueillerai),** le participe passé tantôt en **i,** tantôt en **ert.**

---

* Cette anomalie n'est qu'apparente. Il y avait primitivement deux verbes qui ont fini par se fondre en un seul : 1° *Florir,* le plus ancien des deux, venait du latin *florere,* et n'a gardé que son participe présent et son imparfait; 2° *fleurir,* verbe d'origine plus récente, est dérivé du mot *fleur.* — L'usage a donné à chacun de ces verbes un sens spécial; mais cette distinction n'était pas encore faite au XVIIe siècle (bien que Vaugelas l'ait indiqué en 1647), comme nous le voyons par les exemples suivants :
Notre siècle me semblait aussi **fleurissant** *qu'ait été aucun des précédents* (DESCARTES).
Hésiode **fleurissait** *trente ans avant Homère* (BOSSUET).

Ailleurs Bossuet dit : « *La philosophie* **florissait** *dans la Grèce.* »

** C'est au XVIe siècle que *haïr* a passé, sauf aux trois personnes du singulier du présent de l'indicatif et à l'impératif, à la conjugaison du 2e groupe.
Au moyen âge on disait : *nous hayons, vous hayez, ils haient;* part. prés. *hayant,* etc.

Ont leur participe en **i** : **assaillir, cueillir, défaillir, tressaillir.**
Ont leur participe en **ert** : **couvrir, offrir, ouvrir, souffrir.**

3° Ceux qui ont *deux radicaux :* **acquérir**, radicaux **acquier** et **acquer** ainsi que les verbes de même famille; **conquérir, s'enquérir, requérir** ; **mourir**, radicaux **meur** et **mour**; **tenir**, radicaux **tien** et **ten** ; **venir**, radicaux **vien** et **ven.**

4° Ceux qui sont tout à fait irréguliers, comme **bouillir, courir** (et ses composés), **vêtir** (et ses composés).

5° Les verbes défectifs **faillir** (= *manquer*), **férir** (= *frapper*), **gésir** (= *être étendu*), **quérir** (= *chercher*).

II. — Verbes **à** l'infinitif en **oir.**

212. Ces verbes peuvent être répartis en plusieurs catégories :

1° Ceux qui sont terminés par **cevoir : Apercevoir, concevoir, décevoir, percevoir, recevoir.**

Ils ont un *double radical alternant* **aperçoi** et **apercev** —, le passé simple en **us**, le participe passé en **u.**

2° Le verbe **devoir**, qui se conjugue comme les verbes en —**cevoir** à la différence près du participe passé, qui, au *masculin singulier* est en **û** (*dû,* pour éviter la confusion avec l'article contracté *du*).

3° Les trois verbes **mouvoir, pouvoir, vouloir,** au double radical alternant **mouv** et **meuv, pouv** et **peuv, voul** et **veul.**

4° Les verbes **falloir** et **valoir,** dont le radical est **all** ou **al** devant une voyelle, **au,** quand **l** ou **ll** sont devant une consonne.

5° Un grand nombre d'autres verbes, irréguliers ou défectifs, échappent à toute classification.

III. — Verbes **à** infinitif en **re.**

213. Ces verbes, de forme très différente, échappent également à toute classification.

On trouvera dans le tableau suivant la liste alphabétique des verbes irréguliers, qu'ils soient terminés par **ir**, par **oir**, par **re** ou même par **er.**

214. LISTE ALPHABÉTIQUE DES VERBES IRRÉGULIE

*Les verbes marqués d'un * sont anciens, et auj*

INFINITIF	PRÉSENT	
	DE L'INDICATIF	DU SUBJONCTIF
Abattre (V. *Battre*)		
Absoudre	j'absous, nous absolvons	que j'absolve
Abstenir (S') (V. *Tenir*)		
Abstraire	j'abstrais, nous abstrayons	que j'abstraie
Accourir (V. *Courir*)		
Accroire (1)	»	»
Accroître	j'accrois, il accroît, nous accroissons	que j'accroisse
Accueillir (V. *Cueillir*)		
Acquérir	j'acquiers, nous acquérons	que j'acquière
Admettre (V. *Mettre*)		
Apercevoir	j'aperçois, nous apercevons	que j'aperçoive.
Apparaître (V. *Paraître*)		
* **Apparoir** (2) (= être évident)	il appert	

1. Ce composé de *croire* n'est usité qu'à l'infinitif avec le verbe *faire : il s'en fait beaucoup accr*
2. L'infinitif *apparoir* et la 3e personne du singulier du présent de l'indicatif *il appert* ne

RANÇAIS AVEC LEURS TEMPS IRRÉGULIERS.

ui inusités, sauf dans des locutions archaïques.

PASSÉ SIMPLE	FUTUR	IMPÉRATIF	PARTICIPE PRÉSENT	PARTICIPE PASSÉ
»	j'absoudrai	absous, absolvons	absolvant	absous, absoute
»	j'abstrairai	abstrais, abstrayons	abstrayant	abstrait
»	»	»	»	»
j'accrus	j'accroîtrai	accrois, accroissons	accroissant	accru
j'acquis	j'acquerrai	acquiers, acquérons	acquérant	acquis
j'aperçus	j'apercevrai	aperçois, apercevons	apercevant	aperçu
»	»	»	»	»

és que dans la langue judiciaire : *il a fait apparoir de son bon droit ; il appert de cet acte.*

INFINITIF	PRÉSENT DE L'INDICATIF	PRÉSENT DU SUBJONCTIF
Appartenir (V. *Tenir*)		
Apprendre (V. *Prendre*)		
Arguer	j'arguë, nous arguons	que j'arguë
Assaillir	j'assaille, nous assaillons	que j'assaille
Asseoir	j'assieds *ou* j'assois, nous asseyons	que j'asseye
Astreindre	j'astreins, nous astreignons	que j'astreigne
Atteindre	j'atteins, nous atteignons	que j'atteigne
Avoir (V. la conjugaison complète p. 173).	j'ai, tu as, il a, nous avons, vous avez, ils ont	que j'aie
Battre	je bats, nous battons	que je batte
Boire	je bois, nous buvons	que je boive
Bouillir	je bous, nous bouillons	que je bouille

PASSÉ SIMPLE	FUTUR	IMPÉRATIF	PARTICIPE	
			PRÉSENT	PASSÉ
arguai	j'arguërai	arguë, arguons	arguant	argué
assaillis	j'assaillirai	assaille, assaillons	assaillant	assailli
assis	j'assiérai, ou j'assoirai	assieds, (assois) asseyons, *ou* assoyons	asseyant	assis
astreignis	j'astreindrai	astreins, astreignons	astreignant	astreint
atteignis	j'atteindrai	atteins, atteignons	atteignant	atteint
eus	j'aurai	aie, ayons	ayant	eu
battis	je battrai	bats, battons	battant	battu
bus	je boirai	bois, buvons	buvant	bu
bouillis	je bouillirai	bous, bouillons	bouillant	bouilli

INFINITIF	PRÉSENT	
	DE L'INDICATIF	DU SUBJONCTIF
Braire (1)	il brait, ils braient	qu'il braie
Bruire	il bruit	qu'il bruisse
Ceindre	je ceins, nous ceignons	que je ceigne
* **Chaloir** (= importer)	il chaut (3)	»
* **Choir** (= tomber)	je chois	»
Circoncire	je circoncis, nous circoncisons	que je circoncise
Circonscrire	je circonscris, nous circonscrivons	que je circonscrive
Circonvenir (V. *Venir*)		
Clore	je clos, tu clos, il clôt *(pluriel rare)*	que je close *(pluriel rare)*
Combattre (V. *Battre*)		
Commettre (V. *Mettre*)		
Comparaître (V. *Paraître*)		
* **Comparoir** (5)	»	»
Complaire (V. *Plaire*)		

1. Le verbe *braire* s'emploie à l'infinitif et aux troisièmes personnes du présent et du *brayais* des blasphèmes contre la géométrie ». Quant au participe passé *brait*, on en use su
2. L'ancien participe *bruyant* n'est plus employé que comme adjectif.
3. Survit surtout dans l'expression *peu me chaut* (= peu m'importe).
4. Ce futur n'est plus guère employé, mais c'est lui qu'on cite souvent dans la phrase c
5. Ce verbe n'est employé qu'à l'infinitif, dans la langue de la procédure : *Être a* adjectif ou comme nom : *La partie comparante, le comparant, les non-comparants*, etc.

PASSÉ SIMPLE	FUTUR	IMPÉRATIF	PARTICIPE PRÉSENT	PARTICIPE PASSÉ
»	il braira	brais brayons	brayant	brait
»	il bruira	»	» (2)	»
ceignis	je ceindrai	ceins, ceignons	ceignant	ceint
»	»	»	»	»
chus	je cherrai (4)	»	»	chu
circoncis	je circoncirai	circoncis, circoncisons	circoncisant	circoncis
circonscrivis	je circonscrirai	circonscris, circonscrivons	circonscrivant	circonscrit
»	je clorai	clos *(sans pluriel)*	»	clos
»	»	»	comparant (5)	»

'indicatif; Anatole France écrit pourtant à l'imparfait *(La vie en fleur*, p. 82) : « Je
les temps composés : *Il a brait*, etc.

errault *(Le Petit Chaperon rouge)* : *Tire la chevillette et la bobinette* cherra.
mparoir. — Quant au participe *comparant*, il s'emploie dans la même langue comme

INFINITIF	PRÉSENT	
	DE L'INDICATIF	DU SUBJONCTIF
Comprendre (V. *Prendre*)		
Compromettre (V. *Mettre*)		
Concevoir	je conçois, nous concevons	que je conçoive
Conclure	je conclus, nous concluons	que je conclue
Concourir (V. *Courir*)		
Conduire	je conduis. nous conduisons	que je conduise
Confire	je confis, nous confisons	que je confise
Connaître	je connais, nous connaissons	que je connaisse
Conquérir	je conquiers, nous conquérons	que je conquière
Construire	je construis, nous construisons	que je construise
Contenir (V. *Tenir*)		
Contraindre	je contrains, nous contraignons	que je contraigne
Contredire	je contredis, nous contredisons, vous contredisez (1), ils contredisent	que je contredise

1. Voir *dédire* et la note.

PASSÉ SIMPLE	FUTUR	IMPÉRATIF	PARTICIPE PRÉSENT	PARTICIPE PASSÉ
je conçus	je concevrai	conçois, concevons	concevant	conçu
je conclus	je conclurai	conclus, concluons	concluant	conclu
je conduisis	je conduirai	conduis, conduisons	conduisant	conduit
je confis	je confirai	confis, confisons	confisant	confit
je connus	je connaîtrai	connais, connaissons	connaissant	connu
je conquis	je conquerrai	conquiers conquérons	conquérant	conquis
je construisis	je construirai	construis, construisons	construisant	construit
je contraignis	je contraindrai	contrains, contraignons	contraignant	contraint
je contredis	je contredirai	contredis, contredisons	contredisant	contredit

INFINITIF	PRÉSENT	
	DE L'INDICATIF	DU SUBJONCTIF
Contrefaire (V. *Faire*)		
Contrevenir (V. *Venir*)		
Convenir (V. *Venir*)		
Correspondre	je corresponds, nous correspondons	que je corresponde
Corrompre (V. *Rompre*)		
Coudre	je couds, nous cousons	que je couse
Courir	je cours, nous courons	que je coure
* **Courre** (1)	»	»
Couvrir	je couvre, nous couvrons	que je couvre
Craindre	je crains, nous craignons	que je craigne
Croire	je crois, nous croyons	que je croie
Croître	je croîs, nous croissons	que je croisse
Cueillir	je cueille, nous cueillons	que je cueille
Cuire	je cuis, nous cuisons	que je cuise
Débattre (V. *Battre*)		

1. Forme infinitive ancienne de *courir*, qu'on n'emploie plus que comme terme de chas
2. La forme ancieune * *créant* subsiste dans le composé *mécréant* (voir *mécroire*).

PASSÉ SIMPLE	FUTUR	IMPÉRATIF	PARTICIPE PRÉSENT	PARTICIPE PASSÉ
je correspondis	je correspon-drai	corresponds, correspondons	correspondant	correspondu
je cousis	je coudrai	couds, cousons	cousant	cousu
je courus	je courrai	cours, courons	courant	couru
»	»	»	»	»
je couvris	je couvrirai	couvre, couvrons	couvrant	couvert
je craignis	je craindrai	crains, craignons	craignant	craint
je crus	je croirai	crois, croyons	croyant (2)	cru
je crûs	je croîtrai	croîs, croissons	croissant	crû
je cueillis	je cueillerai	cueille, cueillons	cueillant	cueilli
je cuisis	je cuirai	cuis, cuisons	cuisant	cuit

urre *le cerf, chasse à* **courre**, *laisser* **courre**, etc.

INFINITIF	PRÉSENT	
	DE L'INDICATIF	DU SUBJONCTIF
Décevoir	je déçois, nous décevons	que je déçoive
Déchoir (1)	je déchois, nous déchoyons	que je déchoie
Déconfire (= défaire entièrement)	»	»
Découdre (V. *Coudre*)		
Découvrir (V. *Couvrir*)		
Décrire (V. *Écrire*)		
Décroître	je décrois, nous décroissons	que je décroisse
Dédire	je dédis, nous dédisons, vous dédisez (2), ils dédisent	que je dédise
Déduire	je déduis, nous déduisons	que je déduise
Défaillir	*(singulier manque)* nous défaillons	»
Défaire (V. *Faire*)		
Démentir (V *Mentir*)		
Démettre (V. *Mettre*)		
Dépeindre (V. *Peindre*)		

1. Aux temps composés, *déchoir* se conjugue, selon le sens, avec *être* ou *avoir* : *Il* **est** *b*
2. Alors que *dire* et son composé *redire* ont *tes* pour désinence de la 2e personne du plurie
prédire ont la désinence *sez*. Mais l'usage fut parfois indécis, et Molière (*Tartuffe*, III, 4) écr

PASSÉ SIMPLE	FUTUR	IMPÉRATIF	PARTICIPE PRÉSENT	PARTICIPE PASSÉ
je déçus	je décevrai	déçois, décevons	décevant	déçu
je déchus	je décherrai	déchois, déchoyons	déchéant	déchu
»	»	»	»	déconfit
je décrus	je décroîtrai	»	décroissant	décru
je dédis	je dédirai	dédis, dédisons	dédisant	dédit
je déduisis	je déduirai	déduis, déduisons	déduisant	déduit
je défaillis	»	»	défaillant	défailli

léchu *de son crédit ; depuis ce temps, il* **a déchu** *de jour en jour.*
'indicatif présent et à l'impératif, comme au parfait défini, *dédire, contredire, interdire, médire,*
Ne m'en dédites pas. »

INFINITIF	PRÉSENT	
	DE L'INDICATIF	DU SUBJONCTIF
Déplaire (V. *Plaire*)		
Dépourvoir	je dépourvois, nous dépourvoyons	que je dépourvoie
Déprendre (V. *Prendre*)		
Désapprendre (V. *Prendre*)		
Descendre	je descends, nous descendons	que je descende
Desservir (V. *Servir*)		
Déteindre (V. *Teindre*)		
Détenir (V. *Tenir*)		
Détruire	je détruis, nous détruisons	que je détruise
Devenir (V. *Venir*)		
Devoir	je dois, nous devons	que je doive
Dire	je dis, nous disons vous dites	que je dise (1)
Disconvenir (V. *Venir*)		
Discourir (V. *Courir*)		
Disparaître (V. *Paraître*)		
Dissoudre	je dissous, nous dissolvons	que je dissolve

1. Au XVIIe siècle encore, on employait souvent *die* pour *dise* :
Faites-la sortir, quoi qu'on **die...** (MOLIÈRE).

PASSÉ SIMPLE	FUTUR	IMPÉRATIF	PARTICIPE PRÉSENT	PARTICIPE PASSÉ
je dépourvus	»	»	»	dépourvu
je descendis	je descendrai	descends, descendons	descendant	descendu
je détruisis	je détruirai	détruis, détruisons	détruisant	détruit
je dus	je devrai	»	devant	dû
je dis	je dirai	dis, disons	disant	dit
»	je dissoudrai	dissous, dissolvons	dissolvant	dissous, dissoute

Et puisqu'il faut que je le **die...** (LA FONTAINE).

INFINITIF	PRÉSENT DE L'INDICATF	PRÉSENT DU SUBJONCTIF
Distraire	je distrais, nous distrayons	que je distraie
Dormir	je dors, nous dormons	que je dorme
* **Duire** (= convenir) (1)	»	»
Échoir	il échoit ou il échet, ils échoient ou ils échéent	»
Éclore	il éclot, ils éclosent (2)	qu'il éclose
Écrire	j'écris, nous écrivons	que j'écrive
Élire (V. *Lire*)		
Émettre (V. *Mettre*)		
Émoudre (V. *Moudre*)		
Émouvoir	j'émeus, nous émouvons	que j'émeuve
Empreindre	j'empreins, nous empreignons	que j'empreigne
Enclore	j'enclos (*pluriel rare*)	que j'enclose
Endormir (V. *Dormir*)		

1. *Duire* (du latin *ducere*) est un mot vieilli, qu'on emploie encore à l'indicatif dans la langu *rien*, et au participe passé : *un âne bien duit*, pour « un âne bien dressé, bien à point ».
Corneille écrivait encore : *Voyez ceux qui vous duisent*, et Diderot : *Ce qui vous duira.*
2. Les 1re et 2e personnes : *j'éclos, tu éclos, nous éclosons, vous éclosez* sont rares; rare auss

PASSÉ SIMPLE	FUTUR	IMPÉRATIF	PARTICIPE PRÉSENT	PARTICIPE PASSÉ
»	je distrairai	distrais, distrayons	distrayant	distrait
je dormis	je dormirai	dors, dormons	dormant	dormi
»	»	»	»	duit
j'échus	j'écherrai	»	échéant	échu
»	il éclora	»	»	éclos
j'écrivis	j'écrirai	écris, écrivons	écrivant	écrit
j'émus	j'émouvrai	émeus, émouvons	émouvant	ému
j'empreignis	j'empreindrai	empreins, empreignons	empreignant	empreint
»	j'enclorai	enclos *(sans pluriel)*	»	enclos

milière, lorsqu'on dit improprement *cela ne me dit rien* pour *cela ne me duit* (= convient) *en*

participe présent *éclosant.*

INFINITIF	PRÉSENT DE L'INDICATIF	PRÉSENT DU SUBJONCTIF
Enduire	j'enduis, nous enduisons	que j'enduise
Enfreindre	j'enfreins, nous enfreignons	que j'enfreigne
Enfuir (S')	je m'enfuis, nous nous enfuyons	que je m'enfuie
Enquérir (S')	je m'enquiers, nous nous enquérons	que je m'enquière
Ensuivre (S') comme *Suivre* (usité seulement aux 3es pers.)		
Entremettre (S') (V. *Mettre*)		
Entreprendre (V. *Prendre*).		
Entretenir (V. *Tenir*)		
Entrevoir (V. *Voir*)		
Envoyer	j'envoie, nous envoyons	que j'envoie
Épandre	j'épands, nous épandons	que j'épande
Éprendre (S') (V. *Prendre*)		
Épreindre	j'épreins, nous épreignons	que j'épreigne
Équivaloir (V. *Valoir*)		
* **Ester** (1)		

1. *Ester* (du latin *stare* « se tenir debout, être ») est un terme de procédure qui signifie « comp

PASSÉ SIMPLE	FUTUR	IMPÉRATIF	PARTICIPE	
			PRÉSENT	PASSÉ
j'enduisis	j'enduirai	enduis, enduisons	enduisant	enduit
j'enfreignis	j'enfreindrai	enfreins, enfreignons	enfreignant	enfreint
je m'enfuis	je m'enfuirai	enfuis-toi, enfuyons-nous	s'enfuyant	enfui
je m'enquis	je m'enquerrai	enquiers-toi, enquérons-nous	s'enquérant	enquis
j'envoyai	j'enverrai	envois, envoyons	envoyant	envoyé
j'épandis	j'épandrai	épands, épandons	épandant	épandu
j'épreignis	j'épreindrai	épreins, épreignons	épreignant	épreint

ître devant un tribunal ». On dit *ester en justice, ester en jugement.*

INFINITIF	PRÉSENT	
	DE L'INDICATIF	DU SUBJONCTIF
Éteindre	j'éteins, nous éteignons	que j'éteigne
Être (V. la conjugaison complète p. 175)	je suis, tu es, il est, nous sommes, vous êtes, ils sont	que je sois
Étreindre	j'étreins, nous étreignons	que j'étreigne
Exclure	j'exclus, nous excluons	que j'exclue
Extraire	j'extrais, nous extrayons	que j'extraie
Faillir (2)	je faux, * nous faillons	* que je faille
Faire	je fais, nous faisons	que je fasse
Falloir	il faut	qu'il faille
Feindre	je feins, nous feignons	que je feigne
Férir (3) (= frapper)	»	»

1. Mais on dit *inclus* et *reclus*.

2. *Faillir* (= manquer) n'est plus guère usité qu'à l'infinitif, au passé simple et aux ten
Montereau-faut-Yonne. — *Faillir* avait pour doublet *falloir*, qui a pris un autre sens, mais

3. L'infinitif *férir* survit surtout dans l'expression *sans coup férir*. — Le participe *f*
sens figuré pour signifier : passionnément atteint, passionné; ex. *féru* d'amour (= pris d'
présent dans le vieux proverbe : *Tel* **fiert** *qui ne tue pas*.

PASSÉ SIMPLE	FUTUR	IMPÉRATIF	PARTICIPE	
			PRÉSENT	PASSÉ
'éteignis	j'éteindrai	éteins, éteignons	éteignant	éteint
e fus	je serai	sois, soyons	étant	été
'étreignis	j'étreindrai	étreins, étreignons	étreignant	étreint
'exclus	j'exclurai	exclus, excluons	excluant	exclu (1)
»	j'extrairai	extrais, extrayons	extrayant	extrait
e faillis	* je faudrai	»	* faillant	failli
e fis	je ferai	fais, faisons	faisant	fait
l fallut	il faudra	»	»	fallu
e feignis	je feindrai	feins, feignons	feignant	feint
»	»	»	»	féru

posés. On trouve la 3e personne du singulier de l'indicatif présent dans le nom de localité
le la signification de *faillir* dans *s'en falloir : il s'en faut de beaucoup, peu s'en faut*, etc.

**ploie : 1° Au sens propre; ex. : cheval qui a le tendon *féru* (= blessé par un coup); 2° au
ur passionné). — Enfin on cite parfois encore la 3e personne du singulier de l'indicatif**

INFINITIF	PRÉSENT	
	DE L'INDICATIF	DU SUBJONCTIF
Fendre	je fends, nous fendons	que je fende
Fondre	je fonds, nous fondons	que je fonde
Forclore (1)	»	»
Forfaire	il forfait	»
Frire	je fris *(sans pluriel)*	»
Fuir	je fuis, nous fuyons	que je fuie
Geindre	je geins, nous geignons	que je geigne
***Gésir**	il gît, nous gisons	»
Haïr	je hais, nous haïssons	que je haïsse
* **Imboire** (= imprégner)		
Induire	j'induis, nous induisons	que j'induise
Inscrire	j'inscris, nous inscrivons	que j'inscrive
Instruire	j'instruis, nous instruisons	que j'instruise

1. S'emploie seulement à l'infinitif et au participe passé dans la langue de la procédure.
2. L'ancien participe présent *friant*, ayant changé son *t* en *d*, s'emploie aujourd'hui cor
3. On dit aussi *embu* dans la langue de la peinture : *tableau embu* = dont les couleurs se

PASSÉ SIMPLE	FUTUR	IMPÉRATIF	PARTICIPE	
			PRÉSENT	PASSÉ
je fendis	je fendrai	fends, fendons	fendant	fendu
je fondis	je fondrai	fonds, fondons	fondant	fondu
»	»	»	»	forclos
»	»	»	»	forfait
»	je frirai	fris *(sans pluriel)*	» (2)	frit
je fuis	je fuirai	fuis, fuyons	fuyant	fui
je geignis	je geindrai	geins, geignons	geignant	geint
»	»	»	gisant	»
je haïs	je haïrai	hais, haïssons	haïssant	haï
				imbu (3)
j'induisis	j'induirai	induis, induisons	induisant	induit
j'inscrivis	j'inscrirai	inscris, inscrivons	inscrivant	inscrit
j'instruisis	j'instruirai	instruis, instruisons	instruisant	instruit

ctif : *friand, friande.*
régnées de noirceur ou de grisaille).

INFINITIF	PRÉSENT	
	DE L'INDICATIF	DU SUBJONCTIF
Interdire	j'interdis, nous interdisons, vous interdisez (1), ils interdisent	que j'interdise
Interrompre (V. *Rompre*)		
Intervenir (V. *Venir*)		
Introduire	j'introduis, nous introduisons	que j'introduise
* **Issir** (= sortir) (2)		
Joindre	je joins, nous joignons	que je joigne
Lire	je lis, nous lisons	que je lise
Luire	je luis, nous luisons	que je luise
Maintenir (V. *Tenir*)		
Maudire (3)	je maudis, nous maudissons	que je maudisse
Méconnaître (V. *Connaître*)		
* **Mécroire** (= refuser de croire) (4)		

1. Voir *dédire* et la note.
2. *Issir*, anciennement *eissir* ou *essir*, vient du latin *exire* « sortir ». — Le participe passé
3. Contrairement à *dire* dont il est composé, *maudire*, par confusion avec les verbes
4. *Mécroire* ne s'emploie plus que dans la vieille locution : *Il est dangereux de croire e*

PASSÉ SIMPLE	FUTUR	IMPÉRATIF	PARTICIPE	
			PRÉSENT	PASSÉ
j'interdis	j'interdirai	interdis, interdisons	interdisant	interdit
j'introduisis	j'introduirai	introduis, introduisons	introduisant	introduit
			issant	issu
je joignis	je joindrai	joins, joignons	joignant	joint
je lus	je lirai	lis, lisons	lisant	lu
je luisis	je luirai	luis, luisons	luisant	lui
je maudis	je maudirai	maudis, maudissons	maudissant	maudit

donné le substantif *issue*. *Issant* ne s'emploie guère qu'en terme de blason.
s, redouble partout l'*s* euphonique.
croire. Son ancien participe présent, *mécréant*, s'emploie encore comme adjectif et substantif.

INFINITIF	PRÉSENT DE L'INDICATIF	PRÉSENT DU SUBJONCTIF
Médire	je médis, nous médisons, vous médisez (1), ils médisent	que je médise
Mentir	je mens, nous mentons	que je mente
Méprendre (V. *Prendre*)		
* **Messeoir**	il messied, ils messiéent	qu'il messiée
Mettre	je mets, nous mettons	que je mette
Mordre	je mords, nous mordons	que je morde
Moudre	je mouds, nous moulons	que je moule
Mourir	je meurs, nous mourons	que je meure
Mouvoir	je meus, nous mouvons	que je meuve
Naître	je nais, nous naissons	que je naisse
Nuire	je nuis, nous nuisons	que je nuise
* **Occire** (= tuer)	»	»

1. Voir *dédire* et la note.
2. On emploie *messeyant* comme participe présent et *messéant* comme adjectif; ex. : *u*

PASSÉ SIMPLE	FUTUR	IMPÉRATIF	PARTICIPE	
			PRÉSENT	PASSÉ
je médis	je médirai	médis, médisons	médisant	médit
je mentis	je mentirai	mens, mentons	mentant	menti
«	il messiéra	»	messeyant (2)	»
je mis	je mettrai	mets, mettons	mettant	mis
je mordis	je mordrai	mords, mordons	mordant	mordu
je moulus	je moudrai	mouds, moulons	moulant	moulu
je mourus	je mourrai	meurs, mourons	mourant	mort
je mus	je mouvrai	meus, mouvons	mouvant	mû
je naquis	je naîtrai	nais, naissons	naissant	né
je nuisis	je nuirai	nuis, nuisons	nuisant	nui
»	»	»	»	occis

ue messéante; il est messéant d'agir de la sorte.

INFINITIF	PRÉSENT	
	DE L'INDICATIF	DU SUBJONCTIF
Offrir	j'offre, nous offrons	que j'offre
Oindre	j'oins, nous oignons	que j'oigne
* **Ouïr** (= entendre)	»	»
Ouvrir	j'ouvre, nous ouvrons	que j'ouvre
Paître	je pais, nous paissons	que je paisse
Paraître	je parais, nous paraissons	que je paraisse
Parcourir (V. *Courir*)		
1. **Partir**	je pars, nous partons	que je parte
2. * **Partir** (= partager) (3)	»	»
Peindre	je peins, nous peignons	que je peigne
Permettre (V. *Mettre*)		
Plaindre	je plains, nous plaignons	que je plaigne
Plaire	je plais, nous plaisons	que je plaise
Pleuvoir	il pleut	qu'il pleuve

1. Son emploi est rare et archaïque.
2. Surtout employé dans *j'ai ouï dire* et dans la langue du palais : *Ouï les témoins.*
3. Ce verbe (du latin *partiri* « partager ») ne s'emploie plus qu'à l'indicatif dans la locuti
Il a servi à former le composé *répartir*.

PASSÉ SIMPLE	FUTUR	IMPÉRATIF	PARTICIPE	
			PRÉSENT	PASSÉ
j'offris	j'offrirai	offre, offrons	offrant	offert
j'oignis	j'oindrai	oins, oignons	oignant	oint
»	»	oyons (1)	»	ouï (2)
j'ouvris	j'ouvrirai	ouvre, ouvrons	ouvrant	ouvert
»	je paîtrai	pais, paissons	paissant	»
je parus	je paraîtrai	parais, paraissons	paraissant	paru
je partis	je partirai	pars, partons	partant	parti
»	»	»	»	parti (3)
je peignis	je peindrai	peins, peignons	peignant	peint
je plaignis	je plaindrai	plains, plaignons	plaignant	plaint
je plus	je plairai	plais, plaisons	plaisant	plu
il plut	il pleuvra	»	pleuvant	plu

voir maille à partir et au participe passé dans *mi-parti, mi-partie* (= partagé(e) de moitié).

INFINITIF	PRÉSENT	
	DE L'INDICATIF	DU SUBJONCTIF
* **Poindre** (= percer)	je poins	»
Pourvoir	je pourvois, nous pourvoyons	que je pourvoie
Pouvoir	je peux *ou* je puis, nous pouvons	que je puisse
Prédire	je prédis, nous prédisons, vous prédisez, ils prédisent	que je prédise
Prendre	je prends, nous prenons	que je prenne
Prescrire	je prescris, nous prescrivons	que je prescrive
Prévaloir	je prévaux, nous prévalons	que je prévale
Prévenir (V. *Venir*)		
Prévoir	je prévois, nous prévoyons	que je prévoie
Produire	je produis, nous produisons	que je produise
Promettre (V. *Mettre*)		
Promouvoir	»	»
Proscrire	je proscris, nous proscrivons	que je proscrive

1. Le participe présent n'est employé que comme adjectif; ex. : *une mort poignante* (= qui perc

PASSÉ SIMPLE	FUTUR	IMPÉRATIF	PARTICIPE	
			PRÉSENT	PASSÉ
»	je poindrai	poins poignez	poignant (1)	point
je pourvus	je pourvoirai	pourvois, pourvoyons	pourvoyant	pourvu
je pus	je pourrai		pouvant	pu
je prédis	je prédirai	prédis, prédisons	prédisant	prédit
je pris	je prendrai	prends, prenons	prenant	pris
je prescrivis	je prescrirai	prescris, prescrivons	prescrivant	prescrit
je prévalus	je prévaudrai	prévaux, prévalons	prévalant	prévalu
je prévis	je prévoirai	prévois, prévoyons	prévoyant	prévu
je produisis	je produirai	produis, produisons	produisant	produit
»	»	»	»	promu
je proscrivis	je proscrirai	proscris, proscrivons	proscrivant	proscrit

cœur); le participe passé n'est guère usité que comme substantif ; ex. : *le point du jour.*

INFINITIF	PRÉSENT DE L'INDICATIF	PRÉSENT DU SUBJONCTIF
Provenir (V. *Venir*)		
Quérir (1) (= chercher)	»	»
Reconnaître (V. *Connaitre*)		
Recoudre (V. *Coudre*)		
Recourir (V. *Courir*)		
Recouvrir (V. *Couvrir*)		
Recueillir (V. *Cueillir*)		
Redevoir (V. *Devoir*)		
Redire (V. *Dire*)		
Réduire	je réduis nous réduisons	que je réduise
Refaire (V. *Faire*)		
Rejoindre (V. *Joindre*)		
Relire (V. *Lire*)		
Reluire (V. *Luire*)		
Remettre (V. *Mettre*)		
Remoudre (V. *Moudre*)		
Rémoudre (V. *Moudre*)		
Renaître (V. *Naître*)		
Renvoyer (V. *Envoyer*)		

1. C'est le simple de *acquérir*. On ne l'emploie plus qu'à l'infinitif et après les verbes *alle*

PASSÉ SIMPLE	FUTUR	IMPÉRATIF	PARTICIPE	
			PRÉSENT	PASSÉ
»	»	»	»	»
je réduisis	je réduirai	réduis, réduisons	réduisant	réduit

r, envoyer ; ex. : *va quérir cet homme.*

INFINITIF	PRÉSENT	
	DE L'INDICATIF	DU SUBJONCTIF
Rentraire (= raccommoder une étoffe sans que le travail ou la couture paraisse).	je rentrais, nous rentrayons	que je rentraie
Repaître	je repais, nous repaissons	que je repaisse
Reparaître (V. *Paraître*)		
Repeindre (V. *Peindre*)		
Repentir (Se)	je me repens, nous nous repentons	que je me repente
Reprendre (V. *Prendre*)		
Requérir	je requiers, nous requérons	que je requière
Résoudre	je résous, nous résolvons	que je résolve
Resservir (V. *Servir*)		
Ressouvenir (Se) (V. *Venir*)		
Restreindre	je restreins, nous restreignons	que je restreigne
Reteindre (V. *Teindre*)		
Retenir (V. *Tenir*)		
Retraire	je retrais, nous retrayons	que je retraie
Revenir (V. *Venir*)		
Revêtir (V. *Vêtir*)		
Revivre (V. *Vivre*)		

PASSÉ SIMPLE	FUTUR	IMPÉRATIF	PARTICIPE	
			PRÉSENT	PASSÉ
»	je rentrairai	rentrais, rentrayons	rentrayant	rentrait
je repus	je repaîtrai	repais repaissons	repaissant	repu
je me repentis	je me repentirai	repens-toi, repentons-nous	repentant	repenti
je requis	je requerrai	requiers, requérons	requérant	requis
je résolus	je résoudrai	résous, résolvons	résolvant	résolu, résous
je restreignis	je restreindrai	restreins, restreignons	restreignant	restreint
»	je retrairai	retrais, retrayons	retrayant	retrait

INFINITIF	PRÉSENT	
	DE L'INDICATIF	DU SUBIONCTIF
Revoir (V. *Voir*)		
Rire	je ris, nous rions	que je rie
Rompre	je romps, nous rompons	que je rompe
Saillir (= être en saillie)	il saille, ils saillent	qu'il saille
Savoir	je sais, nous savons	que je sache
Secourir (V. *Courir*)		
Séduire	je séduis, nous séduisons	que je séduise
Sentir	je sens, nous sentons	que je sente
* **Semondre** (= inviter (1) à une cérémonie)	je semonds *(rare)*	»
* **Seoir** (2)	il sied, ils siéent	qu'il siée
Servir	je sers, nous servons	que je serve
Sortir	je sors, nous sortons	que je sorte

1. *Semondre*, du latin *submonere* « avertir », est en voie de disparition.

2. *Seoir* signifie au sens propre : être assis, et n'est guère usité en ce sens qu'aux partici[...] familière : *sieds-toi* (= assieds-toi). Le participe présent *séant* est, d'autre part, employé co[...] *sied mal d'agir de la sorte*. En ce sens il emploie comme participe présent *séant* ou *seyant* ; [...]

PASSÉ SIMPLE	FUTUR	IMPÉRATIF	PARTICIPE	
			PRÉSENT	PASSÉ
je ris	je rirai	ris, rions	riant	ri
je rompis	je romprai	romps rompons	rompant	rompu
il saillit	il saillera	»	saillant	sailli
je sus	je saurai	sache, sachons	sachant	su
je séduisis	je séduirai	séduis, séduisons	séduisant	séduit
je sentis	je sentirai	sens, sentons	sentant	senti
»	je semondrai *(rare)*	»	»	»
»	il siéra	»	séant *ou* seyant	sis
je servis	je servirai	sers, servons	servant	servi
je sortis	je sortirai	sors, sortons	sortant	sorti

, sis ; ex. : *tribunal séant à Riom ; maison sise à Paris*, et à l'impératif, dans l'expression dans l'expression : *sur son séant*. Au sens figuré, il signifie : être convenable; ex. *il vous est pas séant à votre âge de ; cela vous est seyant.*

INFINITIF	PRÉSENT	
	DE L'INDICATIF	DU SUBJONCTIF
Souffrir	je souffre, nous souffrons	que je souffre
Soumettre (V. *Mettre*)		
* **Sourdre** (= sortir de terre) (1)	il sourd ils sourdent	qu'il sourde
Sourire (V. *Rire*)		
Souscrire	je souscris, nous souscrivons	que je souscrive
Soustraire	je soustrais, nous soustrayons	que je soustraie
Soutenir (V. *Tenir*)		
Souvenir (Se) (V. *Venir*)		
Subvenir (V. *Venir*)		
Suffire	je suffis, nous suffisons	que je suffise
Suivre	je suis, nous suivons	que je suive
Surfaire (V. *Faire*)		
Surprendre (V. *Prendre*)		
Surseoir	je sursois, nous sursoyons	que je sursoie
Survenir (V. *Venir*)		
Survivre (V. *Vivre*)		

1. *Sourdre* vient du latin *surgere* « surgir »; le substantif *source* a la même racine.

PASSÉ SIMPLE	FUTUR	IMPÉRATIF	PARTICIPE	
			PRÉSENT	PASSÉ
je souffris	je souffrirai	souffre, souffrons	souffrant	souffert
il sourdit	il sourdra	»	sourdant	»
je souscrivis	je souscrirai	souscris, souscrivons	souscrivant	souscrit
»	je soustrairai	soustrais soustrayons	soustrayant	soustrait
je suffis	je suffirai	suffis, suffisons	suffisant	suffi
je suivis	je suivrai	suis, suivons	suivant	suivi
je sursis	je surseoirai	sursois, sursoyons	sursoyant	sursis

INFINITIF	PRÉSENT DE L'INDICATIF	PRÉSENT DU SUBJONCTIF
Taire	je tais, nous taisons	que je taise
Teindre	je teins, nous teignons	que je teigne
Tenir	je tiens, nous tenons	que je tienne
* **Tistre** (= tisser)	»	»
Traduire	je traduis, nous traduisons	que je traduise
Traire	je trais, nous trayons	que je traie
Transcrire	je transcris, nous transcrivons	que je transcrive
Transir	»	»
Transmettre (V. *Mettre*)		
Tressaillir	je tressaille, nous tressaillons	que je tressaille
Vaincre	je vaincs, il vainc, nous vainquons	que je vainque
Valoir	je vaux, nous valons	que je vaille

1. Ce participe n'est employé que dans les temps composés, et à peu près exclusivement
texere) :

Amour de sa main
Tist et retist la toile de ma vie. (DU BELLAY).

L'infinitif *tistre* se trouve dans Montaigne. Amyot écrivait *tixtre.*

2. On trouve aussi quelquefois ce verbe à la 3e personne du singulier de l'indicatif prése

PASSÉ SIMPLE	FUTUR	IMPÉRATIF	PARTICIPE	
			PRÉSENT	PASSÉ
je tus	je tairai	tais, taisons	taisant	tu
je teignis	je teindrai	teins, teignons	teignant	teint
je tins	je tiendrai	tiens, tenons	tenant	tenu
»	»	»	»	tissu (1)
je traduisis	je traduirai	traduis, traduisons	traduisant	traduit
»	je trairai	trais, trayons	trayant	trait
je transcrivis	je transcrirai	transcris, transcrivons	transcrivant	transcrit
»	»	»	»	transi (2)
je tressaillis	je tressaillirai	tressaille, tressaillons	tressaillant	tressailli
je vainquis	je vaincrai	vaincs, vainquons	vainquant	vaincu
je valus	je vaudrai	vaux, valons	valant	valu

guré : *il* **a tissu** cette intrigue. Au XVIe siècle on conjuguait encore le verbe *tistre* (du latin

froid me *transit.*

INFINITIF	PRÉSENT	
	DE L'INDICATIF	DU SUBJONCTIF
Venir	je viens, nous venons	que je vienne
Vêtir	je vêts, nous vêtons	que je vête
Vivre	je vis, nous vivons	que je vive
Voir	je vois, nous voyons	que je voie
Vouloir	je veux, nous voulons	que je veuille

REMARQUES SUR LES CONJUGAISONS DES VERBES DU 3e GROUPE

On peut ajouter au tableau qui précède les remarques suivantes :

215. A. — Verbes en **ir** (sans *iss*).

Courir, mourir, etc. — Ces deux verbes et leurs composés ainsi que les composés de *quérir* prennent deux *r* au futur simple et au conditionnel présent : *Je cou**rr**ai, tu cou**rr**as*, etc. *Je cou**rr**ais, tu cou**rr**ais*, etc. *.

216. B. — Verbes en **oir**.

1° *Pouvoir, voir.* — Le verbe *pouvoir*, le verbe *voir* et ses composés prennent deux *r* au futur simple et au conditionnel présent : *Je pou**rr**ai, tu pou**rr**as*, etc. *Je pou**rr**ais, tu pou**rr**ais*, etc. ;

2° *Pouvoir, valoir, vouloir.* — Ces trois verbes prennent un *x*

* Les irrégularités de *courir* et de *quérir* tiennent à ce que leurs formes ne se rattachent pas aux infinitifs *courir* et *quérir*, qui ne sont pas très anciens dans la langue, mais aux vieux verbes *courre* et *querre*. *Courre* était employé encore au XVIIe siècle dans les locutions *courre le cerf, le lièvre, courre la poste*, etc., et il l'est encore aujourd'hui dans *chasse à courre*.

PASSÉ SIMPLE	FUTUR	IMPÉRATIF	PARTICIPE	
			PRÉSENT	PASSÉ
je vins	je viendrai	viens, venons	venant	venu
je vêtis	je vêtirai	vêts, vêtons	vêtant	vêtu
je vécus	je vivrai	vis, vivons	vivant	vécu
je vis	je verrai	vois, voyons	voyant	vu
je voulus	je voudrai	veuille, voulons	voulant	voulu

aux deux premières personnes du présent de l'indicatif : *Je peu**x**, tu peu**x** ; je vau**x**, tu vau**x** ; je veu**x**, tu veu**x**.*

217. C. — Verbes en **re**.

1° *Rire, rompre.* — Ces deux verbes et leurs composés ajoutent un *t* au radical de la troisième personne du singulier de l'indicatif présent : *Il ri**t**, il romp**t**, il souri**t**, il corromp**t**.*

2° Verbes en *indre* et en *soudre.* — Ces verbes :

a) Perdent le *d* aux deux premières personnes de l'indicatif présent et à l'impératif singulier : *je peins, j'absous ; tu peins, tu absous ; peins, absous.*

b) Changent le *d* en *t* à la troisième personne du singulier de l'indicatif présent : *il pein**t**, il absou**t**.*

3° *Faire, dire.* — Ces deux verbes, à la deuxième personne du pluriel de l'indicatif présent et de l'impératif, font : *Vous faites, vous dites ; faites, dites* *.

Il en est de même de tous les composés de *faire*, ainsi que du verbe *redire : Vous contrefaites, vous redites.*

Les autres composés de *dire* font *disez : Vous contredisez, contredisez-le* **.

4° *Prendre.* — Le verbe *prendre* et ses composés doublent l'*n* devant un *e* muet : *Que je pre*nne, *que nous prenions. Qu'ils appre*nn*ent, que nous apprenions* ***.

5° Verbes en *aître* et en *oître.* — Ce verbes prennent un accent circonflexe sur l'*i* toutes les fois que cet *i* est suivi d'un *t : Je croîtrais, il connaît.*

6° *Crû, accru, décru.* — Le participe passé masculin de *croître* prend l'accent circonflexe : *crû*, tandis que ceux de ses composés : *accroître, décroître*, s'écrivent sans accent : *accru, décru.*

VALEUR ET EMPLOI DES VERBES

VOIX ACTIVE

Verbes transitifs et verbes intransitifs.

218. Il y a deux sortes de verbes : les verbes *transitifs* et les verbes *intransitifs*.

On appelle verbe *transitif* **** tout verbe exprimant une action reçue par un objet :

1° Soit *directement*, c'est-à-dire sans préposition : *Pierre* **aime** *Paul.*

---

* *Vous faites* représente exactement *facitis*, comme vous *dites* représente *dicitis*.

** On ne s'étonne pas qu'il y ait eu quelque indécision, aux différents âges de la langue, sur la 2e personne du pluriel des composés de *dire*. Ainsi Molière dit (*Tartuffe*, III, 4) : *Ne m'en dédi*tes *pas*. Cf. pp. 198-199.

*** *Prendre* vient du latin *prehendere* contracté en *prendere*. Le *d* du radical est tombé en français.

**** L'action *passe* (en latin *transit*, du verbe *transire*) du sujet sur l'objet.

2° Soit *indirectement*, c'est-à-dire à l'aide d'une préposition : *Pierre* **nuit à** *Paul.*

Dans chacun des exemples Paul est l'objet de l'amitié, de la nocivité de Pierre : *aimer* est un verbe *transitif direct; nuire* un verbe *transitif indirect* *.

REMARQUE. — Les mêmes verbes peuvent s'employer comme *transitifs directs* ou comme *transitifs indirects*, avec une différence de sens : **Aider** *quelqu'un* (lui donner un secours durable) ; **aider à** *quelqu'un* (lui donner un secours momentané) ; **changer** *une chose pour une autre ;* **changer d'***avis, de vêtement ;* **servir** *quelqu'un* (être à son service) ; **servir à** *quelqu'un* (être utile) ; **suppléer** *quelqu'un* (le remplacer provisoirement) ; **suppléer à** *quelque chose* (réparer un défaut).

On appelle verbe *intransitif* tout verbe exprimant une action qui n'est pas reçue par un objet :

1° Soit qu'elle ne puisse pas passer sur un objet : *Pierre* **meurt.** *Les prix* **baissent.**

2° Soit qu'on n'indique pas l'objet par lequel l'action pourrait être reçue : *Pierre* **lit.**

Dans le premier cas, le verbe est dit *intransitif.* Dans le second il est dit *employé intransitivement* ou *absolument.*

REMARQUE. — Il résulte de ces définitions et de ces exemples qu'un même verbe peut être, selon les cas, transitif ou intransitif : *Ce marchand* **baisse** *ses prix* (*baisser* est transitif). *Les prix de ce marchand ont* **baissé** (*baisser* est intransitif).

VOIX PASSIVE

219. On peut employer à la *voix passive* :

1° *Tous* les verbes *transitifs directs : Pierre aime Paul* (voix active) ; *Paul est aimé par Pierre* (voix passive).

---

* Des verbes qui étaient autrefois *transitifs directs* sont aujourd'hui *transitifs indirects ;* inversement des verbes qui étaient *transitifs indirects* sont devenus transitifs directs.

On disait, par exemple, au XVIIe siècle : *ressembler son père,* et l'on dit maintenant : *ressembler à son père.*

On disait, au XVIIe siècle : *contredire à quelqu'un,* et l'on dit maintenant : *contredire quelqu'un.*

(Le complément d'objet direct de la première phrase est devenu le sujet de la seconde).

2° Un *certain nombre* de verbes *transitifs indirects*, autrefois transitifs directs, et que l'usage pourra seul apprendre. Ainsi *obéir*, *pardonner*, etc... : *Commandez, vous* **serez obéi.**

(On disait autrefois non pas *obéir à quelqu'un*, mais *obéir quelqu'un*).

3° Un *certain nombre* de verbes *intransitifs*, autrefois transitifs directs, et que l'usage pourra seul apprendre. Ainsi *délibérer*, etc... *L'affaire* **sera délibérée.**

(On disait autrefois non pas *délibérer sur quelque chose*, mais *délibérer quelque chose*.)

CONJUGAISON DES VERBES PASSIFS

220. Il suffit, pour conjuguer un verbe à la voix passive, d'employer *le participe passé du verbe à conjuguer* en y joignant le verbe auxiliaire *être*, et en faisant correspondre les temps comme on le voit dans le modèle qui suit : *être aimé.*

221. ÊTRE AIMÉ

INDICATIF

Présent : Je suis.	Je suis aimé.
Imparfait : J'étais.	J'étais aimé.
Passé simple : Je fus.	Je fus aimé.
Futur : Je serai.	Je serai aimé.
Passé composé : J'ai été.	J'ai été aimé
Passé antérieur : J'eus été	J'eus été aimé
Plus-que-parfait : J'avais été	J'avais été aimé
Futur antérieur : J'aurai été	J'aurai été aimé

CONDITIONNEL

Présent : Je serais	Je serais aimé.
Passé 1re *forme :* J'aurais été.	J'aurais été aimé.
Passé 2e *forme :* J'eusse été.	J'eusse été aimé.

IMPÉRATIF

Présent : Sois.	Sois aimé.
Passé : Aie été.	Aie été aimé.

SUBJONCTIF

Présent : Que je sois.	Que je sois aimé.
Imparfait : Que je fusse.	Que je fusse aimé.
Passé : Que j'aie été.	Que j'aie été aimé.
Plus-que-parfait : Que j'eusse été.	Que j'eusse été aimé.

INFINITIF

Présent : Être.	Être aimé.
Passé : Avoir été.	Avoir été aimé.

PARTICIPE

Présent : **Étant**	Étant aimé.
Passé : Ayant été.	Ayant été aimé.

VERBES AUXILIAIRES

I. — Avoir et être

222. Les verbes auxiliaires *avoir* et *être* servent, comme on l'a vu (§ 183) à former les temps *composés* et *surcomposés* des autres verbes.

223. A. — *Verbes toujours conjugués avec l'auxiliaire* **avoir**. — Se conjuguent avec l'auxiliaire *avoir :*

1° *Tous* les verbes *transitifs : J'***ai** *aimé la lecture.*

2° *La plupart* des verbes *intransitifs : J'***ai** *couru.*

REMARQUE. — *Avoir* n'est pas auxiliaire quand il signifie *posséder : J'ai une maison.*

224. B. — *Verbes toujours conjugués avec l'auxiliaire* **être**. — Se conjuguent avec l'auxiliaire être :

1° *Quelques* verbes *intransitifs*, notamment :

a) Un grand nombre de ceux qui expriment le *mouvement : aller, arriver, entrer, partir, sortir, venir* et ses composés : *Je* **suis** *entré.*

b) Ceux qui expriment un *changement d'état : décéder, devenir, échoir, éclore, mourir, naître : Ce lot m'***est** *échu.*

c) Les verbes *demeurer* et *rester : Nous* **sommes** *restés longtemps.*

2° *Tous* les verbes *pronominaux : Il s'***est** *promené. Nous nous* **sommes** *félicités mutuellement.*

3° *Tous* les verbes *passifs : Elle* **est** *très aimée.*

REMARQUE. — *Être* n'est pas auxiliaire quand il exprime l'existence ou qu'il est suivi d'un attribut ou d'un complément : *Je pense, donc je* **suis**. *Je* **suis** *malheureux. Je* **suis** *en avance.*

225. C. — *Verbes conjugués tantôt avec* **avoir**, *tantôt avec* **être**. —

Se conjuguent tantôt avec l'auxiliaire *avoir*, tantôt avec l'auxiliaire *être* * :

1° Certains verbes qui emploient *avoir* lorsqu'ils sont transitifs et *être* lorsqu'il sont intransitifs. Ainsi *monter, descendre, sortir*, etc. : *Il* **a** *monté, puis descendu la malle ; il* **est** *monté, puis descendu avec la malle. La gouvernante* **a** *sorti les enfants ; la gouvernante* **est** *sortie avec les enfants.*(On dit toutefois : *Les prix* **ont** *monté*, **ont** *descendu.*)

2° D'autres verbes qui emploient *avoir* lorsqu'ils expriment l'*action* (une action passée), et *être* lorsqu'ils expriment l'*état* (un état présent consécutif à cette action passée) : *Ce livre* **a** *paru avant-hier ; ce livre* **est** *paru depuis longtemps.*

3° Le verbe *convenir*, qui emploie *avoir* lorsqu'il signifie *plaire à*, et *être* lorsqu'il signifie *tomber d'accord : Ce délai m'***a** *convenu ; nous* **sommes** *convenus de ce qui suit.*

4° Le verbe *accourir*, qui emploie indifféremment *avoir* ou *être* sans différence appréciable de sens : *Nous* **sommes** *accourus* ou *nous* **avons** *accouru.*

AUTRES AUXILIAIRES

226. Outre les deux auxiliaires proprement dits, on emploie aussi comme auxiliaires de *temps* ou de *mode* un certain nombre de verbes.

A. — AUXILIAIRES DE TEMPS

227. Ce sont les verbes : *devoir, aller, venir*, et des locutions verbales formées du verbe *être :*

1° *Devoir* devant l'infinitif exprime une idée de *futur*, à laquelle s'ajoute parfois une idée d'*intention : Il* **doit** *venir demain. Je ne crois pas qu'il* **doive** *partir.*

---

* L'emploi de l'auxiliaire avec les verbes intransitifs ne s'est fixé qu'assez tardivement. Au XVIIe siècle encore, on se servait souvent de l'auxiliaire *avoir* avec un verbe de mouvement :

Monsieur **a** *sorti* (SCARRON).

Et l'on employait l'auxiliaire *être* où nous employons aujourd'hui l'auxiliaire *avoir* :

Le traître **est** *expiré* (RACINE).

2° *Aller*, devant l'infinitif, exprime une idée de *futur proche : Il* **va** *partir* (*= il partira bientôt*).

3° *Venir de* devant l'infinitif exprime une idée de *passé récent : Il* **vient** *de partir* (*= il est parti à l'instant*).

Au contraire, *venir à* précédé de *si* exprime une idée de *futur éventuel : Si je* **viens à** *partir, je vous le ferai savoir* (*= s'il arrive que je parte*, etc.).

4° *Être sur le point de*, devant l'infinitif, exprime une idée de *futur immédiat : Il* **est sur le point de** *partir* (*= il va partir tout de suite*).

Être à et *être en train de*, devant l'infinitif, expriment une idée de *présent qui s'accomplit : Il* **est à** *travailler* ou *il est* **en train de** *travailler* (*= il travaille présentement*).

B. — AUXILIAIRES DE MODE

228. Ce sont les verbes : *devoir, aller, faire, laisser, pouvoir, passer.*

1° *Devoir* exprime une idée :

a) Soit d'*obligation morale : On ne* **doit** *pas agir de la sorte* (*= il ne convient pas d'agir de la sorte*).

b) Soit de *nécessité : Cela* **devait** *finir ainsi* (= il était forcé que cela *finît ainsi*).

c) Soit de *probabilité : Vous* **devez** *vous tromper* (*= vous vous trompez, je crois*).

2° *Aller* s'emploie avec une négation pour exprimer une *recommandation :* **N'allez** *pas me dire* (*= ne me dites pas*) *que c'est ma faute.*

3° *Faire*, devant l'infinitif, exprime que l'action de l'infinitif n'est point faite par le sujet de la proposition principale : *Voilà ce qu'il m'a* **fait** *dire.*

4° *Laisser* s'emploie dans la locution *ne laisse pas de*, et devant un infinitif, pour former un gallicisme de sens affirmatif renforcé : *L'aventure* **ne laisse pas** *d'être émouvante* (*= l'aventure est fort émouvante*).

5° *Pouvoir* exprime :

a) Devant un *infinitif*, une idée de *probabilité : Il* **pouvait** *être midi (= il était, je crois, midi).*

b) Au subjonctif une idée de *souhait :* **Puisse**-*t-il réussir* ! *(= je souhaite qu'il réussisse).*

6° *Penser*, devant un infinitif, exprime que l'*action* a failli arriver : *Il* **pensa** *être malade (= il faillit être malade, il crut qu'il allait être malade).*

Remarque. — Le caractère d'auxiliaire de ces différents verbes est si nettement marqué que certains même peuvent être leurs propres auxiliaires : *Nous* **allons aller** *nous promener. Elle* **fit faire** *deux chapeaux.*

VOIX PRONOMINALE

229. On appelle verbe *pronominal* un verbe qui se conjugue *avec deux pronoms de la même personne.*

S'apercevoir, se brûler, se dire sont des verbes pronominaux parce qu'on dit : **Je m'***aperçois,* **tu te** *brûles,* **il se** *dit,* etc...

230. On distingue *deux catégories de verbes pronominaux :* les verbes *essentiellement pronominaux,* qui n'existent que sous la forme pronominale (on dit *s'abstenir,* mais non pas *abstenir*) — et les verbes *accidentellement pronominaux,* qui existent sous les deux formes : pronominale et non pronominale (*se quereller* à côté de *quereller*).

a) *Verbes essentiellement pronominaux.*

En voici la liste :

s'absenter
s'abstenir
s'accouder
s'adonner
s'agriffer
s'arroger
se démener
se désister
s'ébattre
s'ébrouer
s'écrier
s'écrouler
s'efforcer
s'emparer
s'empresser
s'en aller
s'enfuir
s'enquérir
s'entr'aider
s'envoler
s'éprendre
s'évader
s'évanouir
s'évertuer
s'exclamer
s'extasier
se formaliser
se gargariser
se gendarmer
s'ingénier
s'insurger
se méfier
se méprendre
s'obstiner
s'opiniâtrer
se raviser
se rebeller
se récrier
se réfugier
se remparer
se rengorger
se repentir
se soucier
se souvenir
se suicider

b) *Verbes accidentellement pronominaux.*

Parmi les verbes accidentellement pronominaux, on distingue :

1° Les verbes pronominaux *réfléchis*, exprimant une action qui, faite par le sujet, *se réfléchit* ou retombe sur lui : *Elle s'est meurtrie* (= elle a meurtri elle).

2° Les verbes pronominaux *réciproques*, exprimant une action qui, faite par plusieurs sujets, agit de l'un sur l'autre (et des uns sur les autres) : *Ils se sont vus (l'un l'autre* ou *les uns les autres).*

3° Les verbes pronominaux *irréfléchis*, qui comprennent :

a) Des verbes *n'ayant pas le même sens à la forme pronominale et à la forme non pronominale :*

s'apercevoir	*s'ennuyer*	*se rire*
s'attaquer	*se jouer*	*se saisir*
s'attendre	*se plaindre*	*se servir*
se douter	*se prévaloir*	*se taire*

Elle s'était attendue à votre visite (*s'attendre* n'équivaut pas à *attendre soi*).

b) Des verbes à *sens passif : se jouer* (= être joué) ; *se vendre* (= être vendu), etc. *Cette pièce s'est jouée* (= *a été jouée*) *pendant deux saisons.*

Tous ces verbes pronominaux, quelle que soit leur catégorie, forment leurs temps composés avec l'auxiliaire *être*, mis pour *avoir : Je me* **suis** *coupé* (= *j'ai coupé moi*).

Remarque. — Toutefois l'*infinitif* de quelques-uns de ces verbes peut être employé sans *pronom réfléchi* après le verbe *faire* * : *Ils l'ont fait* **envoler.** *Ils l'ont fait* **évader**, etc.

---

* *a)* Autrefois cette ellipse du pronom réfléchi était plus fréquente. On en usait non seulement après le verbe *faire*, mais encore après les verbes *laisser*, *voir*, etc. :
Je la laisse **expliquer** (= *s'expliquer*) *sur tout ce qui me touche* (Racine).

b) Il sied de noter en outre que des verbes aujourd'hui non pronominaux étaient autrefois pronominaux et, inversement, que des verbes aujourd'hui pronominaux s'employaient autrefois sans pronom.

Au xviie et même encore au xviiie siècle, on disait, par exemple : *s'éclater* pour *éclater*, *s'encourir* pour *courir*, etc. :
Le premier qui les vit de rire **s'éclata** (= *éclata*) (La Fontaine).

Et l'on disait tout au contraire : *moquer* pour *se moquer de*, *dresser* pour *se dresser*, *railler de* pour *se railler de*, etc. :
De **railler d'***un auteur qui ne sait pas nous plaire,*
C'est ce que tout lecteur eut toujours droit de faire (Boileau).

VERBES IMPERSONNELS

231. On appelle *verbe impersonnel* un verbe qui ne se conjugue qu'à la 3e personne du singulier, et dont le sujet, qui est le pronom neutre *il*, ne représente aucune personne déterminée.

Tantôt ce sujet *il* forme tout seul avec le verbe la proposition, et l'on dit que le verbe est *essentiellement impersonnel*. Les seuls verbes essentiellement impersonnels sont ceux qui expriment les phénomènes de la nature : **Il** *neige*, **il** *pleut*, **il** *grêle*, **il** *tonne*, **il** *gèle*, **il** *bruine* *, etc.

REMARQUE. — Les verbes essentiellement impersonnels se conjuguent comme les verbes transitifs et emploient l'auxiliaire *avoir : Il* **a** *neigé, il* **a** *plu, il* **a** *grêlé*, etc.

Tantôt ce sujet *il* n'est qu'un sujet *grammatical* ou *apparent* qui annonce un sujet *logique* ou *réel*, et l'on dit que le verbe est *accidentellement impersonnel :* **Il** *pleut* **du sang** (= *du sang pleut*).

Cette dernière forme se rencontre :

1o Avec des verbes actifs : *Il* **pleut** *du sang.*

2o Avec des verbes passifs : *Il* **a été trouvé** *un parapluie.*

3o Avec des verbes pronominaux : *Il* **se trouva** *quelqu'un pour dire.*

Le sujet réel annoncé peut être :

Soit un singulier : *Il tomba* **une feuille** (= *une feuille tomba*).

Soit un pluriel : *Il y a* **des gens** *qui disent* (= *des gens sont...*).

Soit un infinitif : *Il est bon* **de courir** (= *courir est bon*).

Soit une proposition : *Il me souvient* **que nous étions tous les trois** (= [*le fait*] *que nous étions tous les trois me vient à la mémoire*).

REMARQUE. — Ces verbes conservent leur auxiliaire : *Il* **a** *plu du sang. Il s'***est** *trouvé quelqu'un pour dire...*

---

* Devant ces expressions : il neige *(ningit)*, il pleut *(pluit)*, etc., les Latins sous-entendaient un véritable sujet personnifié : *Jupiter* ou *le Ciel*, dont tient lieu en français le pronom *il*.
Aussi, au XVIIe siècle encore, trouve-t-on employé au lieu de *il* un véritable nom :
Dieu pleut *sur les justes et les injustes* (BOSSUET).
Notre homme *tranche du roi des airs, pleut, vente* (LA FONTAINE).

LES MODES ET LES TEMPS

232. Chaque *mode* et chaque *temps* ont, à côté de leur signification *propre* ou *générale,* des significations *particulières* ou *secondaires.*

A. — L'INDICATIF

233. L'*indicatif* exprime, d'une façon générale, une action *réelle, certaine ;* il marque que le fait exprimé *a lieu, a eu lieu* ou *aura lieu.*

EMPLOI DES TEMPS DE L'INDICATIF

Présent

234. Signification générale. — On emploie le présent de l'indicatif pour exprimer un fait qui a lieu *au moment où l'on parle : Je dîne.*

Signification secondaire — On emploie aussi le présent pour exprimer :

1° Un fait *habituel* ou *vrai dans tous les temps* (qui peut donc être *considéré comme toujours présent*) :

> *J'***aime** *la lecture.*
> *Patience et longueur de temps*
> **Font** *plus que force ni que rage* (La Fontaine).
> *Nous avons appris que la terre* **tourne** *.

2° Le *passé proche ou lointain : Il* **sort** *à l'instant* (= *il est sorti à l'instant*). *Hannibal* **traverse** *les Alpes* (= *Hannibal a traversé les Alpes*).

---

* On pourrait dire aussi en appliquant la concordance des temps : *nous avons appris que la terre* **tournait.** Mais l'emploi ici du présent, contrairement à cette concordance, montre bien avec quelle force s'imposent les vérités d'ordre permanent.

C'est ce présent, souvent employé dans les récits pour donner plus de vivacité à la phrase et *pour nous rendre le passé en quelque sorte présent*, qu'on appelle parfois *présent de narration* ou *présent historique* *.

3° Le *futur proche* (si proche qu'il peut être *considéré comme déjà réalisé et présent*) : *Il m'annonce qu'il* **part** *demain* (= *qu'il partira, qu'il va partir* *).

Il s'ensuit qu'une phrase comme : *nous dînons à huit heures*, peut avoir deux sens : *nous avons l'habitude de dîner à huit heures* ou *nous dînerons ce soir à huit heures.*

REMARQUE. — Après la conjonction conditionnelle *si*, on emploie *le présent au lieu du futur*, quand la proposition principale est *au futur : Si tu* **viens** (= *si tu viendras*), *tu me feras plaisir.*

Cet emploi du présent constitue un véritable *gallicisme*, d'autres langues usant ici plus logiquement du futur, et plus logiquement encore du futur antérieur **.

IMPARFAIT

235. SIGNIFICATION GÉNÉRALE. — On emploie l'imparfait de l'indicatif pour exprimer un fait qui a lieu en même temps qu'un autre fait déjà accompli, donc *présent par rapport au passé : Il* **était** *tout petit quand ses parents ont quitté le pays.*

Par suite on l'emploie pour exprimer un fait passé dans une proposition subordonnée, quand le verbe de la proposition principale est à un temps passé : *Je vous ai écrit que j'***étais** *souffrant.*

Toutefois on peut employer dans ce cas le présent, pour marquer que le fait *a encore lieu au moment où l'on parle : J'ai appris que tu* **es** *fâché contre moi.*

— ou qu'il existe dans tous les temps : *Nous avons appris que la terre* **tourne.**

---

* Les vers suivants fournissent un exemple de ce double emploi du présent pour le passé et pour le futur :

> Mais hier *il m'aborde*, et, me tendant la main :
> « Ah ! monsieur, m'a-t-il dit, *je vous attends demain.* » (BOILEAU).
> (= il m'abord*a*, je vous attend*rai*).

** Cf. le latin : *si* **veneris, lætabor** « si tu viens, tu me feras plaisir », littéralement « si tu seras venu, tu me feras plaisir ».

Signification secondaire. — On emploie aussi l'imparfait pour exprimer :

1° Un fait *habituel dans le passé : Vulcain* **était** *boiteux. Dans l'ancienne Rome on* **brûlait** *les morts.*

2° Un présent atténué ou respectueux (en usant des verbes *vouloir, venir, penser*, etc., suivis d'un infinitif) : *Je* **voulais** *vous dire que...* (Formule de respect au lieu de : *je vous dis*).

Je **venais** *vous annoncer que... Je* **pensais** *que vous feriez bien de...*, etc.

(On a l'air de parler d'une action qu'on avait l'intention de faire, mais qu'on ne fera pas si elle doit déplaire, alors qu'en réalité on la fait).

Remarques. — 1° Après la conjonction conditionnelle *si*, on emploie l'imparfait au lieu du conditionnel pour exprimer la *supposition*, quand le verbe de la proposition principale est au conditionnel : *Je resterais encore, si vous le* **vouliez** (= *si vous le voudriez*).

Cet emploi de l'imparfait constitue un véritable *gallicisme*.

2° Après *oh! si, si* ou *que ne*, on emploie l'imparfait dans une proposition exprimant le souhait se rapportant à l'avenir : *Si je* **pouvais** *lui parler!*

3° Avec les verbes *devoir, falloir, pouvoir*, on emploie l'imparfait au lieu du conditionnel passé pour exprimer un fait qui devait ou pouvait avoir lieu à un moment du passé, mais qui ne s'est pas accompli : *Je* **devais** *le prévoir* (= j'aurais dû). *Il* **fallait** *m'avertir* (= il eût fallu m'avertir).

4° Avec les verbes *devoir, falloir, pouvoir*, on emploie l'imparfait au lieu du conditionnel passé pour marquer la délibération : *Que devais-je faire?* (= qu'eussé-je dû faire).

5° Dans le style indirect (voir § 419), l'*imparfait* tient lieu du présent :

> *Des députés du peuple rat*
> *S'en vinrent demander quelque aumône légère :*
> *Ils* **allaient** *en terre étrangère* (= nous allons, dirent-ils...)
>
> (La Fontaine).

Passé simple ou défini

Signification générale. — On emploie le *passé simple de l'indicatif* pour exprimer un *fait qui a eu lieu dans un temps déterminé*, sans aucune considération des conséquences qu'il peut avoir dans le présent : *Louis XIV* **annexa** *la Franche-Comté.*

Signification secondaire. — On emploie aussi le *passé simple* pour exprimer une *vérité d'expérience*, notamment dans les maximes ou sentences : *Qui ne sait se borner ne* **sut** *jamais écrire* (= *qui ne sait se borner ne sait pas écrire*) (BOILEAU).

REMARQUE. — Le passé simple s'emploie surtout dans la langue littéraire ; c'est le temps naturel du récit historique, où la succession des faits est sans rapport avec le présent, et où le présent ne s'emploie (voir plus haut, § 234) que pour donner plus de vivacité au récit. Mais il tend à disparaître de la langue parlée, sauf dans le Midi, et à céder la place au passé composé.

PASSÉ COMPOSÉ OU INDÉFINI

237. SIGNIFICATION GÉNÉRALE. — On emploie le passé composé de l'indicatif pour exprimer *un fait qui a eu lieu dans un temps indéterminé :* **J'ai terminé** *mon travail*; ou *un fait qui a eu lieu dans une période de temps généralement récente*, et dont on considère les conséquences dans le présent : **J'ai terminé** *mon travail aujourd'hui.*

SIGNIFICATIONS SECONDAIRES. — On emploie aussi le passé composé pour exprimer :

1° Comme le passé simple, une *vérité d'expérience*, notamment dans les maximes ou sentences :

De tout temps

Les petits **ont pâti** *des sottises des grands* (= *les petits pâtissent des sottises des grands*) (LA FONTAINE).

2° Un *futur proche, avec la valeur d'un futur antérieur :*

Attends-moi, **j'ai fini** (= *j'aurai bientôt fini*).

Je viendrai voir tout à l'heure quelle décision **vous avez prise** (= *vous aurez prise*).

3° Un passé simple (voir plus haut, § 236, *Remarque*).

REMARQUE. — On trouve aussi les verbes auxiliaires *devoir*, *falloir* et *pouvoir* au passé composé suivi d'un infinitif présent, par une interversion illogique des temps, au lieu du présent suivi d'un infinitif passé : *Vous* **avez dû** *le voir* (pour *vous devez l'avoir vu*). *Vous* **avez pu** *faire une erreur* (pour *vous pouvez avoir fait une erreur*).

Passé antérieur

238. Signification générale. — On emploie le passé antérieur de l'indicatif pour exprimer, *corrélativement avec le passé défini ou le passé indéfini,* un fait qui a eu lieu *une fois* à une époque précédant une autre époque également passée : *Dès que nous* **eûmes fini,** *nous* **allâmes** (*nous* **sommes allés**) *nous promener* (action non habituelle).

Signification particulière. — On emploie aussi le passé antérieur souvent accompagné d'un adverbe ou d'une locution adverbiale de temps ou de manière, pour exprimer l'*achèvement rapide* d'une action :

Et le drôle **eut lapé** *le tout en un moment.*

(La Fontaine).

Remarque. — On a tendance aujourd'hui à remplacer de plus en plus le passé antérieur par un temps surcomposé, et par exemple, au lieu de : *Dès que nous* **eûmes fini,** *nous* **sommes allés** *nous promener.* De dire : *Dès que nous* **avons eu fini,** *nous sommes allés nous promener.*

Plus-que-parfait

239. Signification générale. — On emploie le plus-que-parfait de l'indicatif pour exprimer, *corrélativement avec l'imparfait,* une *action habituelle qui s'est faite* (ou un état habituel qui a existé) *à une époque précédant une autre époque également passée : Dès que nous* **avions fini,** *nous* **allions** *nous promener* (action habituelle).

Par suite on l'emploie pour remplacer le passé (simple ou composé) dans une proposition subordonnée quand le verbe de la proposition principale est à un temps passé : *Je croyais (je crus, j'ai cru) qu'il* **avait fini.**

Significations secondaires — On emploie aussi le plus-que-parfait pour exprimer :

1° Le *conditionnel passé* dans une proposition principale : *Une heure de plus, et vous* **aviez fini** (= vous auriez fini).

2° Un *présent très atténué* ou *très respectueux* (en usant des verbes *vouloir, venir, penser,* etc., suivis d'un infinitif) : *J'*avais voulu *vous dire que... J'***étais venu** *vous annoncer que... J'***avais pensé** *que vous feriez bien de...*

REMARQUE. — Après la conjonction conditionnelle *si*, on emploie le plus-que-parfait de l'indicatif au lieu du conditionnel passé, pour exprimer la *supposition*, quand le verbe de la proposition principale est au *conditionnel : Si* **j'avais su** (= *si j'aurais su*), *je ne vous aurais pas fait cette confidence.*

Cet emploi du plus-que-parfait constitue un véritable *gallicisme.*

Si la proposition principale est supprimée, la conjonction *si* suivie du plus-que-parfait du subjonctif exprime le regret : *Ah!* **si j'avais su !**

FUTUR SIMPLE

240. SIGNIFICATION GÉNÉRALE. — On emploie le futur simple de l'indicatifpour exprimer un *fait qui aura lieu : Je* **partirai** *en avril.*

SIGNIFICATIONS PARTICULIÈRES. — On emploie aussi le futur simple pour exprimer :

1° *L'affirmation atténuée* d'un fait présent : *Je vous* **demanderai** *la permission de partir* (= *je vous demande*).

C'est ce qu'on appelle parfois le *futur de politesse.*

REMARQUE. — Il y a toutefois une nuance entre l'indicatif futur employé par politesse pour le présent, et le conditionnel : *Je vous* **serai** *obligé de...* est plus impératif ; *je vous serais obligé de...*, est plus poli.

2° *L'ordre, la prescription, le conseil,* etc. (à la place de l'impératif) : *Tes père et mère* **honoreras** (= *honore tes père et mère*).

REMARQUE. — Quand ce futur est employé sous la forme interrogative, l'ordre est encore plus formel : *Vous tairez-vous ?* (= *taisez-vous tout de suite*).

3° Le *passé,* dans un récit où l'auteur se plaçant par la pensée au moment où se passent les événements, emploie le futur en parlant d'événements maintenant passés, mais qui alors étaient encore futurs : *Louis XIV part en guerre. Bientôt il* **sera** *vainqueur, et l'ennemi* **demandera** *la paix.*

4° Le *présent,* mais un présent contre lequel on s'indigne en le tenant pour prolongé dans le futur : *Quoi ! ces gens* **se moqueront** *de moi !* (LA FONTAINE).

5° Un *fait conjectural,* avec les verbes *être* et *avoir :* Pierre n'est pas ici : *il* **aura** (= il a sans doute) *encore sa migraine.*

Futur antérieur

241. Signification générale. — On emploie le futur antérieur de l'indicatif pour exprimer :

1° Un fait qui *aura lieu,* mais qui *sera déjà passé par rapport à un autre fait futur : Quand* **il aura fini,** *il s'en ira.*

2° Le résultat, déjà considéré comme acquis, d'une action future : *Il* **aura fini** *en un moment.*

Significations particulières. — On emploie aussi le futur antérieur pour exprimer :

1° *L'affirmation très atténuée d'un fait passé : Il* **sera venu** *en mon absence et ne m'***aura pas trouvé** (= *sans doute il est venu en mon absence et ne m'a pas trouvé*). **J'aurai** *sans doute mal* **entendu.**

2° *L'ordre, la prescription,* etc. (à la place d'un impératif futur antérieur) : **Vous aurez** *tout* **fini** *quand nous rentrerons.*

Remarque. — Quand ce futur antérieur est employé, sous la forme interrogative, l'ordre est encore plus formel : **Aurez-vous** *bientôt* **fini**?

3° *Le passé,* dans un récit où l'auteur se plaçant au présent au moment où se passent les événements, emploie le futur en parlant d'événements passés, mais qui alors étaient futurs, et le futur antérieur en parlant d'événements antérieurs à ceux-là : *Louis XIV part en guerre. En six mois il* **aura remporté** *maintes victoires et l'ennemi fera la paix.*

B. — L'IMPÉRATIF

242. Signification générale. — L'impératif exprime d'une façon générale, le *commandement,* l'*exhortation,* le *conseil.*

FORMES

243. L'impératif n'est usité qu'à la 2e personne du singulier, à la 1re et à la 2e personne du pluriel.

Remarque. — La 1re personne du singulier est remplacée soit par la 1re personne du pluriel en laissant au singulier l'attribut et les autres mots qui se rapportent au sujet :

Soyons *indigne sœur d'un si généreux frère.* (Corneille).

Soit la 2e personne du singulier, comme si l'on parlait à autrui :
Rentre *en toi-même, Octave, et* **cesse** *de te plaindre* (CORNEILLE).
La 3e personne du singulier et du pluriel est remplacée par la personne correspondante du subjonctif : *Qu'il travaille, qu'ils travaillent.*

EMPLOI DES TEMPS

PRÉSENT

244. On emploie le présent de l'impératif pour exprimer le *présent* et le *futur : Pars* tout de suite. *Pars* dans deux mois.

PASSÉ

245. On emploie le passé de l'impératif pour exprimer qu'un ordre doit être accompli *dans un délai déterminé*, donc *avec la valeur d'un futur antérieur : Soyez parti dès demain* (= vous serez parti dès demain).

REMARQUE. — Pour atténuer ce qu'un *ordre*, une *exhortation*, un *conseil* peuvent avoir de trop catégorique, on se sert de *veuille* ou de *veuillez*, avec un infinitif : on semble ainsi faire dépendre l'exécution de l'ordre de la seule volonté de celui à qui on le donne : **Veuillez** *vous asseoir* (forme atténuée et polie, pour *asseyez-vous*). **Veuillez** *agréer mes compliments* (forme polie pour *agréez mes compliments*).

SIGNIFICATION PARTICULIÈRE. — L'impératif s'emploie aussi dans des phrases faites de deux propositions juxtaposées pour exprimer non pas le commandement, mais la *supposition :*

Oignez *vilain, il vous poindra* (= *si vous oignez (caressez) un vilain, il vous poindra* [fera du mal].

Faites-le *ou* **ne le faites pas,** *je m'en moque* (= *que vous le fassiez ou ne le fassiez pas, je m'en moque*).

— ou la *concession :*

Querellez ciel et terre et **maudissez** *le sort* (= je veux bien que vous querelliez... et que vous maudissiez...). *Mais après le combat ne pensez plus au mort* (CORNEILLE).

C. — LE CONDITIONNEL

246. Le conditionnel exprime, d'une façon générale, qu'une chose *aurait lieu moyennant une condition.*

Présent

247. Signification générale. — On emploie le *présent du conditionnel* pour exprimer une idée dont la réalisation dépend d'une condition exprimée ou sous-entendue : *Je* **serais** *content, si vous veniez me voir. Je le* **ferais** *si vous m'aidiez un peu. Il ne* **bougerait** *pas pour si peu.*

Significations particulières — On emploie encore le présent du conditionnel :

1° Par *politesse,* comme une sorte d'*indicatif présent atténué : Je* **voudrais** *vous parler quelques minutes.* (Moins autoritaire que : *Je* **veux** *vous parler quelques minutes.*)

Pourrais-*je ne pas vous aimer?* (Moins direct que : **Puis**-*je ne pas vous aimer?*)

2° Précédé d'un mot interrogatif : *que, combien, où,* etc., pour exprimer la *délibération* dans le présent : *Que* **ferais**-*je?* (= je me demande ce que je dois faire). *Où m'***enfuirais**-*je?* (= je me demande où je pourrais m'enfuir).

3° Pour traduire, dans une proposition exclamative, la *possibilité* dans le présent avec une nuance d'étonnement ou d'indignation : *Moi! je m'***arrêterais** *à de vaines menaces!* (Racine).

4° Après la locution conjonctive *quand même:* **Quand même** *vous me le* **diriez**, *je ne le croirais pas.*

Remarque. — On peut remplacer la locution *quand même* par *que* placé entre les deux propositions : *Vous me le* **diriez, que** *je ne le croirais pas.*

5° Dans certaines propositions exprimant une *supposition,* avec inversion de pronom personnel sujet : *Cela* **serait-il** *vrai, ce n'est pas bon à dire* (= *même si cela est vrai, ce n'est pas bon à dire*).

Remarque. — Le conditionnel peut être, dans ce cas, remplacé par l'imparfait du subjonctif : *Cela* **fût-il** *vrai, ce n'est pas à dire* *.

---

* Cet imparfait du subjonctif n'est en réalité qu'une seconde forme du conditionnel présent, qu'on trouve employée jusqu'au milieu du XVIIe siècle :

Un mot seul, un souhait **dût** *l'avoir emporté* (Corneille).

Vous **dussiez** *avoir honte* (Boisrobert).

6° A la place du futur de l'indicatif, dans une proposition subordonnée, lorsqu'on veut présenter le fait d'une manière *moins affirmative : Votre sœur m'a dit que vous* **iriez** *à la campagne.* (Moins formel dans l'affirmation que : *Votre sœur m'a dit que vous* **irez** *à la campagne.*)

Passé

FORMES

248. Le *passé du conditionnel* a deux formes :

La première formée de *j'aurais* (ou *je serais*) avec le participe passé ;

la seconde formée de *j'eusse* (ou *je fusse*) avec le participe passé et qui n'est autre que le plus-que-parfait du subjonctif sans *que.*

EMPLOIS

A. — La première de ces formes a, dans le passé, tous les emplois qu'a le présent du conditionnel, dans le présent.

Signification générale. — On se sert du *passé du conditionnel* pour exprimer une idée dont la réalisation dépendait d'une condition, exprimée ou sous-entendue : *J'***aurais été** *content si vous étiez venu me voir. Je l'***aurais fait**, *si vous m'aviez un peu aidé. Il n'***aurait** *pas* **bougé** *pour si peu.*

Significations particulières — On emploie encore le passé du conditionnel :

1° Par *politesse,* comme une sorte d'*indicatif très atténué : J'***aurais voulu** *vous parler quelques minutes.* (Moins autoritaire que : *Je* **veux** *vous parler quelques minutes* et même que : *Je* **voudrais** *vous parler quelques minutes).*

Aurais-je pu *ne pas vous aimer?* (Moins direct que : **Puis-***je ne pas vous aimer?* et même que : **Pourrais-je** *ne pas vous aimer?*).

2° Précédé d'un mot interrogatif : *que, combien, où,* etc., pour exprimer la *délibération* dans le passé : *Qu'***aurais-***je* **fait**? (= *je me demande ce que j'aurais dû faire*). *Où me* **serais-je enfui?** (= *je me demande où j'aurais pu m'enfuir*).

3° Pour traduire, dans une proposition exclamative, la *possibilité* dans le passé, avec une nuance d'étonnement ou d'indignation : *Moi ! je me* **serais arrêté** *à de vaines menaces !*

4° Après la locution conjonctive *quand même :* **Quand même** *vous me l'***auriez dit,** *je ne l'aurais pas cru.*

REMARQUE. — On peut remplacer la locution *quand même* par *que* placé entre les deux propositions : *Vous me l'***auriez dit, que** *je ne l'aurais pas cru.*

5° Dans certaines propositions exprimant une *supposition,* avec inversion du pronom personnel sujet : *Cela* **aurait-il été** *vrai, ce n'était pas bon à dire* (= *même si cela avait été vrai, ce n'était pas bon à dire*).

6° A la place du futur antérieur de l'indicatif, dans une proposition subordonnée : *Votre sœur m'avait dit que vous* **seriez allé** *à la campagne.*

B. — La seconde de ces formes peut remplacer la première, mais ne s'emploie plus guère que dans la langue écrite.

REMARQUE. — Dans les phrases où une conditionnelle commençant par *si* accompagne la principale, on peut employer indifféremment la 1re forme dans la conditionnelle et la 2e forme dans la principale ou la 2e forme dans la conditionnelle et la 1re dans la principale, mais il est plus élégant d'employer la même forme dans l'une et dans l'autre et de dire, par exemple : **J'aurais été** *content, si vous* **étiez venu** *me voir ;* ou : **J'eusse été** *content, si vous* **fussiez venu** *me voir* *.

D. — LE SUBJONCTIF

249. Bien que le *subjonctif* soit essentiellement, comme l'indique son nom **, le mode de la proposition *subordonnée,* il s'emploie quelquefois aussi dans les propositions *principales* ou *indépendantes,* et il exprime, d'une façon générale, la *possibilité.*

A. — DANS LES PROPOSITIONS INDÉPENDANTES OU PRINCIPALES.

250. On emploie le subjonctif dans les propositions indépendantes ou principales pour exprimer :

* Au XVIIe siècle encore on employait souvent les verbes *devoir, pouvoir, falloir* à l'imparfait ou au passé de l'*indicatif* dans le sens du *conditionnel passé : Je* **devais** (= *j'aurais dû*) *par la royauté avoir commencé mon ouvrage* (LA FONTAINE).
Vous avez dû (= *vous auriez dû*) *garder votre gouvernement* (LA FONTAINE).
Anatole France s'est plu parfois à employer cet imparfait dans le même sens, par une archaïque élégance.

** *Subjonctif* vient du latin *subjunctivus* « joint en-dessous, subordonné ».

a) L'*ordre*, l'*exhortation*, le *conseil*, à la 3e personne. C'est le subjonctif tenant lieu d'impératif dont il a été parlé plus haut (§ 243, *rem.*) :

... Que Votre Majesté
Ne se mette pas *en colère!* (LA FONTAINE).

b) Le *souhait :*

Viennent *les ans! J'aspire à cet âge sauveur...* (SULLY-PRUDHOMME).

Puissé-je *réussir !*

c) L'*indignation : Moi!* **que je fasse** *cela!*

d) La *supposition :* **Soit** *la droite AF*, etc...

e) La *concession :* **Soit.**

f) L'*affirmation atténuée*, à la première personne seulement : *Personne n'a pu vous le dire*, **que je sache** * (= *je crois savoir que personne n'a pu vous le dire*) ; **je ne sache pas** *qu'il soit malheureux* **.

B. — DANS LES PROPOSITIONS SUBORDONNÉES.

251. On emploie le subjonctif dans les propositions subordonnées :

a) Quand la proposition principale exprime :

1o La volonté, le commandement : *Je veux qu'il* **sorte**. *Ordonnez que le coupable* **soit châtié**.

2o Un sentiment (désir, souhait, crainte, regret, etc.) : *Je désire et souhaite que tu* **viennes**. *Craignons que cela ne se* **fasse**. *Je regrette que vous ne* **soyez** *pas ici. Il faut que vous m'***écoutiez**.

3o Le doute, soit nettement exprimé, soit implicitement contenu dans la pensée (propositions principales dubitatives, interrogatives ou négatives) : *Je doute qu'il* **vienne**. *Êtes-vous d'avis que nous* **fassions** *ce voyage? Je ne pense pas qu'il* **vienne**.

---

* Cette tournure vient du latin *quod sciam* « [pour autant] que je sache ».

** On voit, par les exemples donnés de l'emploi du subjonctif dans les propositions principales ci-dessus, que ce subjonctif est parfois *précédé*, parfois *non précédé* de *que*. L'ellipse de *que*, comme le montrent les vieilles locutions *vaille que vaille*, *coûte que coûte*, *advienne que pourra* (=[qu'il en] vaille [ce qu']il en peut valoir, [qu'il en] coûte [ce qu']il en peut coûter,[qu']il advienne [ce qu']il pourra) était beaucoup plus fréquente autrefois, et encore au XVIIe siècle, qu'aujourd'hui :

Un plus savant le fasse (= [*qu'*]*un plus savant*, etc.) (LA FONTAINE).
Non, monsieur, ou je meure! (= *ou* [*que*] *je meure!*) (RACINE).

Remarque. — Toutefois, après une proposition principale interrogative ou négative, on emploie dans la subordonnée *l'indicatif* et non pas le subjonctif, si l'on veut exprimer une réalité ou une vérité regardée comme un fait : *A quoi voyez-vous qu'il* **est** *malade ? Je ne puis m'imaginer qu'il* **part** *ce soir.*

b) Quand la proposition subordonnée est introduite :

1° Par un pronom ou un adjectif relatif entraînant une conséquence possible : *Donnez-moi un remède qui me* **guérisse.**

Remarque. — Toutefois, dans ce cas aussi, on emploie dans la subordonnée l'*indicatif* et non pas le subjonctif, si l'on veut exprimer une réalité ou une vérité regardée comme un fait : *Donnez-moi un remède qui* **guérit.**

Vouloir ce que Dieu veut est la seule science
Qui nous **met** *en repos* (Malherbe).

2° Par une des locutions conjonctives suivantes :

A condition que	*Loin que*	*Quoique*
A moins que	*Non que*	*Sans que*
Afin que	*Pour peu que*	*Si peu que*
Avant que	*Pour que*	*Si... que*
Bien que	*Pourvu que*	*Si tant est que*
De crainte que	*Quel... que*	*Soit que*
De peur que	*Quelque... que*	*Supposé que*
Encore que	*Qui que*	
Jusqu'à ce que	*Quoi que*	

Pour peu que vous **ayez** *du cœur, vous aurez pitié de ce pauvre homme.*

Remarques. — 1° Après les locutions conjonctives : *de manière que, de sorte que, en sorte que, tellement que, tel que,* on emploie :

Le *subjonctif* pour exprimer un fait incertain (à venir), c'est-à-dire une *possibilité : Agissez de telle sorte que tout le monde* **soit** *content;*

L'*indicatif* pour exprimer un fait positif (accompli), c'est-à-dire une *réalité : Il a agi de telle sorte que tout le monde* **est** *content.*

2° Dans les propositions subordonnées causales, on use pour les mêmes raisons du *subjonctif* après *que* (fait vague), et de l'*indicatif* après *de ce que* (fait certain et positif) : *Il se plaint* **qu'***on* **l'ait insulté.** *Il se plaint* **de ce qu'***on* **l'a insulté.**

E. — L'INFINITIF

252. L'*infinitif* exprime l'idée verbale d'une manière vague et impersonnelle, et peut avoir soit une valeur de *nom,* soit une valeur de *verbe.*

I. — INFINITIF EMPLOYÉ COMME NOM

253. Comme nom, c'est-à-dire employé substantivement, il peut quelquefois être précédé de l'article * et peut toujours servir de sujet, d'attribut, de complément : **Mentir** (sujet) *est chose honteuse. Souffler n'est pas* **jouer** (attribut). *Je veux* **agir** (compl. d'objet direct). *Le plaisir de* **voyager** (compl. de nom). *Capable de* **réussir** (compl. d'adjectif). *Il est rentré pour* **lire** (compl. circonstanciel).

REMARQUES. — 1° L'infinitif, sujet des propositions, est souvent accompagné de la préposition *de*, qui, dans ce cas, est purement explétive ** : *Il importe* **d'agir** (= *agir importe*). *Le plus sûr est* **de parler** (= *parler est le plus sûr*).

2° Quelle que soit la fonction de l'infinitif, il peut toujours avoir des compléments : *Il est bien de* **faire son devoir**. *Il aime* **faire son devoir**. *Le plaisir* **de faire son devoir**, etc..

3° L'infinitif complément d'objet peut suivre directement certains verbes, tels qu'*aller, compter, daigner, désirer, devoir, faire, laisser, paraître, vouloir*, etc. : *Je* **vais sortir**. *Il* **daigna sourire**.

Mais il est amené par *de* ou *à* après beaucoup de verbes dont l'objet, s'il est un nom, se construit directement : *Il nous* **conseilla de voyager** (et : *il nous* **conseilla un voyage**). *Il* **apprit à peindre** (et : *il* **apprit la peinture**).

Parfois l'infinitif se construit immédiatement après un verbe ou est joint à ce verbe par une préposition, *a)* tantôt avec une différence de sens : *Il ne fait que sortir* (= il sort sans cesse). *Il ne fait que de sortir* (= il vient de sortir). *b)* tantôt sans différence appréciable : *Il aime* **parler**. *Il aime* **à parler**. *Il souhaite* **réussir**. *Il souhaite* **de réussir**.

Parfois aussi il se construit, avec un sens différent, joint au verbe par des prépositions différentes : *Il a fini* **de crier**. *Il a fini* **par crier**.

4° Il ne faut pas qu'il y ait d'équivoque sur la relation de l'infinitif avec le sujet ou avec un complément. La relation avec le sujet prime toute autre. Ainsi dans cette phrase : *Je les ai vus avant de partir*, ces mots: *avant de partir*, ne peuvent se rapporter qu'au sujet. Si l'on veut parler du départ de *ceux qui*

---

* On a vu plus haut (§ 51) que certains infinitifs sont en français de véritables noms, pouvant être accompagnés d'articles, voire d'adjectifs, et se mettre au pluriel : *le* **lever**, *le* **coucher**, *le* **boire** *et le* **manger**; *un grand* **pouvoir**; *des* **déjeuners**, *des* **devoirs**, etc. La langue tend à diminuer le nombre de ces infinitifs-substantifs, si fréquents au XVIIe siècle : *le grand* **lever**, *le petit* **coucher** *du Roi*, etc. L'orthographe même a plusieurs fois achevé cette distinction entre l'infinitif et le nom : ainsi nous écrivons un *démêlé*, tandis qu'au temps de Vaugelas on écrivait un *démêler*. D'autres fois, par suite de la désuétude du verbe, le souvenir de l'infinitif s'est effacé, par exemple pour *loisir* et *plaisir : — loisir* est l'infinitif d'un vieux verbe qui signifiait « avoir le temps » (du latin *licere*); *plaisir*, l'infinitif du vieux verbe qui signifiait *plaire* (du latin *placere*).

** L'emploi de la préposition *de* avec l'infinitif sujet était beaucoup plus étendu au XVIIe siècle :

> *Mais à l'ambition* **d'opposer** *la prudence*
> *C'est aux prélats de cour prêcher la résidence* (BOILEAU).

nt été vus, il faut tourner : *Je les ai vus* **avant qu'ils partissent** ou **avant leur départ** *.

II. — Infinitif employé comme verbe.

254. Comme *verbe*, c'est-à-dire comme mode, l'infinitif a des temps et peut former des propositions.

Temps de l'infinitif.

L'infinitif dit *présent* s'emploie pour le présent, l'imparfait et le futur :

Il croit **avoir** *raison*, c'est-à-dire il croit *qu'il* **a** *raison.*

Il croyait **avoir** *raison*, c'est-à-dire il croyait *qu'il* **avait** *raison.*

Il se taira quand il croira **n'avoir pas** *raison*, c'est-à-dire *il se taira quand il croira qu'il* **n'aura** *pas raison.*

Remarques. — 1° Dans les trois exemples ci-dessus l'infinitif exprime seulement une idée de *simultanéité.* Mais il peut exprimer aussi avec certains verbes une idée de *postériorité : Il espère* **venir** *demain (= il espère qu'il viendra demain).*

2° L'infinitif présent ne suffit pas toujours pour marquer l'idée de futur : cette idée est plus distinctement exprimée par l'addition du verbe *devoir*, qui remplit alors l'office d'auxiliaire : *Voilà ce que je crois devoir arriver.*

L'infinitif *parfait* a le sens de ce temps ou du plus-que-parfait ou du futur antérieur.

Il croit **avoir réussi**, c'est-à-dire *qu'il* **a réussi.**

Il croyait **avoir réussi**, c'est-à-dire *qu'il* **avait réussi.**

Quand vous croirez **avoir réussi** *vous me le direz*, c'est-à-dire *quand vous croirez que vous* **aurez réussi.**

Remarque. — Dans les trois exemples ci-dessus, le *passé de l'infinitif* exprime l'**antériorité** des différents temps.

---

* Au xviie siècle, l'infinitif se rapportant à un complément ou à un mot sous-entendu était plus fréquent qu'aujourd'hui, et on le trouve construit souvent avec la préposition *à*, parfois avec d'autres prépositions dans des cas où nous emploierions aujourd'hui les conjonctions :

1° *Parce que, en ce que :*

La place m'est heureuse **à vous y rencontrer** (Molière).

2° *Afin que, pour que :*

Mais Dieu, dont il ne faut jamais se défier,
Nous donne cet exemple **à vous fortifier** (Corneille).

3° *Lorsque :*

L'allégresse du cœur s'augmente **à la répandre** (Molière).

ou bien où nous userions du parricipe présent précédé de *en :*

Il repousse l'injutre **par lui dire...** (= *en lui disant...*).

Emplois de l'infinitif.

255. A. — L'infinitif s'emploie après certains verbes, dans des propositions *subordonnées,* dites *propositions infinitives.*

Les plus communes de ces propositions sont celles où l'infinitif tient lieu d'une proposition subordonnée commençant par la conjonction *que.* Dans ces sortes de propositions, le sujet peut être le même que celui de la proposition principale, ou en être distinct :

a) Même sujet : *Il pense* **partir** *bientôt* (= *il pense* [proposition principale] *qu'il partira bientôt* [proposition subordonnée]).

*Il se plaint d'***avoir été battu** (= *il se plaint* [proposition principale] *qu'il ait été battu* [proposition subordonnée]).

b) Sujet distinct : *Je vois le moment du départ approcher* (= *je vois* [proposition principale] *que le moment du départ approche* [proposition subordonnée *]).

Remarques. — 1° Quand l'infinitif a un sujet distinct de l'autre verbe, ce sujet se met quelquefois, par inversion, après le verbe, mais seulement quand le verbe à l'infinitif est neutre ou employé comme tel : *J'ai entendu crier* **ces enfants** (= *j'ai entendu que ces enfants criaient*).

2° Des propositions infinitives de ce genre sont formées par le verbe *faire : Il fait naître et mûrir* **les fruits** (= *il fait que les fruits naissent et mûrissent* (Racine).

3° Le pronom *que,* appartenant à une proposition infinitive amenée par des verbes qui signifient *penser* ou *dire, croire, affirmer,* etc., peut être sujet ou complément direct de cette proposition :

a) que sujet : *Les choses* **qu'***il affirmait avoir eu lieu de cette façon se sont passées autrement ;*

b) que complément : *Les richesses* **que** *l'avare croit posséder le possèdent.*

---

* La construction de l'infinitif avec un sujet distinct de celui de la proposition principale est aujourd'hui fort restreinte, et réduite aux propositions dépendant des verbes *sentir, voir, entendre,* etc. Au xvie et même au xviie siècle, au contraire, par souvenir de la proposition infinitive latine, cette construction était très fréquente et on la trouvait après les verbes *estimer, dire, connaître, soutenir,* et beaucoup d'autres :

Il estimoit **la table être l'un des principaux moyens** *d'engendrer amitié entre les hommes* (Amyot).

Les cruautés qu'on **le dit avoir exercées** *contre nous* (Montaigne).

Vous reconnaissez **ce défaut être une source** *de discordes* (Bossuet).

Je **la** *soutiendrai* **être telle** (Marot).

Cuides-tu ces ouvrages **être recélés** *ès esprits éternels ?* (Rabelais).

4° Après les verbes *croire, prétendre, dire,* etc., on sous-entend souvent l'infinitif du verbe être : *On croyait l'ennemi à cent lieues de là.*

5° Quelquefois l'infinitif **équivaut** à un infinitif passif : *J'ai vu* **démolir** *cette maison (= j'ai vu cette maison être démolie). J'ai vu* **attaquer** *la ville par les soldats (= j'ai vu la ville être attaquée par les soldats).*

6° Après les verbes *laisser, voir, entendre, faire,* etc., l'infinitif se construit :

a) Sans préposition et avec le pronom complément direct, si c'est un infinitif de verbe intransitif ou employé intransitivement : *J'ai laissé parler* **cet enfant.** *Je* **l'***ai vu tomber.*

b) Avec la préposition *à* ou un pronom complément indirect, si c'est un infinitif de verbe transitif : *Je me souviens des choses que j'ai laissé dire* **à cet enfant.** *Je me souviens des choses que je* **lui** *ai laissé faire* *.

7° Certains verbes pronominaux à l'infinitif, après le verbe *faire,* perdent leur pronom complément : *Ils l'ont fait* **envoler.** *Ils l'ont fait* **évader** **, etc.

256. B. — On trouvera aussi l'infinitif employé dans les propositions *indépendantes* ou *principales :*

1° Précédé de la préposition *de,* et tenant lieu d'un verbe à l'indicatif, pour donner plus de vivacité à la narration. C'est ce qu'on appelle l'*infinitif de narration.*

Ainsi dit le renard ; et flatteurs **d'applaudir** (= et les flatteurs applaudirent) (La Fontaine).

2° Pour exprimer une *délibération :* **Que faire** *en un gîte à moins que l'on ne songe?* (= que voulez-vous qu'on fasse en un gîte) (La Fontaine).

---

* La préposition *à* marque le complément indirect du verbe *laisser.* Mais au XVIIe siècle, l'infinitif des verbes transitifs, après ces verbes, surtout après le verbe *laisser,* était souvent suivi de la préposition *à;* et cette construction équivalait au passif suivi de la préposition *par :*

Le peuple **se laissait conduire à ses magistrats** (Bossuet).
Je **me laissai séduire à cet aimable guide** (Racine).

Cette construction est restée dans la langue populaire. On dit : **Laisser manger** *un habit* **aux vers.**

** On explique cette ellipse du pronom en disant que les verbes pronominaux forment avec *faire* une seule et même locution, par conséquent un seul verbe, et que le même verbe ne peut avoir deux compléments directs désignant un seul et même être.

Autrefois cette ellipse du pronom réfléchi était plus fréquente. Au XVIIe siècle, on en usait non seulement après le verbe *faire,* mais encore après les verbes *laisser, voir,* etc.

Je *la* **laisse expliquer** (= *s'expliquer) sur tout ce qui me touche* (Racine).
Mais **je sens affaiblir** (= s'affaiblir) *ma force et mes esprits* (Racine).

Cet usage, qui a persisté au XVIIIe siècle, n'était pas encore complètement abandonné au XIXe :

Je la voyais pâlir et **changer** (= se changer) *en statue* (Lamartine).

3° Pour exprimer une *exclamation :* **Te mesurer** *à moi !* (= *Comment? Tu oses te mesurer à moi !*) (CORNEILLE).

4° Pour exprimer un *ordre* au lieu de l'impératif : **Tourner** *à droite* (= *tournez à droite*). **Ne** *pas* **plier** (= *veuillez ne pas plier*).

F. — LE PARTICIPE

257. Le participe est une forme verbale qui, comme son nom l'indique, *participe* à la fois de la nature du verbe et de celle de l'adjectif.

Il tient du *verbe* en ce qu'il exprime une action ou un état, marque le temps et peut avoir les mêmes compléments que le verbe : *Une jeune fille* **lisant** *un livre. Un livre* **lu** *par une jeune fille.*

Il tient de l'*adjectif* en ce qu'il peut qualifier un nom ou un pronom, dont il est l'épithète ou l'attribut. *Un enfant* **tremblant.**

258. On distingue deux sortes de participes : le *participe présent* et le *participe passé.*

259. Le *participe présent* se termine toujours en *ant : C'est en lis***ant** *qu'on s'instruit.*

FORMATION. — Le participe présent se forme mécaniquement en prenant la 1re personne du pluriel de l'indicatif présent et en changeant *ons* en *ant :*

*Nous aim***ons** : *Aim***ant.**
*Nous finiss***ons** : *Finiss***ant.**
*Nous romp***ons** : *Romp***ant.**

EXCEPTIONS. — 1° Les verbes auxiliaires *être* et *avoir* font au participe présent : *étant* et *ayant.*

2° Le verbe *savoir* (1re personne du pluriel de l'indicatif présent : *nous sav***ons**), fait au participe présent non pas : *savant,* mais *sach***ant.**

260. Le *participe passé* se termine, au masculin singulier :

1° En *é*, dans les verbes du 1er groupe (verbes en *er*) et dans le verbe irrégulier *naître* : *Aimé*, **né**.

2° En *i*, dans les verbes du 2e groupe (verbes en *ir* terminés par *issons* à la 1re personne du pluriel de l'indicatif présent) : *Fini*.

3° En *u*, dans les verbes réguliers du 3e groupe : *Reçu*.

Remarque. — Les verbes irréguliers de ce groupe ont des participes de formes très diverses ; on en trouvera la liste § 214.

Exceptions. — Les verbes *absoudre* et *dissoudre* font *absous* et *dissous* au masculin singulier, bien qu'ils fassent *absoute* et *dissoute* au féminin singulier.

I. — PARTICIPE PRÉSENT

261. En dépit de son nom, le participe présent n'a pas de valeur temporelle propre. Il exprime une action ou un état dont le temps est le même que celui du verbe principal ; il peut donc se rapporter à une action *passée*, *présente* ou *future*, selon que le verbe à un mode personnel auquel il se rattache est au passé, au présent ou au futur :

1° Au présent : *Les soldats vont* **chantant** *(les soldats vont et chantent)*.

2° Au passé : *Les soldats allaient* **chantant** *(les soldats allaient et chantaient)*.

3° Au futur : *Les soldats iront* **chantant** *(les soldats iront et chanteront)*.

262. Le *participe présent*, qui est *invariable* *, ne doit pas être confondu avec l'*adjectif verbal*, qui est variable : *Les lions* **rugissant** *de fureur* (participe présent). *Des lions* **rugissants** (adj. verbal).

*** Le participe présent n'a pas toujours été invariable : autrefois, conformément à son origine latine il *variait*, sinon toujours en genre (puisque, dans la forme latine,**

Des chiens **courant** *dans la plaine* (participe présent). *Une meute de chiens* **courants** (adj. verbal).

On reconnaît le *participe présent* à ce qu'il peut être :

1° Accompagné (comme le verbe) d'un *complément d'objet* direct ou indirect : *Entendez-vous les soldats tirant des* **coups de canon**? *Des ministres manquant à leur* **devoir**.

REMARQUE. — Il en résulte que, dans les verbes pronominaux, le mot en *ant* est toujours un participe présent, donc toujours invariable : *Ils allaient et venaient,* **se querellant**. **Se méprenant** *sur mes intentions, ils me blâmèrent.*

2° Suivi (comme le verbe) d'un *adverbe* ou d'une *locution* adverbiale : *L'actrice* **jouant très bien,** *on la félicita.*

3° Précédé de la préposition *en : Ils s'avançaient* **en dansant.**

4° Précédé de la négation *ne : Les invités* **n'arrivant pas...**

On reconnaît l'*adjectif verbal* à ce qu'il peut :

1° Exprimer un état, une habitude : *Les eaux* **dormantes** *sont meilleures pour les chevaux que les eaux vives.*

2° Être précédé du verbe *être : Ces portraits sont vraiment* **parlants**.

3° Être précédé d'un adverbe : *Des enfants si* **riants,** *si ouverts.*

REMARQUES. — 1° On peut encore, pour reconnaître l'*adjectif verbal*, consulter l'oreille, en essayant de mettre une terminaison féminine. On écrira, par exemple, *des contes* **charmants**, parce que l'oreille exige : *une fable* **charmante**, mais : *des contes* **charmant** *l'assistance*, parce que l'oreille exige : *une fable* **charmant** *l'assistance*.

2° On peut aussi essayer de le remplacer par un adjectif qualificatif : si l'on y réussit, c'est qu'on a bien affaire à un adjectif verbal : *Des contes* **agréables**

---

déclinable, le féminin était semblable au masculin), du moins *toujours en nombre*. Cet usage persistait encore au XVIIe siècle :

Voilà la hache **retranchante** *nos paroles qui se lève* (AMYOT).

Je vous trouve si pleine de réflexion, si stoïcienne, si **méprisante** *les choses de ce monde.* (Mme DE SÉVIGNÉ.)

Ces âmes, **vivantes** *d'une vie brute et bestiale* (BOSSUET).

N'étant pas de ces rats qui, les livres **rongeants,**
Se font savants jusques aux dents (LA FONTAINE).

Mais, le 3 juin 1679, l'Académie française décida que le participe présent demeurerait invariable, et l'usage ratifia cette décision.

Toutefois le participe s'accorde encore, conformément à l'ancien usage, dans certaines locutions : *les* **ayants** *cause, les* **ayants** *droit, toute affaire* **cessante**, *séance* **tenante**, etc.

(au lieu de : *des contes* **charmants**) ; si l'on n'y réussit pas, c'est que c'est un participe présent : on ne peut pas remplacer *charmant* par le mot *agréable* seul dans la phrase : *des contes* **charmant** *l'assistance.*

Emplois particuliers du participe présent

263. 1° *Participes présents employés comme gérondifs* *. — Ce sont les participes présents précédés de *en :* quelle que soit l'idée qu'ils expriment (simultanéité dans le temps, condition, manière, cause, concession, etc.) ils sont toujours *invariables :*

a) Gérondif de simultanéité : *Nous l'avons* **en dormant,** *madame, échappé belle* (= pendant que nous dormions) (Molière).

b) Gérondif conditionnel : *Je mourrais trop heureux en mourant pour vous plaire* (= si je mourais).

c) Gérondif de manière :
Il se glisse **en rampant** *derrière Éviradnus* (Victor Hugo).

d) Gérondif de cause ou de moyen : *C'est* **en forgeant** *qu'on devient forgeron* (= parce que l'on forge, par le fait de forger), etc.

Remarques. — 1° Le gérondif doit, en règle générale, et pour éviter toute équivoque, se rapporter au sujet de la proposition principale **.

2° Avec le verbe *aller*, mis pour exprimer la marche croissante ou décroissante d'une action, on peut employer le participe présent ou le gérondif : *Le mal va* **augmentant** (ou **en augmentant**) *de jour en jour.*

3° Dans certaines locutions consacrées, le gérondif est employé sans *en* ou avec une autre préposition : *Chemin faisant* *** ; *généralement parlant ; tambour battant*, etc. ; *à son corps défendant*, etc.

---

* L'appellation *gérondif* donnée au participe présent précédé de *en* vient du mot latin *gerundivus (modus)* ou *gerundi modus*, « manière de faire », nom donné par les grammairiens latins à une forme déclinée de l'infinitif qui nous représente comme faisant quelque chose.

** Cette règle n'était pas observée au xviie siècle, où l'on trouve le gérondif rapporté tantôt à un complément direct : *Songez-vous qu'***en naissant** *mes bras* **vous** *ont reçue?* (c.-à.d. que mes bras *vous* ont reçue quand *vous* naquîtes) (Racine).
— tantôt à un complément indirect :

Mes soins, en apparence, épargnant ses douleurs,
De son fils, **en mourant,** *lui cachèrent les pleurs* (Racine).

(c.-à-d. mes soins *lui* cachèrent, quand *il* mourut, les pleurs de son fils.)
— tantôt à un pronom contenu implicitement dans un adjectif possessif : *Je vois qu'en m'écoutant vos yeux au ciel s'adressent* (c.-à-d. que quand *vous* m'écoutez, *vos* yeux au ciel s'adressent (Racine).
Et nous disons encore : **L'appétit vient en mangeant.**

*** Racine écrivait : *En chemin faisant.*

4° La préposition *en* est le plus souvent répétée devant chaque participe avec lequel elle forme un gérondif : *Il arrive* **en** *sautant et* **en** *riant.*

2° *Participes présents devenus des noms.* — Quand le participe présent est *précédé de l'article*, il devient un *véritable nom* et *varie comme le nom lui-même : Les assistants, la voyante, un calmant, des débitants* *.

REMARQUE. — On peut ranger aussi parmi les participes présents devenu des noms les locutions *les allants et venants, les tenants et les aboutissants*, formées avec des participes, et devenues de véritables noms composés.

3° *Participes présents devenus des prépositions.* — On a fini par considérer comme de *véritables prépositions* certains participes placés devant le nom et généralement *invariables* **.

Ainsi *durant, pendant, nonobstant, moyennant, suivant, touchant :*

Durant *sa vie, il avait cette rente.*
Pendant *ce procès, il fut fort calme.*
Nonobstant *les remontrances de son père, il s'en alla.*
Moyennant *quoi, votre salaire*
Sera force reliefs de toutes les façons (LA FONTAINE).
Suivant *Suétone, Néron ne fut malade que trois fois.*
Touchant *vos intérêts, voici mon avis.*

SENS PARTICULIERS DE L'ADJECTIF VERBAL

264. L'adjectif verbal a un sens particulier dans les expressions suivantes :

à beaux deniers **comptants** (avec des pièces d'argent que l'on compte et paye sur-le-champ) ;

---

* L'emploi du participe présent comme nom était encore plus fréquent autrefois qu'aujourd'hui. La Fontaine, au XVIIe siècle, écrivait : *les écoutants, les regardants, les consultants, le gisant*, etc., et même donnait un complément à ce participe : *Le* **répondant** *à toutes sortes de questions.*

** Anciennement le participe présent de certains verbes étant toujours placé à la manière latine, c'est-à-dire avant le nom *sujet*, on disait :
Durant *sa vie* (pour : *sa vie durant*); **pendant** *ce procès* (pour : *ce procès étant pendant*); **nonobstant** *les circonstances* (pour : *les circonstances nonobstant*, c.-à-d. n'[y faisant] pas obstacle).

Quant aux prépositions actuelles : *moyennant, suivant, touchant*, elles sont d'anciens participes présents à *sens particulier* des verbes *moyenner* (= fournir), *suivre, toucher*, employés avec un nom *complément direct* et, à l'origine, se rapportant eux-mêmes comme attribut au sujet de la proposition :
Moyennant *cette somme, ils pourront entrer dans la ville* (= fournissant cette somme). **Suivant** *cet avis, ils restèrent.* **Touchant** *ce point, ils lui dirent...*

couleur **voyante** (que l'on voit facilement) ;
rue **passante** (où l'on passe beaucoup) ;
thé **dansant** (où l'on danse), *musique* **dansante** (sur laquelle on danse) ;
café **chantant** (où l'on chante), *musique* **chantante** (que l'on chante facilement) ;
école **payante** (où l'on paye), *place* **payante** (que l'on paye) ;
poste **restante** (où les lettres restent), etc.

DIFFÉRENCE D'ORTHOGRAPHE ENTRE CERTAINS PARTICIPES PRÉSENTS ET LES ADJECTIFS CORRESPONDANTS

265. Un certain nombre de participes présents ont une orthographe différente de celle de l'adjectif ou du substantif verbal correspondant.

On peut diviser ces mots en deux catégories :

La première, formée de participes et d'adjectifs ou substantifs verbaux terminés tous en *ant*, mais qui *diffèrent par la consonne finale du radical :*

*Convain***qu***ant*	*Convain***c***ant*
*Extrava***gu***ant*	*Extrava***g***ant*
*Fabri***qu***ant*	*Fabri***c***ant*
*Fati***gu***ant*	*Fati***g***ant*
*Intri***gu***ant*	*Intri***g***ant*
*Suffo***qu***ant*	*Suffo***c***ant*
*Va***qu***ant*	*Va***c***ant* *

Un travail **fatiguant** *le cerveau; une conversation* **fatigante.**

Je l'ai surpris **intriguant** *contre moi; une femme* **intrigante** ou un **intrigant.**

Il est là **vaquant** *à ses affaires; une place* **vacante.**

Remarques. — 1° Tous ces mots proviennent de verbes en *guer*, en *quer* et du verbe *convaincre*.

2° Les adjectifs ou noms verbaux ont gardé la consonne qu'avait le mot en latin.

---

* *Extravagant, fabricant, intrigant* s'emploient comme adjectifs et comme noms; les autres, comme adjectifs seulement.

La seconde catégorie, formée de participes terminés en *ant* et d'adjectifs ou substantifs verbaux terminés en *ent.*

Adhérant	*Adhérent*
Affluant	*Affluent*
Convergeant	*Convergent*
Différant	*Différent*
Divergeant	*Divergent*
Équivalant	*Équivalent*
Excellant	*Excellent*
Expédiant	*Expédient*
Négligeant	*Négligent*
Précédant	*Précédent*
Violant	*Violent* *

II. — PARTICIPE PASSÉ

266. Le participe passé s'emploie de différentes façons :

a) Il s'emploie *sans auxiliaire ;*

b) il s'emploie avec l'auxiliaire *être ;*

c) il s'emploie avec l'auxiliaire *avoir.*

Le participe passé change ainsi de rapport et suit des règles différentes.

A. — PARTICIPE PASSÉ EMPLOYÉ SANS AUXILIAIRE

267. Le participe passé employé sans auxiliaire *s'accorde en genre et en nombre,* comme un véritable adjectif, avec le nom ou le pronom auquel il se rapporte : *Un homme assassin***é***. Une lune voil***é***e. Des bandits cachés. Des formes évanou***ies***.*

Remarques. — 1° Sont invariables, employés comme *formules figées :*

a) Les participes *approuvé, lu, vu* employés seuls : **Lu** *et approuv***é**.

b) Les mêmes participes et aussi *attendu, excepté, ôté, ouï, passé, supposé,* et les participes entrant dans les locutions : *ci-joint, ci-inclus, étant donné, non compris, y compris,* quand ces mots sont placés *immédiatement devant*

---

* *Adhérent, affluent, équivalent, expédient, précédent* s'emploient comme adjectifs et comme noms; les autres, comme adjectifs seulement. — A côté de l'adjectif *différent*, on trouve le substantif *différend.*

le nom, que celui-ci soit ou non précédé d'un article ou d'un déterminatif :

***Vu** les arrêtés du... **Vu** la loi du... **Attendu** les décrets du ministre. **Excepté** M. et Mme Untel. **Ouï** les deux parties... **Passé** huit jours, il sera trop tard. **Ci-joint** deux timbres. Tous, **y compris** les femmes.*

N. B. — Dans tous les autres cas, ces participes suivent la règle générale de l'accord : *M. et Mme Untel* ***exceptés****. La semaine* ***passée****. Les deux quittances* ***ci-jointes****. Tous, les femmes* ***comprises****.*

c) Les participes entrant dans les expressions *attendu que, étant donné que, excepté que, supposé que, vu que : Étant donné que vous êtes partis ensemble, vous auriez pu revenir ensemble.*

2° Le participe passé de certains verbes a parfois une signification *active : Un homme* **dissimulé** (c'est-à-dire *qui dissimule*). *Un homme* **entendu** (c'est-à-dire qui entend les choses, qui les comprend).

3° Comme l'adjectif, le participe passé peut quelquefois se prendre substantivement. On dit, par exemple : *L'épousée, le passé, les blessés, les morts, les révoltés,* etc.

B. — PARTICIPE PASSÉ EMPLOYÉ AVEC L'AUXILIAIRE ÊTRE

268. Le participe passé employé avec l'auxiliaire *être*, ainsi qu'avec les verbes attributifs *sembler, paraître, rester, demeurer, devenir, naître, mourir,* etc., s'accorde en genre et en nombre avec le sujet du verbe : *L'homme fut* **assassiné**. *La lune est* **voilée**. *Elle semblait* **morte**. *Ils moururent* **appauvris**.

REMARQUE. — La règle est la même pour les verbes transitifs au passif et pour les verbes intransitifs :

> *La rage et l'impiété étaient* **peintes** *sur son visage* (FÉNELON).
> *Mauvaise graine est tôt* **venue** (LA FONTAINE).

C. — PARTICIPE PASSÉ EMPLOYÉ AVEC L'AUXILIAIRE AVOIR

269. Le participe passé employé avec l'auxiliaire *avoir* s'accorde avec son complément d'objet direct, quand ce complément est placé avant le participe ; il reste invariable si le complément direct est placé après le participe, ou s'il n'y a pas de complément direct : *La femme que j'ai* **vue**. *J'ai* **vu** *une femme. Elle a* **vu**.

Le complément d'objet direct n'étant placé *avant* le participe que dans les *propositions interrogatives* ou *exclamatives à inversion,* et quand il est lui-même un pronom personnel ou relatif, il en résulte que l'accord peut se faire seulement :

1° Dans les propositions interrogatives ou exclamatives à inversion.

2° Quand le participe est précédé par un des pronoms *me, te, nous, vous, que, le, la, les : Quelles noires intentions il avait eu***es** ! *Quelles fleurs a-t-il cueill***ies**? *Il* **nous** *a pourchass***és**. *La fleur* **que** *j'ai cueill***ie**. *Je* **l'***ai connue fatigu***ée** *.

Remarques. — 1° Quand le participe passé accompagné de l'auxiliaire *avoir* est précédé de plusieurs noms compléments directs ou d'un pronom représentant plusieurs noms, l'accord se fait suivant les règles énoncées pour l'accord de l'adjectif. *Les larmes, la sueur et le sang qu'ils ont vers***és**.

2° Quand le participe passé accompagné de l'auxiliaire avoir est suivi d'un qualificatif, ce qualificatif suit les mêmes règles d'accord que le participe : *Je* **l'***ai cru***e** *malheureus***e**.

Mais le participe reste invariable dans certains gallicismes comme *: je l'ai échappé* **belle** ; *je l'ai manqué* **belle**.

3° Dans les temps surcomposés, c'est le dernier participe qui prend l'accord : *Je vous ai envoyé ma lettre dès que je* **l'***ai eu* **écrite**.

4° Le participe passé demeure *invariable* quand il est précédé du pronom personnel *le* (*l'*) signifiant *cela : Cette salle est plus grande que je ne* **l'***avais cru* (*l'* est mis pour *cela*, au sens de « qu'elle était grande »).

5° Le participe passé des verbes *coûter, valoir, peser* demeure *invariable* quand ces verbes, employés au *sens propre* (« avoir telle valeur d'achat, avoir une valeur de, avoir tel poids »), ne peuvent avoir de complément direct ;

* L'emploi du participe passé avec *avoir* vient du latin et a d'abord suivi en français l'usage adopté dans cette langue : le participe s'accordait avec le nom, que ce nom fût avant ou après. Ainsi l'on disait — en donnant, il est vrai, au verbe *habeo* plus de sens que n'en a le français *j'ai* — *: paratam habeo pecuniam*, « j'ai *préparé* une somme d'argent », *habeo scriptam epistolam* « j'ai *écrite* ma lettre ». Le participe passé était en réalité un adjectif.

On construisait quelquefois de même en français le participe jusqu'au XVIIe siècle, du moins en poésie :

Le seul amour de Rome a **sa main animée** (= a animé sa main) (Corneille).
Il m'a, droit dans ma chambre, **une boîte jetée** (= il m'a jeté une boîte) (Molière).
... Dans la saison
Que les tièdes zéphyrs **ont l'herbe rajeunie** (= ont rajeuni l'herbe) (La Fontaine).

De cette construction, tombée en désuétude, il reste une trace dans la locution : *avoir toute honte bue.*

On était d'ailleurs moins strict au XVIIe siècle que de nos jours, la règle n'ayant été fixée qu'en 1704 par l'Académie, et l'on pouvait dire par licence poétique :

Là par un long récit de toutes les misères,
Que durant notre enfance ont enduré (pour *endurées*) *nos pères* (Corneille).

mais quand ces verbes sont employés au *sens figuré* (causer, occasionner, procurer, mesurer le poids de, calculer, apprécier) et sont susceptibles d'avoir un complément direct, le participe, conformément à la règle générale, s'accorde avec ce complément s'il est placé avant le participe : *Les dix mille francs que l'affaire m'a* **coûté**. *Que de soins ce fils m'a* **coûtés**. *Les vingt francs de pourboire que ce geste a* **valu**. *Les semonces que cette escapade lui a* **values**. *Les trois kilos que ce poulet a* **pesé**. *La viande que l'on a* **pesée**.

5° Le participe passé du verbe *vivre* demeure *invariable* quand la pnrase exprime une simple idée *quantitative de temps; il s'accorde* avec son complément direct placé avant lui, quand le verbe exprime une nuance *qualitative : Les soixante ans qu'il a* **vécu** (*soixante ans* est un complément circonstanciel de temps : pas d'accord). *Les années heureuses qu'il a* **vécues** (*années heureuses* est un complément direct placé avant le verbe : donc accord).

6° Le participe passé du verbe *courir* demeure invariable quand le verbe signifie « aller à une grande vitesse » ; il s'accorde avec son complément direct placé avant lui quand le verbe signifie soit « poursuivre en courant », soit, au sens figuré « encourir » *: Les quatre kilomètres que nous avons* **couru**. *Les cerfs que les chasseurs ont* **courus**. *Quels périls avez-vous* **courus**?

D. — CAS PARTICULIERS

270. Les cas particuliers examinés ci-dessous ne sont que l'application des règles énoncées plus haut.

1° Participe passé d'un verbe pronominal

Le participe passé des verbes *essentiellement pronominaux* (cf. § 230 a) et des verbes *pronominaux irréfléchis* (cf. § 230 b 3°) suit la règle d'accord du participe employé avec l'auxiliaire *être*, c'est-à-dire qu'il *s'accorde* en genre et en nombre avec le *sujet : Elle s'est* **souvenue** *et* **repentie** *de ses fautes. Ils se sont* **emparés** *de la ville.*

Il y a exception pour le verbe *s'arroger*, dans lequel le pronom est complément indirect, mais qui peut avoir un complément direct : son participe s'accorde avec le complément direct, si ce complément est placé avant, ou reste invariable si ce complément est placé après : *Les droits exorbitants qu'elles se sont arrog***és**. *Elles se sont arrog***é** *des droits exorbitants.*

Le participe passé des verbes *pronominaux réfléchis* (cf. § 230 b 1°) ou *réciproques* (cf. § 230 b 2°) suit la règle d'accord du participe conjugué avec l'auxiliaire *avoir*, c'est-à-dire qu'il s'accorde avec le complément d'objet *direct*, si ce complément le précède, et qu'il reste invariable si ce complément le suit : *La peine qu'il s'est* **donnée** (= la peine qu'il a donnée à lui).

(Le participe s'accorde avec *que*, mis pour peine, complément direct de *donner*.)

Il s'est **donné** *de la peine* (= il a donné à lui de la peine).

(Le participe est invariable, puisque le complément direct *de la peine* est placé après le verbe.)

Remarque. — Il résulte de cette règle que les verbes pronominaux sans complément direct sont toujours invariables. C'est le cas notamment des verbes suivants : *se convenir, se ressembler, se nuire, se rire, se parler, se sourire, se succéder, se suffire, se plaire (se déplaire, se complaire)*.

2° Participe passé d'un verbe impersonnel

271. Le participe passé d'un verbe impersonnel est toujours *invariable* * : *Il a neig***é** *trois jours. Il m'est arriv***é** *une étrange aventure. Les chaleurs qu'il a fai***t**. *Les dangers qu'il y a e***u**.

Remarque. — Quand un verbe est *accidentellement* impersonnel et qu'il est *employé à la forme personnelle*, le participe s'accorde et suit la règle de l'emploi avec être : *Une étrange aventure m'est arriv***ée**.

3° Participe passé suivi d'un infinitif

272. Lorsqu'un complément d'objet direct précède un participe passé *suivi d'un infinitif*, ce participe passé reste *invariable* s'il a pour complément direct cet *infinitif;* il s'accorde au contraire s'il a pour complément direct le *pronom* qui précède : *Les vers que j'ai entend***u** *réciter*. (*Que*, mis pour *vers*, est complément d'objet direct de *réciter*.) *Les personnes que j'ai entendu***es** *réciter des vers*. (*Que*, mis pour *personnes*, est complément d'objet direct de *entendues*.)

---

* Dans l'ancienne langue, et encore au XVIIe siècle, cette règle n'était pas toujours appliquée, et l'on faisait quelquefois l'accord du participe passé d'un verbe impersonnel avec le complément qui le précédait : *L'impertinence qu'il y a* **eue** (= eu) *à agir de cette folle manière* (Mme de La Fayette).

Dans le premier exemple, « les vers » ne font pas l'action de réciter : *ils étaient récités.*

Dans le second exemple, « les personnes » font l'action de réciter : *elles récitaient.*

Il en résulte que, dans certains cas, la terminaison du participe indique seule le sens de la phrase. C'est ainsi que cette phrase : *Les soldats que j'ai entendu***s** *chanter* signifie que *que*, mis pour soldats, faisaient l'action de chanter *(sens actif)* — tandis que cette phrase : *Les soldats que j'ai entend***u** *chanter* signifie que *que*, mis pour *soldats*, étaient chantés, c'est-à-dire célébrés *(sens passif).*

Remarque. — La même règle s'applique au cas où l'infinitif est *précédé d'une préposition : Les sommes que j'ai e***u** *à verser.*

(*Que*, mis pour *sommes*, est complément d'objet direct de *verser :* le participe demeure invariable).

*Les couteaux que j'ai donn***és** *à repasser.*

(*Que*, mis pour *couteaux*, est complément direct de *donnés :* le participe s'accorde).

Exception. — Seul, le participe *fait*, immédiatement suivi d'un infinitif et précédé d'un complément direct, demeure invariable dans l'un et l'autre cas. Il semble qu'on le considère comme formant avec l'infinitif une espèce de verbe composé : *Les enfants que j'ai* **fait** *partir. Voici les couteaux que vous avez* **fait** *repasser.*

Infinitif sous-entendu

Certains participes, tels que *dû, pu, voulu*, demeurent *invariables* lorsqu'ils ont pour complément direct *un infinitif sous-entendu* (ou une proposition sous-entendue) : *Il a fait toutes les dépenses qu'il a* **dû** (sous-entendu : **faire**). *Je lui ai indiqué les remèdes que j'ai* **pu** (sous-entendu : **indiquer**). *Il a débité toutes les sottises qu'il a* **voulu** (sous-entendu : **débiter**). *Il a débité toutes les sottises que j'ai* **voulu** (sous-entendu : *qu'il* **débite**).

Mais ces mêmes participes rentrent dans la règle générale lorsqu'il n'y a pas d'infinitif sous-entendu (ou de proposition sous-entendue) : *Il a toujours réglé toutes les sommes qu'il a* **dues.** *Il a toujours voulu fortement toutes les choses qu'il a* **voulues**, etc.

4° Participe passé précédé du pronom « en »

273. Le pronom partitif *en*, qui, selon le nom dont il tient la place, équivaut à *de lui, d'elle, d'eux, d'elles, de ceci, de cela,* est un mot neutre et un complément indirect.

Par suite, le participe qui a pour unique complément le pronom *en* reste invariable : *J'ai trouvé des fraises, et j'***en** *ai* **mangé** (c.à.d. : *j'ai mangé* **de cela, d'elles**).

Mais, si le participe précédé de *en* est également précédé d'un complément d'objet direct, il suit la règle générale d'accord : *Ma mère est à l'étranger : les nouvelles que j'***en** *ai* **reçues** *sont bonnes* (c'est-à-dire : que j'ai reçues d'elle. — *Que*, complément d'objet direct mis pour *nouvelles*, étant placé avant le participe employé avec avoir, le participe s'accorde).

Remarque. — Lorsque le participe a pour complément d'objet direct le pronom *en* précédé d'un des adverbes de quantité : *combien, autant, plus, moins,* etc., il peut soit rester invariable, soit s'accorder avec le nom que remplace *en* : *Autant de parties il a* **jouées**, *autant il en a* **perdu** (*ou perd***ues**).

Le participe demeure toujours invariable :

a) Si l'adverbe de quantité suit *en*, au lieu de le précéder : *Des parties j'en ai tant jou***é** *que j'en ai assez.*

b) Si c'est le nom remplacé par *en* qui est précédé de *tant de, autant de, plus de, moins de* : *J'ai entendu plus de chansons que je n'en ai chant***é** *moi-même.*

5° Participe passé précédé de « le peu »

274. Quand le participe passé est précédé de *le peu*, il s'accorde ou reste invariable selon le sens qu'a *le peu*.

Si *le peu* signifie *une quantité petite, mais suffiisante,* le participe s'accorde avec le complément de *le peu* : **Le peu** *de lettres que j'ai* **reçues** *de vous m'a fait plaisir.* (L'idée des *lettres* l'emporte.)

Si *le peu* signifie *la trop petite quantité, le manque,* le participe s'accorde avec *le peu*, donc pratiquement demeure invariable : **Le peu** *de résultats que j'ai obten***u** *m'a découragé.* (L'idée du *peu* l'emporte.)

6° Participe passé précédé d'une expression collective

275. Le participe passé précédé d'une *expression collective* s'accorde d'après le sens, soit avec le nom collectif, soit avec le complément de celui-ci : *Le tiers des livres que j'ai* **lus**. (L'idée de *livres* domine : *que* est mis pour *livres.*) — *Le paquet de lettres que vous m'avez* **remis**. (L'idée de *paquet* domine : *que* est mis pour *paquet.*) — *Le paquet des lettres que vous m'avez remises.* (L'idée de *lettres* domine : *que* est mis pour *lettres.*)

Remarque. — Quand l'expression collective est formée d'un *adverbe de quantité suivi d'un nom,* le participe passé s'accorde toujours avec le nom : *Combien de flammes avez-vous* **vues**? (L'idée de *flammes* domine.)

7° Participe passé précédé de « un des », « une des »

276. Quand le participe passé est précédé de *un des, une des,* il s'accorde avec *un* ou *une,* ou avec le nom qui suit *un* ou *une,* selon le sens :

C'est une de vos amies que j'ai vue.

(*Vue* est accordé avec *que,* mis pour *une,* parce que celui qui parle n'a vu qu'une amie.)

C'est une de vos amies que j'ai **vues**.

(*Vues* est accordé avec que, mis pour *amies,* parce que celui qui parle a vu plusieurs amies.)

Remarque. — Toutefois, quand le tour *un des* est suivi d'un *superlatif,* il y a accord du participe avec le nom que qualifie ce superlatif : *C'est un des plus beaux livres que j'ai* **lus**.

(Entendez : des livres que j'ai lus, c'est l'un des plus beaux. *Lus* s'accorde avec *que,* mis pour *livres.*)

8° Participe passé placé entre deux « que »

277. Le cas du participe passé *placé entre deux* « *que* » est le même que celui du participe passé suivi d'un infinitif : il s'accorde si le complément d'objet direct qui le précède est son propre complément ; il reste invariable, s'il est le complément du second verbe : *C'est la servante que j'ai aver***tie** *que je sortais.*

(Le premier *que*, mis pour *servante*, est complément direct du participe : il y a accord *).

Les difficultés que j'avais **cru** *que vous rencontreriez.*

(Le premier *que*, mis pour *difficultés*, est complément d'objet direct du verbe *rencontrer :* il n'y a pas accord.)

REMARQUE. — On distingue mécaniquement ces deux cas en essayant de placer *de ceci* avant le second *que :* si le sens de la phrase permet de le placer, le participe s'accorde avec le premier *que*, et la proposition introduite par le second *que* n'est qu'un complément indirect du participe : *C'est la servante que j'ai avertie* **de ceci** *que je sortais.* Mais on ne peut pas insérer **de ceci** dans la seconde phrase.

9° PARTICIPE PASSÉ PRÉCÉDÉ DE « LE », ÉQUIVALENT DE CELA

278. Quand le participe passé est précédé de *le*, équivalent de *cela*, il est toujours *invariable : le* représente, en effet, toute une proposition : *Ils n'étaient pas aussi nombreux qu'on* **l'***avait* **cru** (c.-à-d. *qu'on avait cru* **qu'ils étaient**). — *La famine arriva comme Joseph* **l'***avait* **prédit** (c.-à-d. *comme Joseph avait prédit* **qu'elle arriverait**).

REMARQUE. — Pour bien se rendre compte de l'emploi du participe dans cette dernière phrase, on peut la comparer à la suivante : *La famine arriva telle que Joseph* **l'***avait* **prédite.**

(Ici **l'** est pour *la*, et non pour *le*.)

* Cette construction, fort correcte, mais généralement lourde, est peu usitée aujourd'hui.

VIII

L'ADVERBE

279. L'*adverbe* est un mot invariable que l'on joint à un autre mot pour en modifier la signification.

Le mot auquel l'on joint un adverbe peut être un verbe *, un adverbe, un adjectif ou une locution adverbiale : *Il parle* **bien.** *Il parle* **bien** *lentement. Il est* **bien** *triste. Il est* **bien** *à l'aise.*

280. On distingue huit catégories d'adverbes : les adverbes de *lieu*, de *temps*, de *manière*, de *quantité*, d'*affirmation*, de *négation*, d'*interrogation* et de *doute.*

1. ADVERBES DE LIEU

281. Le français a, pour exprimer le lieu, un grand nombre d'adverbes et de locutions adverbiales.

Les principaux *adverbes de lieu* sont : *ici, là, y, en, où ; dedans, dehors ; dessus, dessous ; devant, derrière ; avant, après, depuis ; loin, auprès, autour, alentour ; ailleurs, partout ; çà, deçà, delà*, etc. **.

Parmi les *locutions adverbiales de lieu*, on peut citer : *à droite, à gauche ; en haut, en bas ; au milieu, en avant, en arrière, au bout ; au-dessus, au-dessous ; par-devant, par derrière*, etc.

Ces adverbes et locutions adverbiales répondent aux questions suivantes : 1° *Où?* marquant l'endroit où l'on est ; 2° *Où?* marquant l'endroit où l'on va ; 3° *D'où?* marquant l'endroit d'où l'on vient ; 4° *Par où?* marquant l'endroit par où l'on passe.

Les adverbes répondant aux deux questions *où?* sont identiques; les adverbes répondant à la question *d'où?* sont précédés de *de ;* les adverbes répondant à la question *par où?* sont précédés de *par :*

Où (es-tu)? Ici. Dehors.

Où (vas-tu)? Ici. Dehors.

---

* *Adverbe* vient du latin *adverbium*, de *ad* « à côté » et de *verbum* « verbe ».

** L'ancienne langue usait des adverbes *céans* et *léans*. *Céans*, qui signifie « ici dedans » a vieilli et n'est plus guère employé que dans l'expression : *maître ou maîtresse de céans*. *Léans*, qui signifiait « là-bas dedans », a complètement disparu.

D'où (viens-tu)? D'ici. De dehors.
Par où (passes-tu)? Par ici. Par dehors, etc.

REMARQUES. — 1° Les adverbes *ici* et *là* désignent le premier l'endroit où se trouve celui qui parle ou un endroit voisin ; le second, un endroit éloigné.

2° *Ci* (abréviation d'*ici*) et *là* sont toujours joints, parfois par un trait d'union, aux nom, pronoms ou prépositions qu'ils suivent. *Cet homme-***ci**, *cet homme-***là**. *Qu'est-ce* **ci**? *qu'est-ce* **là**? *Par-***ci**, *par-***là**.

Toutefois on trouve *ci* employé seul dans la langue de la comptabilité : **Ci** *mille francs*.

3° *Ci, ici* et *là* se mettent aussi souvent avec un trait d'union, en tête de quelques locutions : *Ci-après, ci-contre, ci-annexé, ci-inclus, ci-joint, ci-gît*, etc. *Ici-bas. Là-bas, là-haut*, etc.

4° *Çà*, opposé autrefois à *là*, se retrouve dans la locution *çà et là*, dans les vieilles locutions *viens çà, or çà, ah çà*, etc., dans les composés *deçà, en deçà, au deçà*, etc.

5° *Où* peut être interrogatif ou relatif. Interrogatif, il s'emploie en tête des propositions principales, généralement seul ou parfois précédé d'une préposition : *Où* sommes-nous? Jusqu'*où* vas-tu?

Relatif, il est placé en tête des propositions subordonnées, seul ou précédé d'une préposition ou d'un adverbe antécédent : *Je ne sais* **où** *je vais*, **d'où** *je viens... Je ne sais jusqu'***où** *nous irons. Là* **où** *nous allons, il n'y a point de printemps...*

N. B. — Quand un nom employé comme complément indirect et un adverbe de lieu sont précédés de *c'est* et suivis d'une proposition circonstancielle de lieu, on n'emploie pas *où*, mais on le remplace par *que*. On dit : *C'est ici* **que** *j'habite, c'est dans cette bourgade* **que** *j'habite* (et non pas : *C'est ici* **où**..., *c'est dans cette bourgade* **où**... *) ;

6° *Y*, adverbe de lieu, signifie « en cet endroit », et suppose quelque antécédent auquel il se rapporte :

*C'est à Troie et j'***y** *cours ; et, quoi qu'on me prédise,*
*Je ne demande aux dieux qu'un vent qui m'***y** *conduise.* (RACINE.)

7° Il ne faut pas confondre :

là, adverbe de lieu, qui a un accent grave, avec *la*, féminin de l'article simple ;

en, adverbe de lieu, signifiant « de là », avec *en*, préposition, et *en*, pronom personnel** ;

---

* Cette règle n'était pas encore établie au XVIIe siècle ni même an XVIIIe siècle :
C'est là **où** *commence véritablement l'empire turc* (VOLTAIRE).
C'est en Amérique **où** *nous trouverons un très grand nombre de mines d'argent* (BUFFON).

** Le pronom personnel *en* est d'ailleurs étymologiquement un adverbe de lieu, et le passage de l'adverbe au pronom a sa place marquée dans plusieurs gallicismes et dans des verbes composés : **En** *croirai-je mes yeux? — A* **en** *croire les apparences.* — **En** *venir aux mains. — N'***en** *pouvoir plus. — N'***en** *pouvoir mais. — S'***en** *tenir à.* — **En** *vouloir à quelqu'un.* — **En** *imposer à. — S'***en** *aller. — S'***en***fuir*, etc.

où, adverbe de lieu, qui a un accent grave, *où*, pronom relatif avec un accent grave, et *ou*, conjonction, signifiant « ou bien » ;

y, adverbe de lieu, avec *y*, pronom personnel, signifiant « à lui, à elle, à eux, à elles, à cela » * ;

partout, adverbe de lieu signifiant « en tous lieux, » de *par tout*, écrit en deux mots, où *tout* est pronom ou adjectif : *Je le rencontre* **partout. Par tout** *ce que vous me dites, je vois bien*, etc.

282. Les adverbes de lieu n'ont en général pas de complément : aussi ne faut-il pas confondre certains adverbes avec les prépositions correspondantes, qui servent à marquer le complément des noms, des adjectifs ou des verbes :

Adverbes (sans complément).	Prépositions (avec complément).
alentour,	**autour de** *nous ;*
auparavant,	**avant** *ces temps ;*
dedans,	**dans** *la maison ;*
dehors,	**hors de** *la maison ;*
dessus,	**sur** *le toit ;*
dessous,	**sous** *le toit* **.

Toutefois :

1° L'usage admet un complément placé immédiatement après les locutions adverbiales *de dessus, de dessous : Otez cela* **de dessus** *le banc*, **de dessous** *la table.*

2° Plusieurs adverbes ou locutions adverbiales, suivis de la préposition *de*, peuvent former de véritables locutions prépositives, ayant un complément : *auprès de, au bas de, au haut de, au dedans de, au dehors de, au-dessus de, au dessous de, vis-à-vis de*, etc.

2. ADVERBES DE TEMPS

283. Le français a, pour exprimer le temps, un grand nombre d'adverbes et de locutions adverbiales.

* Le pronom personnel *y* est aussi étymologiquement un adverbe, dont on trouve la trace marquée dans certains gallicismes : *Il* **y** *va de la vie. — Je vous* **y** *prends. — Vous n'***y** *pensez pas. — Je n'***y** *vois goutte. —* **Y** *regarder à deux fois. — Il* **y** *a*, etc.

** Jusqu'au XVIIe siècle, la distinction n'était pas aussi tranchée qu'aujourd'hui entre les adverbes et les prépositions. En dépit de Vaugelas (1647) on a continué longtemps à employer comme prépositions certains adverbes, tels que *dedans, dehors dessus, dessous*, etc. On disait aussi *ensuite de, à l'entour de*, etc.

Les principaux *adverbes de temps* sont : *alors, auparavant* *, *déjà, désormais, dorénavant, maintenant, toujours, depuis ; tôt, aussitôt, bientôt, tantôt, plus tôt, tard ; ensuite, enfin, puis ; jamais, parfois, quelquefois, souvent, toujours, encore ; jadis, naguère, hier, aujourd'hui, demain ; longtemps ; quand,* etc.

On peut rattacher aux adverbes de temps les adverbes qui marquent l'ordre et le rang : *premièrement, secondement, dernièrement,* etc.

Parmi les *locutions adverbiales de temps* on peut citer : *à présent, sur-le-champ, tout à l'heure, d'abord, tout à coup, tout de suite,* etc.

Ces adverbes et locutions adverbiales répondent aux questions suivantes : 1° *Quand?* 2° *Pendant combien de temps?* 3° *Depuis combien de temps?*

REMARQUES. — 1° *Jamais* ** s'emploie le plus souvent avec la négation *ne : Je* **ne** *reviendrai* **jamais.**

On le trouve avec le sens négatif, et sans la négation *ne*, dans des phrases elliptiques : *Se reverront-ils?* — **Jamais.** *Mieux vaut tard que* **jamais.**

Dans des phrases interrogatives ou exclamatives, ou dans une proposition subordonnée dubitative, il peut avoir le sens de « quelquefois » : Y *eut-il* **jamais** *cœur plus sincère? Si* **jamais** *je le rencontre, je le lui dirai.*

Il a le sens de « toujours » dans les locutions : *à jamais, pour jamais, à tout jamais.*

On l'emploie aussi dans la locution familière *au grand jamais.*

2° *Naguère* a son sens étymologique, « [il] n'[y] a guère [de temps] «, c'est-à-dire « récemment «, et non pas le sens de « jadis », qu'on lui donne souvent aujourd'hui :

Dieu! que tes bras sont froids! Rouvre les yeux... **Naguère**
Tu nous parlais d'un monde où nous mènent nos pas. (V. HUGO, *La grand'mère*).

3° *Quand*, adverbe, est toujours interrogatif et signifie « à quel moment? »; il peut être employé dans une interrogation directe ou indirecte : **Quand** *viendrez-vous? Dites-moi* **quand** *vous viendrez.*

4° Il ne faut pas confondre :

tout à coup, adverbe de temps signifiant « soudain », avec *tout d'un coup*, adverbe de manière signifiant « d'un seul coup, en une seule fois » ;

---

* *Auparavant* s'employait dans l'ancienne langue et encore au XVIIe siècle non seulement comme adverbe, mais encore comme préposition :

Auparavant l'arrêt (ROTROU).

et formait, suivi de *que*, une conjonction :

Auparavant que de venir... (MOLIÈRE).

** *Jamais* est formé des vieux mots français *jà* (du latin *jam*) et *mais* (du latin *magis*), dont le premier se retrouve dans l'adverbe *déjà*, et le second dans la locution *n'en pouvoir mais*, c'est-à-dire *n'en pouvoir davantage, n'y pouvoir rien*, et dans l'adverbe *désormais* « de cette heure en avant ».

tout de suite, adverbe de temps signifiant « immédiatement », avec *de suite*, adverbe de manière signifiant « l'un après l'autre, sans interruption » ;

aussitôt, adverbe de temps, signifiant « soudain », avec *aussi tôt*, comparatif d'égalité de *tôt* : **Aussitôt** *dit*, **aussitôt** *fait. Ils se sont levés* **aussi tôt** *l'un que l'autre ;*

bientôt, adverbe de temps signifiant « dans peu de temps », avec *bien tôt*, superlatif de *tôt : Je vous écrirai* **bientôt**. *Vous avez dû vous lever* **bien tôt** ;

plus tôt, adverbe de temps, comparatif de *tôt*, qui s'oppose à *plus tard*, avec *plutôt*, adverbe de manière, signifiant « de préférence » : *Il faudra vous lever* **plus tôt. Plutôt** *mourir que souffrir !* *

quand, adverbe de temps, avec la conjonction *quand* signifiant « lorsque, alors même que » et la locution préposition *quant à*, qui signifie « à l'égard de, pour ce qui est de » : *Quant à moi, je suis prêt* **.

COMPLÉMENTS DES ADVERBES DE TEMPS

284. De tous les adverbes de temps, seul *jamais* peut avoir un complément : *Il n'a* **jamais** *d'ennuis* ***.

3. ADVERBES DE MANIÈRE

285. Les adverbes de manière sont fort nombreux. Ils comprennent :

1° Un nombre restreint d'*adjectifs pris adverbialement : haut, bas, net, clair, juste, faux, fort, exprès*, etc.

Parler haut, parler bas, dire tout net, voir clair, chanter juste, chanter faux, crier fort, agir exprès, etc. **** ;

2° Un très grand nombre d'adverbes tirés d'*adjectifs mis au féminin singulier* et suivis du suffixe *ment*.

---

* L'étymologie d'*aussitôt* et d'*aussi tôt*, de *bientôt* et de *bien tôt*, de *plutôt* et de *plus tôt* est d'ailleurs la même. Au XVIIe siècle, on écrivait *plus tôt* dans les deux sens, comme on écrivait *la plus part*. On lit dans le *Dictionnaire de l'Académie* (1re édit., 1694) : « *Plus tost*, adverbe qui sert à marquer le choix. Ex. : **Plus tost** *mourir que de faire une lâcheté.* »

** La différence d'orthographe est justifiée par l'étymologie. *Quand* vient de *quando ; quant à* de *quantum ad*. Le mot *quant* est encore resté comme adjectif dans une vieille locution : *toutes et quantes fois que*, « autant de fois que ». La locution prépositive *quant à* se retrouve dans les expressions familières : *être sur son quant-à-soi, garder son quant-à-soi*.

*** C'est que *jamais*, composé (comme on l'a noté plus haut) de *jà* et de *mais* « plus » se rattache par son étymologie aux adverbes de quantité.

**** Ces sortes d'adverbes correspondent aux adjectifs neutres employés adverbialement en latin et en grec : *dulce ridentem, dulce loquentem* (Horace), δακρυόεν γελασασα (Homère).

Ainsi :

franc	*franche*	*franche***ment**
nouveau	*nouvelle*	*nouvelle***ment** *

Quelques particularités sont à signaler :

a) Les adjectifs terminés au masculin par une *voyelle (é, i, u)* perdent l'*e muet* du féminin : *effronté(e), effronté***ment** ; *hardi(e), hardi***ment** ; *éperdu(e), éperdu***ment**.

Toutefois cet *e* muet est maintenu dans *gaiement* et *nuement*, qu'on peut écrire aussi *gaîment* et *nûment*. Il est rappelé par un accent circonflexe dans les adverbes *assidûment, congrûment, continûment, crûment, dûment* et *indûment* **.

En outre, *traître* donne *traîtreusement* *** ; *gentil* fait *gentiment*, comme si son masculin s'écrivait sans *l* **** ; *bref* fait *brièvement*, et *grave* donne *grièvement* à côté de *gravement* *****.

b) Les adjectifs terminés en *ant, ent,* dont le féminin était jadis semblable au masculin, forment des adverbes en *amment, emment :* le *t* final de l'adjectif est tombé devant le suffixe *ment*, et l'*n* s'est changé en *m*, par assimilation avec la lettre initiale de ce suffixe : *sav***ant**, *sav***amment** ; *prud***ent**, *prud***emment**.

On excepte *présentement, véhémentement,* qui rentrent dans la règle générale des adverbes formés de l'adjectif féminin, ainsi que *lentement.*

D'autre part les adverbes *journellement, nuitamment, notamment, précipitamment, sciemment,* sont formés sur des adjectifs aujourd'hui hors d'usage.

c) Quelques adjectifs, quoique non terminés par *é*, et dont le

---

* Ces adverbes ont été fournis à la langue française par une locution qu'on trouve déjà en latin, chez les écrivains de l'Empire : *bona mente faciunt* (Quintilien), *devota mente tuentur* (Claudien), et qui a prévalu dans la basse latinité pour la formation d'expressions adverbiales. Elle se composait d'un adjectif à l'ablatif féminin et du nom *mens* « esprit », en latin populaire « manière », à l'ablatif *mente : dulci mente, forti mente, honesta mente :* locution qui a donné à l'italien les adverbes *dolcemente, fortemente onestamente*, et au français *doucement, fortement, honnêtement*.

** Au XVIe siècle on écrivait encore *assiduement, congruement,* etc.

*** Formé sur le féminin de l'ancien adjectif *traîtreux*, qu'on lit encore dans Saint-Simon.

**** On écrivait autrefois *gentilment* (du latin *gentili mente*).

***** *Brièvement* (anciennement *briefment*) est formé sur la vieille forme de l'adjectif *bref* qui était *brief*, fém. *briève*, en usage jusqu'au XVIe siècle, et *grièvement* (anciennement *griefment*) sur la forme archaïque de *grave*, qui était *grief*, fém. *griève*.

féminin finit par un *e muet* ont un *é* fermé avant le suffixe *ment*. Ce sont :

aveugle, aveuglément. *commun, communément.*
commode, commodément. *confus, confusément.*
conforme, conformément. *exprès, expressément.*
énorme, énormément. *obscur, obscurément*
immense, immensément. *précis, précisément.*
opiniâtre, opiniâtrément. *profond, profondément.*
uniforme, uniformément.

Il y faut joindre *impuni*, qui fait *impunément.*

Mais on dit *diablement, largement, terriblement*, etc.

3° Quelques adverbes formés directement : *bien, mieux, mal, pis ; ainsi, ensemble ; comme, comment ; plutôt, gratis, quasi*, etc. *

A côté des adverbes de manière, il y a un certain nombre de locutions adverbiales de manière : *à contre-cœur, à la légère, à l'envi, d'arrache-pied, de bon gré, de mauvais gré*, etc.

DEGRÉS DE SIGNIFICATION

286. Les adverbes de manière correspondant à des adjectifs peuvent avoir, comme ces adjectifs, trois degrés de signification :

1° Le *positif :* franchement.

2° Le *comparatif :* plus franchement, moins franchement, aussi franchement.

3° Le *superlatif :* le plus franchement, très franchement ou fort franchement.

Deux adverbes de manière seulement ont, pour le comparatif et le superlatif, une forme spéciale qui répond au comparatif et au superlatif des adjectifs de même origine. Ce sont : *bien*, compar. *mieux ;* superl. *le mieux* et *très bien ; mal*, compar. *pis* (ou *plus mal*), superl. *le pis* (ou *le plus mal*) et *très mal.*

---

* *Bien* vient de *bene*, *mieux* de *melius*, *mal* de *male*, *pis* de *pejus*, *ainsi* de *in sic*, *ensemble* de *in simul*, *comme* de *quomodo*, *comment* de *quomodo inde*, *plutôt* est pour *plus tôt* (voir plus haut, § 283 Rem. 4° n. *); *gratis* et *quasi* sont tout latins.

A noter que *quasi* a une forme composée, *quasiment (quasi mente)*, formée par analogie avec les adverbes en *ment*.

EMPLOIS PARTICULIERS

287. **Bien**, adverbe de manière, s'emploie :

a) Devant un adjectif ou un adverbe, avec le sens de *très :* **Bien** *malade.* **Bien** *sagement.*

b) Devant les comparatifs : *plus, moins, mieux, pis, meilleur, pire, moindre,* avec le sens de *beaucoup : Il est* **bien plus** *heureux que moi. Elle est* **bien pire**.

c) Devant un nom ou le pronom *autres,* précédés de la préposition *de,* avec le sens de *beaucoup :* **Bien** *du monde. Je l'ai dit à* **bien** *d'autres.*

d) Devant un verbe, avec son sens propre : *Il parle* **bien**. *Voilà qui est* **bien**.

Il est alors quelquefois presque explétif : *Je vous l'avais* **bien** *dit.*

e) Dans certaines locutions, telles que : *c'est* **bien**, au sens de *en voilà assez ; si* **bien** *que,* au sens de *à tel point que ; aussi* **bien**, au sens de *d'ailleurs,* etc.

REMARQUE. — *Bien* peut aussi, dans la langue familière, être employé avec une valeur d'adjectif : *Des gens très* **bien**.

2° **Mieux**, adverbe de manière, comparatif de *bien,* s'emploie avec les verbes et les participes : *Il écrit* **mieux**. *Il est* **mieux** *nourri,* **mieux** *vêtu.*

b) Dans certaines locutions : *De* **mieux** *en* **mieux**. *A qui* **mieux mieux**. *Tant* **mieux**. *Des* **mieux**, *au* **mieux**.

Précédé de l'article, il a le sens du superlatif : *C'est ce que j'aime* **le mieux**.

REMARQUE. — On le trouve encore :

1° Avec l'article, employé comme nom : *Le* **mieux** *est l'ennemi du bien.*

2° Comme forme neutre de l'adjectif après certains pronoms indéterminés : *Rien de* **mieux**. *Qui* **mieux** *est (= ce qui est mieux).*

3° **Mal**, adverbe de manière, s'oppose à *bien : Il parle* **mal**.

Il entre dans la locution familière *pas mal* qui peut :

a) avoir, comme *bien,* le sens de *très* ou de *beaucoup : Tu es* **pas mal** *impertinent. Il y avait* **pas mal** *de gens ;*

b) marquer l'approbation : **Pas mal**. *Continuez.*

4° **Pis**, adverbe de manière, comparatif de *mal*, s'oppose à *mieux*, mais seulement dans certaines locutions : *Faire* **pis**. *Etre* **pis**. *De* **pis** *en* **pis** ; *de mal en* **pis**. *Tant* **pis**. Il est généralement supplanté par *plus mal*.

Il sert aussi à former la locution adverbiale *au* **pis** *aller*, qui signifie « en supposant les choses au pire état où elles puissent être ». Cette locution s'emploie aussi substantivement : *c'est votre pis aller*, c'est-à-dire « c'est le pis qui puisse vous arriver », *c'est un pis aller, ce n'est qu'un pis aller*, etc.

REMARQUE. — On le trouve encore :

1° Avec l'article, employé comme nom : *Le* **pis** * *n'est pas de mourir, mais de vivre dans la honte*.

2° Comme forme neutre de l'adjectif après certains pronoms indéterminés : *Rien de* **pis**. *Qui* **pis** *est (= ce qui est pis)*.

5° **Comme** et **comment** sont deux adverbes de manière. *Comme* s'emploie :

a) Pour indiquer la comparaison, au sens de « de la même manière que » : *Brave* **comme** *un lion*.

b) Dans l'interrogation indirecte **, au sens de « de quelle manière » : *Voyez* **comme** *il court*.

c) Dans l'exclamation : **Comme** *il court!*

REMARQUE. — Il ne faut pas confondre l'adverbe de manière *comme* avec *comme*, adverbe de quantité, signifiant *combien* (voir plus loin) : *Comme elle est belle!* et avec la conjonction *comme*, signifiant « dans le temps où, parce que, vu que » : **Comme** *il disait ces mots...* **Comme** *ces raisons semblaient bonnes, on s'y rendit*.

---

* La langue a longtemps hésité entre *pis* et *pire*. Quand La Fontaine écrit : *Il vous arrivera quelque chose de* **pire**, il fait sans doute l'accord avec *chose*, la locution *quelque chose* ayant encore l'acception féminine au début du XVIIe siècle (cf. *Quelque chose plus générale* [MALHERBE]).

Mais il lui arrive d'écrire indifféremment *le pis* et *le pire :*

> **Le pis** *fut que l'on mit en piteux équipage*
> *Le pauvre potage.*
> **Le pire**, *c'est qu'il en coûte cher.*

** Au XVIIe siècle, *comme* s'employait aussi dans l'interrogation directe, au sens de « comment » : *Albin,* **comme** *est-il mort?* (CORNEILLE).

On le mettait aussi après *autant* au lieu de « que » : *Tendresse dangereuse* **autant comme** *importune* (CORNEILLE).

Comment s'emploie pour marquer l'interrogation, au sens de « de quelle manière » : **Comment** *allez-vous ? Voyons* **comment** *il en sortira.*

Remarque. — Il ne faut pas confondre *comment*, adverbe de manière, avec l'interjection marquant l'interrogation ou la surprise : **Comment?** *Que me dites-vous*? **Comment** ! *c'est lui ?*

4. ADVERBES DE QUANTITÉ

288. Les adverbes et les locutions adverbiales de quantité sont assez nombreux.

Ils répondent aux questions : *combien? combien de fois? jusqu'à quel point?*

1° Les adverbes répondant à la question *combien ?* sont : *assez* *, *trop, peu, beaucoup, guère, plus, moins, davantage, aussi, si, autant, tant, tellement, très, force, tout, presque, combien, que* (pour *combien*), *comme* (pour *combien*).

2° Les adverbes répondant à la question *combien de fois?* sont : *parfois, quelquefois; souvent, encore,* etc.

3° Les adverbes et les locutions adverbiales répondant à la question *jusqu'à quel point ?* sont : *à peine. ne... que, seulement, presque, beaucoup, tant, tellement, tout à fait.*

DEGRÉS DE SIGNIFICATION

289. Deux adverbes de quantité ont des degrés de signification : *beaucoup* a pour comparatif *plus* et pour superlatif *le plus ; peu* a pour comparatif *moins* et pour superlatif *le moins.*

---

* *Assez* vient de *ad satis. Trop* est un nom pris adverbialement, le doublet de *troupe*, et qui indiquait primitivement plutôt grande quantité qu'excès. *Peu* vient de *paucum. Beaucoup* est un mot composé de *beau* et de *coup* (en vieux français * *colp*, de *colaphum* « coup de poing, coup »). *Guère*, primitivement * *guaire*, a pour origine le francique *waigaro* « beaucoup ». *Plus* vient du latin *plus*, et *moins* du latin *minus. Autant* (pour * *altant*), de *aliud tantum. Davantage* est pour *d'avantage. Si* vient de *sic*, et *aussi*, de *aliud sic ; tant* de *tantum*, et *tellement* de *tali mente. Très* a pour origine *trans. Force* est un nom pris adverbialement au sens de *beaucoup* (comme en latin *vis*, dans un sens analogue). *Tout* vient de *totum. Presque* est formé de *près* et de la conjonction *que. Que* vient de *quam, comme* de *quomodo, combien* de *cum bene*, etc.

EMPLOIS PARTICULIERS

290. 1° **Trop** sert à exprimer l'excès : *Il est* **trop** *poli pour être honnête.*

Cependant il est parfois employé dans la langue familière au sens de « très * » : *Cette petite fille est* **trop** *mignonne ! Je suis* **trop** *heureux de vous être agréable.*

Dans l'une et l'autre acception, il peut être renforcé par *par : Il est* **par** *trop méchant.*

2° **Peu**, employé seul, exprime l'insuffisance : *Il mange* **peu.**

Précédé de *un*, il exprime l'idée d'une petite quantité : *Il mange* **un peu.**

Précédé de *de*, il marque la différence, la distance : *Il me précède* **de peu.** *Il s'en faut de* **peu.**

3° **Beaucoup** modifie soit un verbe, soit un comparatif ** *Il crie* **beaucoup**. *Il est* **beaucoup** *plus triste ; il va* **beaucoup** *plus mal.*

On le trouve parfois précédé de *de*, s'il précède un comparatif, et toujours précédé de *de*, s'il suit un comparatif ou aussi un superlatif : *Il est* **de beaucoup** *plus triste* (ou *il est* **beaucoup** *plus triste*). *Il est plus triste* **de beaucoup**. *Il est* **de beaucoup** *le plus triste* ou *le plus triste* **de beaucoup.**

On le trouve aussi précédé de *de*, avec certains verbes marquant une différence : *L'emporter* **de beaucoup.** *Il s'en faut* **de beaucoup.**

4° **Guère** ***, qui veut dire *beaucoup*, ne s'emploie que dans les propositions négatives ou dans les réponses, avec le sens négatif : *Cela* **ne** *me plaît* **guère.** *Il* **ne** *s'en faut* **de guère**. *Cela vous plaît-il ?* **Guère** (c'est-à-dire *pas beaucoup*).

5° **Plus** et **moins** modifient un adjectif, un adverbe ou un verbe : **Plus heureux**. *Aller* **plus mal. Travailler moins.**

---

* Qui est, comme on l'a indiqué plus haut (note du § 288) son sens primitif.

** *Beaucoup* pouvait s'employer autrefois devant un positif : *Leur savoir à la France est* **beaucoup** *nécessaire.*
Et l'on dit encore aujourd'hui : *Il nous est* **beaucoup** *utile.*

*** Écrit parfois *guères*, dans les vers, pour la rime ou pour la mesure.

Ils peuvent avoir un nom comme complément : *Ils ont* **plus de peine** *que vous, et* **moins d'avantage.**

Plus et *moins*, quand le second terme de la comparaison est exprimé, sont suivis de la conjonction *que :* **Plus** *fait douceur* **que** *violence. Deux chevaux mangent* **moins qu'***un bœuf.*

Ils sont suivis de la préposition *de* devant le nombre qu'on calcule, la qualité qu'on mesure : *Il a encore vécu plus* **d'***un an. — Il a perdu* **plus du** *double. — Il est* **plus d'***à moitié mort. — En* **moins de** *rien.*

Plus et *moins*, précédés de *d'autant* et suivis de *que*, forment les locutions *d'autant plus que, d'autant moins que :*

L'apologue s'insinue avec **d'autant plus** *de facilité* **qu'***il est plus commun* (La Fontaine).

Répétés dans des propositions correspondantes, *plus* et *moins* ont le même sens que *d'autant plus que, d'autant moins que*, mais la phrase est renversée : **Plus** *on est savant,* **plus** *on est modeste.* (*= On est* **d'autant plus** *modeste* **qu'***on est plus savant*).

Plus et *moins* s'opposent aussi entre eux : **Plus** *il a d'argent,* **moins** *il en dépense* (*= Il dépense* **d'autant moins** *d'argent* **qu'***il en a* **plus**).

Remarques. — *Plus* et *moins* entrent encore dans quelques locutions, dont les principales sont :

a) au plus, au moins, qui expriment une évaluation maxima ou minima devant un nom de nombre : *Ils étaient* **au plus** *deux cents ; ils étaient mille* **au moins** ;

b) en plus, en moins, qui signifient « au-dessus » ou « au-dessous de la chose convenue » : *Il a reçu mille francs* **en plus** ; *il a touché cent francs* **en moins** ;

c) de plus, qui marque une progression : *C'est un sot,* **de plus** *c'est un fourbe ;*

d) du moins (ou encore *au moins*), qui marque une restriction : *C'est un sot ;* **du moins** *il est honnête ;*

e) rien moins *, qui est négatif, et *rien de moins*, qui est affirmatif :

« *Croyez-moi, Rousseau n'est* **rien moins** *qu'un méchant homme* (= n'est pas un méchant homme). » (Marmontel)

---

* Aujourd'hui *rien moins* est suivi de *que*; au xviie siècle on le trouve construit isolément, par ellipse, avec le sens de *point du tout : Croyez-vous qu'il cherche à s'instruire?* **Rien moins** (La Bruyère).

« *La* Phèdre, *de Racine, qu'on dénigrait tant, n'était* **rien de moins** *qu'un chef-d'œuvre* (= était un chef-d'œuvre). » (MARMONTEL)

f) à moins de, qui équivaut à *si... ne pas :* **A moins de** *m'écouter, vous êtes perdu* (= si vous ne m'écoutez pas);

g) ni plus ni moins, qui signifie *très exactement : Vous n'êtes* **ni plus ni moins** *qu'un sot.*

6° **Davantage** s'emploie au sens de *plus*, mais seulement quand le second terme de la comparaison a déjà été exprimé ou lorsqu'il est sous-entendu, et toujours à côté d'un verbe :

Je n'en dirai pas **davantage** (= *plus que je n'en ai dit*).

Pierre et Paul sont tous deux laborieux, mais Paul l'est **davantage** (= *l'est plus que Pierre*).

Davantage ne peut être aujourd'hui suivi d'un complément *.

7° **Aussi** et **si** s'emploient devant les adjectifs et les adverbes. *Aussi* exprime l'égalité dans la comparaison ; *si* marque le degré d'intensité et est synonyme de « tellement » : *Nous sommes* **aussi** *las que vous. Nous sommes* **si** *las que nous dormons debout* **.

Toutefois *si* peut remplacer *aussi* et marquer la comparaison dans une phrase négative ou interrogative : *Il n'est pas* **si** *puissant que vous. Est-il quelqu'un de* **si** *puissant que vous ?*

REMARQUE. — *Si* suivi de *que* peut signifier « quelque que » et marquer une concession : **Si** *habile* **que** *vous soyez, vous n'y parviendrez pas.*

Que est d'ailleurs supprimé, si l'on met le sujet après le verbe : **Si** *habile soyez-vous, vous n'y parviendrez pas.*

---

* Venu en usage dans la langue, comme locution adverbiale, seulement au XIVe siècle, *davantage* était alors employé d'une manière absolue. Du XVIe au XVIIIe siècle, on l'a fait suivre soit de la préposition *de*, soit de la conjonction *que :*
Il n'y a rien que je déteste **davantage que** *de blesser la vérité* (PASCAL).
Ils admirent **davantage** *le protecteur* **que** *le persécuteur du roi Jacques* (VOLTAIRE).
Les grammairiens de la fin du XVIIIe siècle ont réclamé contre cet emploi du mot *davantage* et fait observer que ce n'est pas un véritable adverbe de comparaison, puisqu'il signifie *avec avantage*; certains pourtant ont voulu maintenir *davantage que* ou *de*, en s'appuyant sur l'autorité de bons écrivains; mais il a fini par tomber en discrédit et par disparaître du style châtié.

** Nous disons avec *si* marquant l'intensité : « *Êtes-vous si bon* **que** *vous l'excusiez?* » Au XVIIe siècle, *si* s'employait également en ce sens avec l'infinitif précédé de *que de* ou de *de :*

... *Es-tu toi-même* **si** *crédule*
Que de *me soupçonner d'un courroux ridicule!* (RACINE).
Qui te rend **si** *hardi* **de** *troubler mon breuvage?* (LA FONTAINE).

Cette construction est elliptique : « *Es-tu* **si** *crédule* **que** [*tu le sois au point*] *de me soupçonner?* »

8° **Autant** et **tant** s'emploient devant les verbes. *Autant* exprime l'égalité dans la comparaison, comme *aussi ; tant* marque le degré d'intensité comme *si*. L'un et l'autre peuvent avoir un nom comme complément. *Ce diamant vaut* **autant** *que ce rubis. Il boit* **autant** *d'eau que de vin. Il mangea* **tant** *qu'il en creva. Il a* **tant** *de vertu !*

Toutefois *tant* peut remplacer *autant* et marquer la comparaison dans une phrase négative ou interrogative :

Rien ne pèse **tant** *qu'un secret* (LA FONTAINE).

Qui pèse **tant** *qu'un secret?*

REMARQUES. — 1° *Autant* peut s'employer avec un adjectif, mais il est placé après lui : *Charitable* **autant** *que courageux* *.

2° *Autant* répété a le même sens que *autant que*, mais la phrase est renversée : **Autant** *je hais le vice*, **autant** *j'aime la vertu* (= j'aime la vertu *autant que* je hais le vice). **Autant** *de têtes*, **autant** *d'avis* (= il y a *autant* d'avis *que* de têtes **).

3° *Tant que* peut s'employer dans le sens de *aussi loin que* et *aussi longtemps que :* **Tant que** *la vue peut s'étendre.* **Tant qu'***il vivra* ***.

9° **Tellement** s'emploie comme *si* et *tant*, pour marquer le degré d'intensité, mais aussi bien devant un verbe que devant un nom ou un adjectif.

10° **Très** exprime le superlatif absolu devant un adjectif ou un adverbe : **Très** *bon.* **Très** *bien.*

Exceptionnellement et dans la langue familière, il s'emploie devant un nom, pour souligner sa valeur accidentelle d'adjectif, ou devant une locution à valeur d'adjectif :

Oui, vous êtes sergent, monsieur, et **très sergent** (RACINE, *Les Plaideurs*).

J'ai **très soif.** *Une coutume* **très en vogue.**

---

* Au XVIIe siècle, on employait indifféremment *autant* et *aussi* devant un adjectif
Mille artifices **autant indignes qu'***inutiles* (BOSSUET).

** Au XVIIe et au XVIIIe siècle, au lieu de *autant..., autant*, on disait *autant que..., autant :*

Autant que *de David la race est respectée,*
Autant *de Jésabel la fille est détestée* (RACINE).

*** Jusqu'au milieu du XVIIe siècle, on a employé *tant que* avec le subjonctif dans le sens de *jusqu'à ce que (jusqu'à tant que) :*

Adieu. Je vais traîner une mourante vie,
Tant que *par ta poursuite* **elle me soit ravie** (CORNEILLE).

11° **Combien** s'emploie dans l'interrogation (même indirecte) et dans l'exclamation : **Combien** *cela vous a-t-il coûté? Vous voyez* **combien** *cela vous a coûté.* **Combien** *cela vous a coûté !*

Combien peut avoir pour complément un nom qui lui est uni par *de* : **Combien** *de temps...?* **Combien** *de personnes...?*

En ce dernier cas il peut s'employer seul au sens de « combien de gens » :

Combien *en a-t-on vus*
Qui du soir au matin sont pauvres devenus! (LA FONTAINE).

REMARQUE. — *Combien* est précédé de *de*, quand on insiste sur la mesure et la comparaison : **De combien** *surpassa-t-il l'autre?* **De combien** *s'en faut-il?*

On pourra dire, selon qu'on insiste ou non sur cette mesure : **De combien** *il le surpasse!* ou **Combien** *il le surpasse!*

12° **Que** et **comme** peuvent remplacer *combien*, mais uniquement dans des propositions exclamatives : **Que** *je hais la calomnie!* **Comme** *il est beau!*

Que peut, comme *combien*, être suivi d'un complément :

Hélas! **que** *j'en ai vu mourir* **de jeunes filles**! (V. HUGO.)

5. ADVERBES D'AFFIRMATION

291. Les adverbes d'affirmation sont : *oui, si* et quelques adverbes ou locutions adverbiales de manière tels qu'*assurément, bien sûr, certainement, en vérité, parfaitement*, etc.

Oui représente toute une proposition : *Le perroquet répondit* **oui** (= répondit que c'était vrai) (VOLTAIRE).

Viens-tu? — **Oui** (= je viens).

REMARQUE. — *Oui* est parfois renforcé par d'autres adverbes : *Mais oui, bien sûr que oui*, etc. *.

Si est d'un emploi moins étendu, et ne se met que par opposition

---

* On disait autrefois *oui-da*, qui s'est conservé dans le dialecte rural. Dans cette expression, *da* est une contraction de *dea* (XVe siècle), qui semble être une altération de *diva* (XIIe siècle), mis pour *dis va*.

Quant à *oui*, il vient du latin *hoc ille* « cela il [a fait] », devenu *oc il*, puis *o il :* appliqué d'abord à la troisième personne, l'expression s'est étendue dans la France du Nord, à toutes les autres, d'où la distinction faite entre la *langue d'oïl* (parler du Nord) et *la langue d'***oc** (parler du Midi). La forme *oïl* s'est ensuite cristallisée en *oui*.

à une négation ou pour répondre affirmativement à une question négative : *Vous dites que non, je dis que* **si**. *Est-ce que vous n'allez pas à Paris?* — **Si**, *j'y vais.*

REMARQUE. — *Si* peut être renforcé par d'autres adverbes ou précédé de *que : Si fait, si vraiment, oh! que si.*

6. ADVERBES DE NÉGATION

292. Les adverbes de négation sont : *non, ne,* et accessoirement *nenni.*

Non et *ne*, forme accentuée et forme inaccentuée du même mot, s'emploient le premier généralement seul, le second généralement accompagné d'un autre mot.

Emplois de Non.

293. 1° *Non* s'emploie devant tous les termes d'une proposition excepté le verbe : *Des faits* **non** *confirmés.* **Non** *loin de là...*

REMARQUE. — Il peut s'unir alors au nom pour former un nom composé : *un* **non-sens**, *une* **non-valeur**, etc.

2° *Non* s'emploie, comme l'adverbe *oui*, pour former une proposition elliptique et représente soit une proposition, soit un terme de la proposition :

Partez-vous? — **Non** (c'est-à-dire « je ne partirai pas »).
Sage ou **non**, *je parie encore* (LA FONTAINE).
Vous dites que **non**, *je dis que si.*

REMARQUES. — 1° La négation *non* est parfois accompagnée des mots *pas, point, certes, vraiment,* qui renforcent la négation, sans avoir par eux-mêmes aucun sens négatif :

Je crains votre silence, et **non pas** *vos injures* (RACINE).
Non vraiment, *je ne le ferais pas.*

2° *Non* entre dans la formation des locutions suivantes :

a) *Non plus*, qui équivaut à *aussi* avec une négation : *Je ne partirai pas. Moi* **non plus** (= *moi* **aussi**, *je* **ne** *partirai* **pas** *).

b) *Non seulement*, qui introduit un premier terme, auquel s'oppose un second

* Jusqu'au XVIIe siècle, on employait *aussi* avec une négation dans le sens de *non plus :*
Comme les hommes ne se dégoûtent point du vice, il **ne** *faut pas* **aussi** *se lasser de le leur reprocher* (LA BRUYÈRE).

terme commençant par *mais encore, mais aussi, mais :* **Non seulement** *je l'ai vu,* **mais encore** *je l'ai entendu* *.

c) *Non que*, qui, au début d'une phrase, équivaut à *ce n'est pas que :*

Non que *tu sois pourtant de ces rudes esprits*
Qui regimbent toujours, quelque main qui les flatte (BOILEAU).

Emplois de ne.

294. *Ne* est presque toujours accompagné aujourd'hui d'un autre mot.

Tantôt, dans l'usage ordinaire, il est renforcé de *pas* ou quelquefois de *point* ** : *Il* **ne** *viendra* **pas. N'***est-il* **point** *venu?*

Tantôt il est employé avec des pronominaux *(aucun, nul, pas un, personne, rien)* et avec des adverbes *(aucunement, guère, jamais, nullement, plus)*. **Nul ne** *le sait. Je* **ne** *le crois* **guère.**

Toutefois *ne* s'emploie *toujours seul :*

1° Dans certaines locutions : **n'***avoir cure* — **n'***avoir garde* — **n'***importe*, etc.,
et dans les expressions : *il* **ne** *dit mot* — *je* **n'***ai trouvé qui que ce fût* — *il* **n'***y a âme qui vive* — *à Dieu (aux Dieux)* **ne** *plaise.*

2° Après *que* signifiant *pourquoi : Que* **ne** *faites-vous cela?*

3° Avec le verbe avoir suivi du pronom *que : Je* **n'***ai que faire de vous.*

---

* On employait aussi au XVIIe siècle la locution *non jamais*, qui était synonyme de *jamais : Les envieux mourront, mais* **non jamais** *l'envie* (MOLIÈRE).

** *Ne... pas, ne... point* sont les deux négations composées qui subsistent encore aujourd'hui. Mais l'ancienne langue en connaissait davantage : elle formait des négations composées non seulement avec *pas* et avec *point*, mais encore avec *goutte*, avec *maille*, avec *mie*, tous mots désignant de petites choses : *pas*, la petite distance égale à une enjambée — *point*, une piqûre, un point — *goutte*, une très petite quantité de liquide — *maille*, une ancienne pièce de menue monnaie — *mie*, une miette.

A l'origine ces mots étaient employés seulement : *pas* et *point* avec des verbes de mouvement (*il n'avance* **pas**, c.-à-d. il n'avance d'un seul pas — *il ne remue* **point**, c.-à-d. il ne remue même d'un point); *goutte*, avec le verbe boire et *mie* avec le verbe manger (*il ne boit* **goutte**, c.-à-d. il ne boit même une seule goutte — *il ne mange* **mie**, c.-à-d. il ne mange même une mie); *maille* avec un verbe marquant la possession ou une transaction (*il n'a* **maille**, c.-à-d. il n'a même une maille).

Puis l'emploi de *pas, point, goutte, mie, maille* s'est étendu à tous les verbes (jusqu'au XVIe siècle). La Fontaine cite encore, au XVIIe siècle, le vieux proverbe picard :

Biaux chires leups, n'écoutez **mie**
Mère tanchent chen fieux qui crie

c'est-à-dire :

Beau sire loup, n'écoutez mie
Mère tançant son fils qui crie.

Il est aujourd'hui abandonné en ce qui concerne les trois derniers mots, sauf pour *goutte*, qu'on emploie encore avec les verbes *voir* et *entendre* (**il n'***y voit* **goutte, il n'***y entend* **goutte**).

4° Associé à *personne, rien, nul, aucun, guère, jamais,* etc. : *Il* **ne** *sourit* **guère ***.

5° Devant *que : Je* **ne** *connais* **que** *votre loi* **.

Il s'emploie *facultativement seul :*

1° Après le pronom ou l'adjectif interrogatifs :

> **Quel** *esprit* **ne** *bat la campagne?*
> **Qui ne** *fait châteaux en Espagne?* (La Fontaine).

2° Devant *autre que : Je* **ne** *connais* **d'autre** *loi* **que** *la vôtre.*

3° Devant les verbes *cesser, oser, pouvoir, savoir : Il* **ne cesse** *de lutter. Je* **ne sais.**

4° Après les locutions conjonctives de temps *depuis que, il y a... que :* **Il y a longtemps que** *je* **ne** *l'ai rencontré.*

5° Après la conjonction *si :*

Si *ce* **n'***est toi, c'est donc ton frère* (La Fontaine).

6° Dans une proposition subordonnée consécutive, si la principale est interrogative ou négative : *Avez-vous un ami qui* **ne** *soit des miens?*

7° Quand le verbe a un complément qui renforce la négation : *Je* **n'y** *reviendrai* **de longtemps.**

D'autre part *ne* peut s'employer explétivement et facultativement dans un grand nombre de propositions subordonnées :

1° Après les verbes d'*empêchement*, comme *empêcher, éviter,* etc. *Il évite qu'on sorte ou qu'on* **ne** *sorte.*

2° Après les verbes de *crainte*, comme *craindre, avoir peur, prendre garde,* etc., et les locutions *de peur que, de crainte que : Je crains qu'il vienne* ou *qu'il* **ne** *vienne. De peur qu'il aille* ou *qu'il* **n'***aille.*

3° Après les verbes de *doute* ou de *négation*, comme *douter,*

---

* Au XVIe siècle, et dans la première partie du XVIIe, les mots *pas* et *point* étaient encore exprimés avec *nul, aucun, guère :*

> *La maison dont il estoit* **n'a pas guère** *aidé à sa gloire* (Amyot).

** Jusqu'au XVIIe siècle, on employait *pas* ou *point* avec *ne que :*

> *Ils* **ne** *se sépareront* **point qu'***après avoir donné un arrêt* (Mme de Sévigné).

contester, désespérer, nier, etc., accompagnés de la négation, et après les locutions *peu s'en faut que, il ne tient pas à... que : Je ne nie pas que la chose soit vraie ou* **ne** *soit vraie. Il s'en faut de peu que vous ayez gagné* ou *que vous* **n'***ayez gagné.*

4° Dans les propositions de comparaison ou dans les locutions impliquant une comparaison : *autre que, autrement que, avant que, à moins que*, etc. : *Il est plus riche qu'on croit* ou *qu'on* **ne** *croit. Il est tout autre que je m'y attendais* ou *que je* **ne** *m'y attendais Il viendra me voir avant que je parte* ou *que je* **ne** *parte.*

Remarque. — Toutefois *ne* n'est jamais employé dans les propositions subordonnées gouvernées par la locution conjonctive *sans que*, qu'il y ait ou non un verbe de crainte, d'empêchement, de doute, de négation entre *sans* et *que : Vous pouvez agir* **sans** *craindre* **qu'***on vous trompe. Vous agirez* **sans que** *je vous le redise.*

Omission de ne.

295. *Ne* ne s'exprime pas dans les réponses et dans les propositions où il y a une ellipse du verbe : *Que fais-tu?* — **Rien** (c.-à-d. [Je ne fais] rien). **Point** *d'argent*, **point** *de Suisse.*

Remarque. — On trouve quelquefois *ne* omis dans les propositions interrogatives, mais c'est dans la langue familière * :

Voilà-t-il **pas** *Monsieur qui ricane déjà?* (Molière.)
Viens-tu **pas** *voir mes ondines*
Ceintes d'algue et de glaïeul? (Victor Hugo.)

REDOUBLEMENT DE LA NÉGATION

296. Accompagnée d'une autre négation, soit dans la même proposition, soit dans deux propositions différentes, la négation *ne* aboutit à une affirmation renforcée : *Il* **ne** *peut* **pas ne pas** *venir* (= il viendra nécessairement). *Il* **n'***est* **pas** *de témoins qui* **ne** *l'affirment* (= tous les témoins, sans exception, l'affirment).

---

* Cette omission, qui tend à se généraliser dans la langue populaire *(c'est pas moi* pour *ce n'est pas moi)* vient de ce que le sens négatif est indûment passé de *ne* sur les mots qui l'accompagnent : *pas* et *point.*

On en trouve de fréquents exemples, limités à l'interrogation (directe ou indirecte), chez les meilleurs auteurs du XVIIe siècle :

Y a-t-il **pas** *plus de distance de l'infidélité à la foi que de la foi à la vertu?* (Pascal).
Les yeux peuvent-ils **pas** *aisément se méprendre?* (Racine).
Regardez si j'ai **point**
Quelque habit d'homme encor dans mon armoire (La Fontaine).

EMPLOIS DE NENNI

297. A *non* et à *ne* il faut ajouter *nenni* *, dont on use dans la conversation familière, pour répondre négativement à une interrogation exprimée ou sous-entendue : *Voulez-vous aller à la chasse?* — **Nenni**.

REMARQUES. — 1° On dit aussi *nenni-da*, qui s'oppose à *oui-da*, et *que nenni* (= que non).

2° L'adverbe *nenni* peut être employé comme nom dans la locution *un doux* **nenni**, qui signifie « un refus engageant ».

7. ADVERBES D'INTERROGATION

298. Il n'y a d'autres adverbes proprement interrogatifs que la périphrase **est-ce que** (dans l'interrogation directe) qui devient *si* dans l'interrogation indirecte : **Est-ce que** *tu viens? Je demande* **si** *tu viens.*

Mais on interroge sur le lieu, le temps, la manière, la quantité, la cause, à l'aide des adverbes : *où? d'où? par où?* etc. ; *quand?* etc. ; *comment?* etc. ; *combien?* etc. ; *pourquoi?* etc.

L'adverbe d'interrogation se place toujours en tête de la proposition qu'il introduit.

REMARQUE. — Le petit nombre des adverbes d'interrogation est dû à ce que l'interrogation est souvent exprimée :

1° Par le seul mouvement de la phrase : **C'est bien lui?** — *Oui, monsieur.*

2° Par l'inversion du sujet : *Viens*-**tu**? — *Non.*

3° Par des pronoms ou adjectifs interrogatifs : **Qui** *est là ?* — *C'est* **ton frère. Quel** *homme est-ce ?* — *C'est* **un homme** *aimable et riant.*

Dans les deux premiers cas, la réponse se fait par les adverbes *oui*, pour la réponse affirmative ; *non* pour la réponse négative ; dans le troisième, par un nom ou pronom remplissant la même fonction grammaticale que le mot interrogatif.

8. ADVERBES DE DOUTE

299. Les principaux adverbes ou locutions adverbiales de doute sont : **peut-être, sans doute, probablement.**

---

* *Nenni* vient du latin *non illum*, qui est devenu dans l'ancienne langue *nenni* (contraire de *oil*) et qui signifie *non*.

Peut-être marque une simple possibilité *, *sans doute* une probabilité relative ** ; *probablement*, une probabilité.

REMARQUES. — 1° Après *peut-être* et *sans doute* placés en tête de la phrase, l'inversion du sujet est de rigueur si ce sujet est un pronom ; si le sujet est un nom, le nom reste devant le verbe, mais est rappelé par un pronom personnel mis après le verbe : **Peut-être** *viendra-t-***il** *bientôt.* **Sans doute notre homme** *en eût-***il** *dit davantage, mais on l'interrompit brusquement.*

2° Dans les tours *peut-être que, sans doute que, probablement que,* la conjonction *que* met en valeur l'adverbe : **Peut-être qu'***il viendra demain.*

---

* A côté de *peut-être*, l'ancienne langue employait aussi l'adverbe *possible :*
Notre mort... ne tardera **possible** *guères* (LA FONTAINE).
C'est à vous **possible** *qu'est réservé l'honneur...* (MOLIÈRE).

** Au XVIIe siècle la locution *sans doute* avait encore son sens plein et normal et signifiait « sans nul doute, certainement »; elle n'a plus aujourd'hui qu'un sens affaibli et dubitatif : *Ta vertu m'est connue. Elle vaincra* **sans doute** (= sans aucun doute) (CORNEILLE).

IX

LA PRÉPOSITION

300. La **préposition** est un mot invariable qui se place entre deux mots et marque le rapport qui unit le second au premier.

Le premier mot peut être un nom, un pronom, un adjectif, un verbe ou un adverbe ; le second est un nom, un pronom ou l'infinitif d'un verbe : *Le livre* **de** *Pierre ; ceux* **du** *Midi ; content* **de** *soi ; il travaille* **pour** *vivre ; que* **de** *soins.*

301. On distingue :

1° Les prépositions qui sont formées d'un seul mot ou *prépositions proprement dites.*

2° Les prépositions formées de plusieurs mots ou *locutions prépositives.*

302. Les principales prépositions sont :

à
après
avant
avec
chez
contre
dans
de
depuis
derrière
dès
devant
durant
en
entre
envers
excepté
hormis
hors
jusque
malgré
moyennant
nonobstant
outre
par
parmi
pendant
pour
sans
sauf
selon
sous
suivant
sur
*vers**, etc.

---

* La plupart de ces prépositions viennent de prépositions latines : *à (ad)*, *avant (ab ante)*, *avec (ab hoc)*, *contre (contra)*, *dans (de intus)*, *de (de)*, *depuis (de post)*, *derrière (de retro)*, *dès (de ex)*, *devant (de ab ante)*, *en (in)*, *entre (intra)*, *hors*, anciennement *fors* (de *foris*), *jusque* (*de usque*), *outre (ultra)*, *par (per)*, *pour (pro)*, *sans (sine)*, *sous (subtus)*, *sur (super)*, *vers (versus).*

D'autres, bien que simples en apparence, c'est-à-dire exprimées en un seul mot, présentent des composés de mots français déjà formés comme *en-vers*, *hor*[s]-*mis*,

303. A côté des prépositions, on emploie des locutions prépositives, formées :

1° De plusieurs prépositions : *d'après, d'avec, de chez, de devant, d'entre, jusqu'à, jusque dans, jusque sur, par chez*, etc.

2° D'adverbes combinés avec *de : au-dessus de, au-dessous de, auprès de, autour de, loin de*, etc.

3° De noms souvent précédés et toujours suivis d'une préposition : *à cause de, à côté de, à l'aide de, à la faveur de, à force de, afin de* (pour *à fin de*), *au lieu de, en face de, faute de, grâce à, par rapport à*, etc.

EMPLOIS

304. La préposition introduit le plus souvent un *complément : Le cri* **du** *cœur. La plupart* **des** *hommes. Prêt* **à** *parler. Aller* **en** *voiture*, etc.

Elle peut aussi introduire une apposition, un attribut, une épithète, un sujet réel ; elle est dite alors *explétive. Le fleuve* [de] *la Seine. Rien* [*de*] *neuf. Parler* [*en*] *maître.* **Rien** *ne sert* [*de*] *courir.*

Elle sert parfois à mettre un mot en valeur : **Pour** *moi, je m'en moque.*

SENS

305. Les deux prépositions les plus usitées sont *à* et *de ;* il est peu de phrases où elles ne se trouvent, et l'on a pu dire qu'elles soutenaient « presque tout l'édifice de la langue française * ».

---

mal-gré (ou *mal*, ancien adjectif, signifie *mauvais*), *par-mi* (où *mi* est un adjectif neutre signifiant « milieu », latin *medium*).

Après et *selon* sont formés de locutions latines où entrent, comme pour *parmi*, une préposition et un adjectif *(ad-pressum, sub-longum)*.

Chez vient du nom latin *casa* « cabane » *: chez quelqu'un* signifie « dans la maison de quelqu'un » Au XIIIe siècle *chez* avait encore son sens de nom. On disait : *en chez quelqu'un (in casa alicujus)*.

Durant est le participe présent du verbe *durer ; moyennant*, du vieux verbe *moyenner* « fournir »; *pendant* est le participe présent du verbe *pendre*, dans le sens de « être en suspens » : *une des parties vint à mourir* **pendant** *le procès* équivaut à *une partie vint à mourir le procès* **étant en suspens;** *suivant*, du verbe suivre. *Excepté* est le participe passé du verbe excepté.

* L'emploi de *à* et de *de* était plus fréquent encore dans l'ancienne langue que dans la langue actuelle. On trouve au XVIIe siècle la préposition *à* dans des phrases où nous mettrions *avec, chez, dans, pour*, etc. :

La Parque **à** *filets d'or n'ourdira point ma vie* (LA FONTAINE).
Armande, prenez soin d'envoyer **au** *notaire* (MOLIÈRE).
Dieu laissa-t-il jamais ses enfants **au** *besoin?* (RACINE).

306. **A** exprime trois rapports principaux :

1° La *tendance* ou direction vers un lieu, vers un terme, vers un objet : *Aller* **à** *Paris* [lieu]. *Remettre* **à** *huit jours* [temps]. *S'abandonner* **aux** *plaisirs* [intention, destination].

2° La *stabilité*, la situation, la manière d'être : *Habiter* **à** *Paris* [lieu]. **Au** *printemps* [temps]. *Ce livre est* **à** *moi* [possession]. *Vache* **à** *lait* [qualité]. *Aller* **à** *pied* [instrument, manière]. *Face* **à** *face ; corps* **à** *corps* [juxtaposition].

3° La *provenance*, la séparation, l'extraction : *Puiser un renseignement* **à** *bonne source. Demander de l'argent* **à** *son banquier.*

Tous les emplois de **à** se rattachent à ces trois grandes acceptions premières du mot.

307. **De** marque le *point de départ*, et tous ses emplois se rattachent à cette acception première.

1° Il marque l'*origine* *, et, par suite, le complément partitif : *Venir* **de** *Paris* [lieu]. *Partir* **de** *bonne heure* [temps]. *Le père* **d'***Hannibal* [parenté]. *Un vase* **de** *bronze* [matière]. *Manger* **de** *la galette* [complément partitif].

2° Il marque la *cause*, la *manière* et l'*appartenance : Mourir* **de** *plaisir* [cause]. *Marcher* **de** *guingois* [manière]. *Le livre* **de** *Pierre* [appartenance].

3° Il marque le *point de départ* par rapport à un jugement et a le sens de « sur, touchant, relativement à ». *Parler* **de** *diverses choses. Différer* **d'***opinion.*

4° Il a parfois un sens explétif : *La ville* **de** *Rome. Ce fripon* **d'***enfant. Rien* **de** *bon. Traiter quelqu'un* **de** *fripon. S'efforcer* **de** *parler. Il est honteux* **de** *mentir. Grenouilles* **de** *sauter.*

Ce palais fut une décoration **à** *Jérusalem* (BOSSUET).

On disait *à peine* pour *avec peine ; à comparaison de* pour *en comparaison de ; à même emps* pour *en même temps*, etc. Et nous employons encore aujourd'hui *à* pour *pour*, lans *c'est-***à***-dire*, *à* pour *dans*, dans *avoir la joie* **au** *cœur*, etc.

De même on employait *de* avec le sens de *à cause de*, *par*, etc.

Je connais Mopse **d'***une visite qu'il m'a rendue* (LA BRUYÈRE).

Il rachèterait volontiers sa mort **de** *l'extinction du genre humain* (LA BRUYÈRE).

* C'est l'origine que marque la particule nobiliaire *de : Le sire* **de** *Coucy.*

REMARQUES. — 1° Les prépositions **à** et **de** sont souvent mises en opposition pour indiquer la distance d'un lieu, d'un moment, d'un objet à un autre : **De** *Paris* **à** *Berlin.* **De** *cinq* **à** *sept heures.* **Des** *croisades* **à** *nos jours.*

2° Pour exprimer la distance d'un lieu ou d'un moment à un autre, on oppose quelquefois à *de* la préposition *en* au lieu de la préposition *à : Il maigrit* **de** *jour* **en** *jour* (à côté de : *Il maigrit* **d'***un jour* **à** *l'autre). Il vient me voir* **de** *loin* **en** *loin.*

3° Dans les comptes approximatifs, on peut exprimer ou omettre la préposition *de : J'ai compté* **de** 20 **à** 30 *cadavres. J'ai compté* 20 **à** 30 *cadavres.*

Mais lorsqu'il n'y a pas de nombre intermédiaire, on se sert uniquement de la conjonction **ou** : *J'ai compté* 29 **ou** 30 *cadavres.*

4° Il y a une différence entre les locutions : *C'est à moi (à vous, à lui)* **à...** et *C'est à moi (à vous, à lui)* **de...**

La première indique que le tour de quelqu'un est venu pour faire quelque chose ; la seconde, que c'est son droit ou son devoir : *C'est à vous* **à** *monter la garde. C'est à vous* **d'***obéir. C'est à vous* **à** *parler ; c'est à vous* **de** *parler.*

308. **Après** peut avoir pour complément soit un nom ou un pronom, soit un verbe à l'infinitif : **Après** *la vie,* **après** *moi,* **après** *boire.*

Précédé de la préposition *de, après* a le sens de « selon, conformément à » : *Portrait* **d'après** *nature.*

REMARQUES. — 1° Il ne faut point confondre la préposition *après* avec l'adverbe *après,* synonyme de « ensuite », qui s'emploie toujours sans complément :

Il me promène **après** *de terrasse en* **terrasse** (BOILEAU).

2° La langue courante actuelle fait un singulier abus de la préposition *après,* et dit fort incorrectement : *la clef est* **après** *la porte* (pour **à** *la porte*), *il est* **après** *s'habiller* (pour *occupé* **à** *s'habiller*), *crier* **après** *quelqu'un* (pour *contre quelqu'un*), etc.

309. **Auprès de, près de** indiquent : 1° la *proximité : auprès de* exprime la proximité seulement dans l'espace ; *près de* l'exprime dans l'espace et dans le temps : *Il vit* **auprès de** *moi. Il vit* **près de** *moi. Nous sommes* **près de** *l'automne.*

L'une et l'autre de ces locutions prépositives peuvent s'employer au propre et au figuré : *Se faire valoir* **auprès de** *quelqu'un. Une troupe de* **près de** *trente mille hommes.*

2° La comparaison :

Qu'êtes-vous **près de** *lui? Qu'êtes-vous* **auprès de** *lui?*

REMARQUES. — 1° *Près de* peut se construire avec l'infinitif, avec le sens de « sur le point de » : **Près de** *mourir* *.

---

* Au XVIIe siècle, on construisait aussi *auprès de* avec un infinitif, ce qui ne se fait plus aujourd'hui :

La défense du maréchal a été tout **auprès** *d'être ridicule* (Mme DE SÉVIGNÉ).

Il signifie alors « sur le point de », et ne doit pas être confondu avec *prêt à* qui a pour sens « disposé à, préparé à » *.

2° *Auprès de*, signifiant « en comparaison de », a un sens plus général qu'*au prix de*, qui lui était autrefois synonyme **. Aujourd'hui *au prix de* ne s'emploie plus, en ce sens, qu'en parlant de chose qui coûtent, au propre ou au figuré. On dira : *Vos misères sont peu de chose* **auprès des** *miennes* (et non **au prix** *des miennes*) ***.

310. **Avant** et **devant** marquent la priorité, mais *avant* marque la priorité dans le temps, et *devant* dans l'espace **** : **Avant** *l'hiver*. **Devant** *le feu*.

Au figuré, *avant* et quelquefois *devant* servent à marquer la priorité d'ordre et de situation : *Mettre la charrue* **avant** ou **devant** *les bœufs. Avoir le pas* **devant** *quelqu'un.*

Devant peut aussi avoir le sens de « en présence de » : *Parler* **devant** *le roi.*

Avant et *devant* ont pour complément immédiat un nom ou un pronom. *Avant*, ayant pour complément un infinitif (présent ou parfait) est toujours lié avec lui par de : **Avant de** *venir.* **Avant d'***être venu* *****.

---

* Au XVIIe siècle encore, on disait indifféremment *prêt de* et *prêt à* au sens de *près de :*

Et ne nous unissons que pour mieux soutenir
La liberté que Rome est prête à *voir finir* (CORNEILLE).
Ou j'aime à flatter
Ou sur eux quelque orage est tout prêt d'*éclater* (RACINE).

On employait aussi *prêt de* au sens de *prêt à :*

Je me sens **prêt**, *s'il veut*, **de** *lui donner ma vie* (RACINE).

** On les trouve, en effet, employés indifféremment :

Sa vieillesse paraissait flétrie **auprès de** *celle de Mentor* (FÉNELON).
Virgile, **au prix de** *lui, n'a pas d'invention* (BOILEAU).

*** *Près* et *auprès* s'employaient souvent au XVIIe siècle sans être suivis de *de :*

Paris **près** *Pontoise* (SCARRON).

Un pasteur en linge fin et en point de Venise a sa place dans l'œuvre, **auprès** *les pourpres et les fourrures* (LA BRUYÈRE).

**** Au XVIIe siècle, *devant* s'employait aussi pour le temps :

On le faisait lever **devant** *l'aurore* (LA FONTAINE).

***** On disait autrefois *avant que* et *avant que de* devant un infinitif :

Avant que *nous lier, il faut nous mieux connaître* (MOLIÈRE).
Avant que de *combattre, ils s'estiment perdus* (CORNEILLE).

Mais Vaugelas (1647) tient l'emploi d'*avant que* devant l'infinitif comme « peu correct » et fait prévaloir jusqu'au XVIIIe siècle *avant que de*, qui est aujourd'hui d'un emploi vieilli.

On disait aussi *devant que* et *devant que de* avec un infinitif comme complément:

Autrement il mourrait **devant qu'***être à la ville* (LA FONTAINE).
Devant que de *l'acheter* (LA FONTAINE).

Ces deux tournures ont aujourd'hui disparu.

Remarque. — De même qu'*après*, *avant* peut s'employer adverbialement : *Il est allé fort* **avant** *dans le bois* *.

311. **A travers** est immédiatement suivi du complément et signifie « au milieu de » ; **au travers** est toujours suivi de la préposition de, et suppose des obstacles à traverser : *Aller* **à travers champs**. *Se faire jour* **au travers des** *ennemis.*

312. **Dans** et **en** ont en général le même sens et signifient « à l'intérieur de », dans l'espace et dans le temps ; mais *en* est d'un emploi plus étendu **.

Dans ne s'emploie que devant les noms déterminés : **Dans** *la ville.* **Dans** *les affaires.*

En s'emploie surtout devant les noms indéterminés : **En** *ville.* **En** *affaire.* **En** *automne* *** et, par suite, devant les pronoms : **En** *soi.* **En** *vous ;* et devant les participes présents : **En** *marchant.*

Remarques. — 1° *En le* ne s'emploie que sous la forme élidée *en l' :* **En** *l'an deux mille.* **En** **l'***état où je suis.* **En** **l'***honneur de ;* et est ailleurs remplacé par *au* ou *dans le* ou *en.*

En la est peu usité, mais se rencontre :

a) dans le style soutenu ;

b) dans certaines locutions : **En la** *présence de* (par analogie avec *en l'absence de*), *il n'y a pas péril* **en la** *demeure* (locution archaïque pour dire *dans l'attente*), etc..

En les est remplacé par *aux* ou *dans des :* on ne dit pas *en les Indes,* mais *aux Indes* ou *dans les Indes* ****.

2° Employé pour former un complément circonstanciel de temps, *en* signifie « dans l'espace de », *dans* signifie « au bout de » : *Il arrivera* **en** *trois jours ; Il arrivera* **dans** *trois jours.*

3° Dans bien des cas, *en* et *dans* s'emploient avec des nuances différentes. Ainsi *être* **dans** *les affaires. être* **dans** *les larmes,* indiquent une occupation ou

---

* Au xviie siècle, *devant* s'employait aussi adverbialement :

Je suis gros Jean comme **devant** (La Fontaine).

De cet ancien emploi il nous est resté la locution révolutionnaire *ci-devant.*

** C'est ainsi qu'il sert à exprimer : le moyen *(aller* **en** *voiture),* le point de vue *(l'emporter* **en** *bravoure),* la manière *(être* **en** *colère, couper* **en** *deux, agir* **en** *ami),* la matière *(un vase* **en** *bronze),* etc.

*** On dit *en automne, en été, en hiver,* mais *au printemps,* parce que ce dernier mot est composé de * *prim[e] temps* et que *temps* voulait un article.

**** On a vu plus haut (§ 68 *rem.*) qu'*en les* était dans l'ancienne langue remplacé quelquefois par *ès.* Cette contraction, déjà vieillie au commencement du xviie siècle, fut « bannie du beau langage » par Vaugelas (1647) et n'est plus employée aujourd'hui que dans des locutions consacrées : *licencié ès lettres, ès sciences,* etc.

un état permanent et *être* **en** *affaires, être* **en** *larmes,* une occupation ou un état actuel et passager ; **dans** *la ville* s'oppose à « hors de la ville » et **en** *ville* signifie « hors de chez soi ».

313. **Jusque** ne se construit seul que devant les adverbes de lieu *ici, là, où* et devant l'adverbe de temps *alors :* **Jusqu'ici, jusque là, jusqu'où, jusqu'alors** *.

Partout ailleurs il se construit avec *à :* **Jusqu'à** *demain,* **jusqu'à** *Rome,* **jusqu'à** *ses enfants.*

Toutefois on peut dire **jusqu'***aujourd'hui* et **jusqu'à** *aujourd'hui ;* la première tournure est logique, puisque *jusqu'aujourd'hui* équivaut à « jusqu'à le jour d'hui » ; la seconde, qui tend à prévaloir dans l'usage actuel, a été établie par analogie avec *jusqu'à demain* ou *jusqu'à hier,* mais est illogique et pléonastique, puisqu'elle équivaut à « jusqu'à [à] le jour d'hui ** ».

314. **Par** introduit des compléments indiquant :

1° Le *lieu* qu'on traverse : *S'en aller* **par** *monts et* **par** *vaux.*

2° Le *temps* pendant lequel a lieu une action : **Par** *une nuit d'été.*

3° La *partie* par où l'on saisit : *Prendre* **par** *le cou.*

4° La *distribution :* **Par** *douzaines.*

5° Le *moyen* et *l'instrument : Agir* **par** *la douceur. Tuer* **par** *le fer.*

6° L'*agent* et *la cause : Être frappé* **par** *quelqu'un. Agir* **par** *intérêt.*

7° L'*invocation :* **Par** *tout ce qu'il y a de plus sacré au monde.* **Par** *ma foi.* **Par** *Dieu* (d'où le juron *Pardieu !*).

Remarque. — La préposition *par* ne doit être confondue ni avec *par,* adverbe intensif ***, qu'on trouve employé devant *trop* dans des expressions comme : *Il en a dit* **par** *trop. Il est* **par** *trop méchant ;*

ni avec *par,* altération très ancienne de *part,* qu'on trouve dans la locution *de par le roi* (c'est-à-dire de [la] par[t] [de] le roi, de la part du roi).

---

* *Jusqu'alors* équivaut d'ailleurs à « jusqu'à lors ».

** La poésie et le style soutenu ont conservé l'emploi archaïque de *jusques à,* qui tend à disparaître, sauf dans *jusques à quand,* qui se maintient par euphonie dans la prose oratoire; on emploie encore *jusques* dans la vieille locution *jusques et y compris.*

*** C'est l'ancien préfixe intensif latin *per,* qu'on a dans *permagnus* « très grand », *perfacilis* « très facile », etc.

315. **Parmi** et **entre** signifient généralement « au milieu de », mais *parmi* ne peut s'employer que devant un nom pluriel indéfini et exprimant une quantité assez élevée, devant un collectif ou un nom abstrait, tandis que *entre* se dit indifféremment d'une pluralité, de deux objets, et s'emploie encore pour marquer la réciprocité et devant un nom abstrait : **Parmi** *les morts.* **Parmi** *la foule.* **Parmi** *cette agitation.* **Entre** *les morts.* **Entre** *Paris et Orléans. Ils s'aident* **entre** *eux.*

315. **Pendant** et **durant** ont un sens voisin, mais *pendant* envisage aussi bien un instant quelconque de la durée que celle-ci tout entière, tandis que *durant* signifie « pendant toute la durée de » : *Il est sorti* **pendant** *l'entr'acte. Le bruit ne cessa pas* **durant** *(ou* **pendant)** *l'entr'acte.*

317. **Pour** est, après *à* et *de*, la préposition la plus usitée. Cette préposition introduit des compléments exprimant :

1° L'*échange : Ne donner rien* **pour** *rien. Œil* **pour** *œil, dent pour dent.*

2° La *destination* et le *but : Partir* **pour** *la Chine. Travailler* **pour** *son plaisir.*

3° La *cause : Condamné* **pour** *trahison.*

4° Le *temps : Ce sera* **pour** *la Toussaint. Partir* **pour** *trois ans.*

5° La *relation : Grand* **pour** *son âge.*

6° La *comparaison : Scélérat* **pour** *scélérat, mieux vaut un homme intelligent qu'un imbécile.*

Elle introduit aussi parfois un attribut : *Passer* **pour** *sot :* ou une apposition au sujet : **Pour** *moi, j'en ai assez.*

Pour peut être placé non seulement devant un nom, un pronom ou un infinitif, mais encore devant les adverbes *où, quand, aujourd'hui, hier, demain, tantôt, bientôt, lors, longtemps, jamais, toujours, plus tard,* etc., *peu, beaucoup, moins, autant,* etc.

Remarques. — 1° De l'emploi de *pour* devant un adverbe sont venues les locutions conjonctives : *pour peu que* (au sens de *si peu que*) et *pour si peu que :* **Pour peu** *que vous le vouliez, vous réussirez.*

2° On trouve aussi *pour* au sens de *si* devant un adjectif accompagné du verbe être à l'indicatif, au subjonctif ou à l'infinitif :

Pour *grands que* **sont** *les rois ils sont ce que nous sommes* (CORNEILLE).

Pour être *grands, les rois n'en sont pas moins des hommes* (c'est-à-dire *si grands qu'ils sont* ou *qu'ils soient*).

3° *Pour* (ainsi que *contre*), s'emploie quelquefois adverbialement : *Parler* **pour** *et contre ;* et substantiellement : *Plaider* **le pour** *et le contre.*

318. **Sans** a pour compléments des noms, des pronoms, des infinitifs de verbes : **Sans** *les alliés.* **Sans** *toi.* **Sans** *mot dire.*

Vu son caractère négatif, *sans* se construit sans article avec un nom indéterminé : **Sans** *intérêt,*
et forme des locutions adverbiales : *sans doute, sans façon, sans faute, sans feu ni lieu, sans fin, sans haine et sans crainte,* etc.

On dit toutefois *sans le sou,* parce qu'on dit : « Je n'ai pas le sou. »

319. **Sur** signifie :

1° *Au-dessus* de (au propre, avec ou sans contact, et au figuré) : **Sur** *la ville.* **Sur** *le dos.* **Sur** *toute chose. Prendre* **sur** *soi de.... Dire sottise* **sur** *sottise.*

2° *Au sujet de : Parler* **sur** *Napoléon.*

3° *Vers* (approximation dans le temps) : **Sur** *le tard.*

RÉPÉTITION DE LA PRÉPOSITION

320. Les prépositions ne se répètent que devant des compléments exprimant des idées opposées, à l'exception des prépositions *à, de, en,* qui se répètent devant chaque complément : **Par** *les bois et* **par** *les prés. Les villes* **de** *Paris et* **de** *Rome.*

Toutefois *à, de, en* ne se répètent pas :

1° Si le complément forme une locution où le déterminant n'est pas répété : *A vos risques et périls.*

2° Si le complément constitue un titre d'ouvrage, un nom de département, etc. : *La fable de L'Huître et les Plaideurs. Le département de l'Ille-et-Vilaine, le département du Loir-et-Cher.*

X

LA CONJONCTION

321. La **conjonction** est un mot invariable (ou une réunion de mots invariables) servant, comme son nom l'indique à *conjoindre* ou à unir plusieurs mots dans une proposition ou plusieurs propositions entre elles.

322. On distingue, au point de vue du sens, deux sortes de conjonctions : les conjonctions de *coordination* et les conjonctions de *subordination.*

Les conjonctions de *coordination* servent à unir ensemble des mots ou des propositions de même nature : *César* **et** *Pompée furent rivaux. Il boit* **et** *il mange fort bien.*

Les conjonctions de *subordination* servent à subordonner une proposition à une autre : *Après Cannes on put croire* **que** *Rome était perdue.*

323. On distingue, au point de vue de la forme, deux groupes de conjonctions : les *conjonctions* proprement dites, et les *locutions conjonctives* formées de deux ou plusieurs mots, et surtout composées avec *que : afin que, pour que,* etc.

I. — CONJONCTIONS DE COORDINATION

324. Les principales conjonctions de coordination marquent :

1° La *liaison* ou la *disjonction : et, ni, ou, ou bien, soit... soit, tantôt... tantôt.*

2° L'*opposition, la restriction : au contraire, cependant, mais, néanmoins, pourtant, toutefois ; au moins, du moins, seulement.*

3° La *transition,* la *gradation,* la *postériorité : au reste, du reste, au surplus, d'ailleurs, or, bien plus, en outre, alors, puis.*

4° La *raison : car, en effet, c'est-à-dire.*

5° La *conséquence : ainsi, aussi, c'est pourquoi, donc, par conséquent, partant.*

6° La *similitude : ainsi, de même.*

7° La *supposition : sinon* *.

SENS ET EMPLOI DES PRINCIPAUX COORDONNANTS

Et sert le plus souvent à marquer l'union de deux mots ou de deux propositions : *Deux* **et** *deux font quatre. J'ai perdu mon père* **et** *ma mère. Il entre* **et** *sort.*

REMARQUES. — Il exprime aussi :
1° La transition : **Et** *puis on verra bien.*
2° La conséquence : *Il est fort,* **et** *j'ai peur.*
3° L'opposition : *Il vous hait,* **et** *vous l'adorez !*

Quand *et* unit deux propositions, ces propositions sont :

1° Deux propositions affirmatives, soit principales, soit subordonnées à une même proposition affirmative : *Prends ton chapeau* **et** *sors ! Il veut que vous veniez* **et** *que vous l'entendiez.*

2° Deux propositions dont l'une est affirmative et l'autre négative :

Je plie **et** *ne romps pas* (LA FONTAINE).
Je ne vous ai pas suivi, **et** *je m'en félicite.*

3° Deux propositions négatives dont chacune a un sens qui lui est propre : *Ne dites mot* **et** *vous ne serez même pas remarqués.*

Dans une énumération *et* ne s'emploie d'ordinaire qu'entre les deux derniers termes :

Tous furent faits prisonniers : maris, femmes **et** *enfants.*
Elle bâtit un nid, pond, couve **et** *fait éclore* (LA FONTAINE).

---

* Un grand nombre de ces conjonctions dérivent de conjonctions latines : *et* vient de *et; ou* de *aut ; ni* de *nec ; car* de *quare ; sinon* de *si non*, etc. *Soit* vient du subjonctif *sit. Mais* de l'adverbe *magis. Or* du nom *hora* « à cette heure ».
D'autres sont composées : *pour-tant, par-tant, néan-moins (néant-moins), cependant* (pour *pendant ce*[*la*], *toute-fois* (toutes fois), etc.
Car, au XIIIe siècle, avait encore son sens étymologique de *pourquoi*, on disait : « Ne savoir *ni car ni comment.* » — *Mais* a gardé le sien dans la locution *n'en pouvoir mais.* — Au lieu de *ni*, on disait autrefois *ne* (qui est plus près de l'étymologie) : de là une locution que Vaugelas déclare vieillie et que Molière met dans la bouche de Thomas Diafoirus : *ne plus ne moins que.* — *Si* a formé le composé *si-non ;* ces deux mots étaient autrefois distincts. On disait : « *Si lui non* (si non lui), du moins son frère. »

Il peut aussi être supprimé :

Tous furent faits prisonniers : les maris, les femmes, les enfants.
L'attelage suait, soufflait, était rendu (LA FONTAINE).

Il peut enfin être répété devant chaque terme, si l'on veut insister sur chacun d'eux pour marquer la simultanéité :

Et *la terre* **et** *le fleuve* **et** *leur flotte* **et** *le port*
Sont des champs de carnage ou triomphe la mort (CORNEILLE).
Et *le riche* **et** *le pauvre,* **et** *le faible* **et** *le fort*
Vont tous également des douleurs à la mort (VOLTAIRE).

326. **Ni** s'emploie dans les phrases négatives de la même manière que *et* dans les phrases affirmatives : il sert à marquer l'union de deux mots ou de deux propositions :

On ne suit pas toujours ses aïeux **ni** *son père* (LA FONTAINE).
Je ne crois pas qu'il vienne **ni** *qu'il pense à venir.*

On peut toutefois mettre *et* au lieu de *ni* pour relier deux propositions négatives quand on se propose non pas de nier expressément chacune d'elles, mais plutôt de marquer leur union sous une négation commune : *Il ne sait rien* **et** *ne pense à rien.*

Ni se répète d'ordinaire devant chacun des mots * ou chacune des propositions négatives. Dans ce cas la négation *ne* s'emploie sans *pas* ou *point*, et, s'il y a plusieurs verbes elle se répète devant chacun d'eux :

Il n'a **ni** *amis* **ni** *camarades. Il n'a* **ni** *vu* **ni** *entendu*
Un sot **ni** *n'entre* **ni** *ne sort* **ni** *ne se lève* **ni** *ne se tait,* **ni** *n'est sur ses jambes comme un homme d'esprit* (LA BRUYÈRE).

Inversement *ni* peut être supprimé et la coordination se faire sans conjonction :

Remords, crainte, périls, rien ne l'a retenue (RACINE).

REMARQUE. — *Ni* peut aussi suppléer *et sans* après un premier *sans : Sans paix ni trêve ; sans boire ni manger.*

327. **Ou** et **ou bien** servent à marquer la disjonction entre deux

---

* Au XVIIe siècle *ni* pouvait être omis devant le premier terme :
Le soleil **ni** *la mort ne se peuvent regarder fixement* (LA ROCHEFOUCAULD).

mots ou deux propositions : *A-t-elle les yeux bleus* **ou** *noirs? J'ai tort* **ou** *j'ai raison.*

Ou sert aussi à expliquer le choix entre deux expressions qui s'expliquent ainsi l'une par l'autre, il signifie alors « en d'autres termes » : *L'oiseau-mouche* **ou** *colibri.*

(Dans ce cas l'article n'est jamais exprimé devant le second terme).

Ou peut être répété devant chaque membre de la phrase : **Ou** *la maladie vous tuera,* **ou** *le médecin,* **ou bien** *ce sera la médecine* (MOLIÈRE).

Inversement on supprime parfois *ou : Est-ce lui, est-ce vous?*

REMARQUE. — La disjonction est souvent marquée par *soit..., soit,* abréviation de *soit que... soit que,* conjonction de subordination :
Soit *hasard,* **soit** *prudence, il n'était plus chez lui* (RETZ).

II. — CONJONCTIONS DE SUBORDINATION

328. Les conjonctions de subordination marquent :

1° Le *but,* l'*intention : afin que, pour que, de peur que, de crainte que,* etc.

2° La *cause : attendu que, parce que, puisque, comme,* etc.

3° La *condition,* la *supposition : si, pourvu que, à condition que, en supposant que,* etc.

4° La *concession : quoique, bien que, encore que, même si, quand même,* etc.

5° La *conséquence : de sorte que, de façon que, de manière que, loin que, sans que,* etc.

6° La *comparaison : comme, de même que, ainsi que, selon que, comme si,* etc.

7° Le *temps : quand, lorsque, aussitôt que, dès que, depuis que, tandis que, tant que, pendant que, avant que, après que,* etc.

En outre tous les adverbes d'interrogation deviennent des conjonctions de subordination lorsqu'ils sont placés entre deux verbes : *combien, pourquoi, comment, où, quand,* etc.

LA CONJONCTION QUE

329. De toutes ces conjonctions, **que** est celle dont l'emploi est de beaucoup le plus étendu.

1° Elle sert à introduire des propositions subordonnées complétives et des propositions subordonnées circonstancielles :

a) *Propositions subordonnées complétives : Il est vrai* **que** *l'on sue* (proposition complétive sujet, équivalant à « que l'on sue est vrai »). *Je veux* **que** *vous veniez* (proposition complétive objet).

b) *Propositions subordonnées circonstancielles :*

But : Taisez-vous, **que** *j'entende* (= afin que).

Cause : Qu'avez-vous donc, **que** *vous ne mangez point ?* (= puisque).

Condition, supposition :

Qu'*on dise quelque chose ou* **qu'***on ne dise rien,*
J'en veux faire à ma tête (La Fontaine).

Conséquence : Je suis dans une colère **que** *je ne me sens pas* (= telle que).

Comparaison : Il vous hait plus encore **que** *vous ne le haïssez.*

Temps : A peine avait-il commencé à parler **qu'***il se tut.*

2° Elle peut remplacer non seulement toutes les conjonctions formées de *que,* mais encore les conjonctions *comme, quand, si* dans les membres de phrase **où** ces conjonctions devraient être répétées : **Lorsqu'***on regarde et* **qu'***on voit...* **A moins qu'***on ne pense et* **qu'***on ne dise...* **Comme** *je parlais et* **que** *vous m'entendiez...* **Quand** *j'ouvre les yeux et* **que** *je considère...* **Si** *vous dites une chose et* **que** *vous en pensiez une autre...*

3° Elle peut s'employer avec le conditionnel dans certaines phrases elliptiques, indiquant une supposition : *Il aurait trouvé un trésor,* **qu'***il ne serait pas plus heureux* (= en admettant qu'il aurait trouvé un trésor, il ne serait pas plus heureux).

4° Elle peut s'employer d'une manière explétive :

a) Dans la locution : *Si j'étais* **que** *de vous* (on dit aussi : *si j'étais de vous*).

b) Dans les exclamations : *Malheureux* **que** *je suis !*

c) Pour mettre en valeur certains adverbes placés en tête et les interjections *voici, voilà :* **Heureusement que** *vous étiez là.* **Peut-être qu'***il viendra.* **Voilà qu'***il fit un saut.*

d) Dans des phrases où l'on veut mettre quelque emphase : *Le sot* **qu'***il est n'avait rien compris.*

e) Dans certaines locutions adverbiales : *Que si, que non,* etc. ;

5° Elle peut s'employer en tête d'une proposition indépendante ou principale, comme particule introduisant le subjonctif, pour marquer :

a) L'ordre et la défense (à la 3e personne) : **Qu'***il vienne !* **Qu'***il ne sorte pas !*

b) Le souhait et le regret : **Que** *je puisse le voir !* **Que** *ne puis-je parler !*

c) La concession : **Qu'***il s'en aille, et nous serons perdus !*

d) L'exclamation :

> *...Moi, héron,* **que** *je fasse*
> *Une si pauvre chère !* (LA FONTAINE).

REMARQUE. — Il ne faut pas confondre la conjonction *que* avec *que,* pronom relatif : *Les victoires* **que** *Condé remporta... ;*
avec *que,* pronom interrogatif : **Que** *faites-vous ici ?*
avec *que,* adverbe de quantité : **Que** *vous êtes bon !*
avec *que,* adverbe interrogatif de cause : **Que** *tardez-vous ?*

XI

L'INTERJECTION

330. L'**interjection**, ainsi nommée parce qu'elle est *interjetée* dans le discours, est un mot invariable, ou une réunion de mots invariables, exprimant avec vivacité un mouvement ou un sentiment de l'âme.

Il y a des interjections qui marquent :

1° *La joie, l'hilarité : Ah ! Oh ! Bon ! Hi ! hi !*

2° *La douleur : Hélas ! Ah ! Aïe ! Heu ! Hi ! hi !*

3° *La surprise, l'étonnement : Ah ! Eh ! Ha ! Hé ! Bah ! Eh bien ! Eh quoi ! Hé quoi ! Oh ! Ho ! Peste ! Ouais ! Comment ! Grand Dieu ! Juste ciel !*

4° *La crainte, l'aversion : Oh ! Fi ! Ah fi ! Fi donc ! Foin ! Pouah !*

5° *L'indignation : Ho ! Ha ! Hé ! Oh ! Ah !*

6° *L'encouragement : Allons ! Sus ! Sus donc ! Ferme ! Patience ! Alerte ! Preste ! Zest ! Çà ! Or çà ! Courage !* et, en parlant à des animaux : *Hue ! Dia ! Huhau !*

7° *La concession : Soit ! Bon ! Bien !*

8° *Le désir d'arrêter, de faire taire : Là ! Tout doux ! Tout beau ! Halte-là ! Grâce ! Chut ! Paix ! Silence ! Dame !*

9° *L'appel : Hé ! Ohé ! Hem ! Ho ! Holà ! O, st, st !*

10° *L'interrogation : Hein ? Comment ?*

11° *L'action de saluer : Salut ! Bonjour ! Bonsoir ! Adieu ! Serviteur !*

12° *L'action d'applaudir : Bravo ! Vivat ! Hourra !*

13° *L'action de présenter, d'annoncer : Voici, voilà.*

14° *Le soulagement : Ouf !*

15° *L'avertissement : Gare !*

16° *Le désir d'une répétition : Bis !*

17° *L'imitation d'un bruit : Pouf ! Paf ! Pif, paf ! Clic, clac !* etc.

18° *Un juron : Dieu ! Diable ! Diantre !* etc. *.

REMARQUES. — 1° *Voici, voilà,* qui sont souvent opposés, s'emploient le premier pour indiquer un objet rapproché, le second pour indiquer un objet éloigné. Par suite *voici* annonce ce qui va être dit, *voilà*, rappelle ce qui vient de l'être :

Voici *ma maison et* **voilà**, *au bout de la rue, la maison du médecin.*
Voici *ce que j'ai à vous repondre.* **Voilà** *tout ce que j'ai à dire.*
Voilà *tous mes forfaits ; en* **voici** *le salaire* (RACINE).

Voilà s'emploie de préférence à *voici* pour exprimer une affirmation et surtout une exclamation :

Voilà *un bon livre.*
Eh bien ! le **voilà** *donc cet ennemi terrible !* (RACINE).

Voici et voilà forment avec *que* et *comme* des locutions conjonctives :

Voici qu'*il arrive.* **Voilà qu'***il est parti.*
Voilà comme *Pyrrhus vint s'offrir à ma vue* (RACINE).

Voici forme, avec l'infinitif venir, la locution *voici venir* (anciennement *vois ci venir*) : **Voici venir** *le temps que je vous avais dit.*

---

* Les interjections proprement dites, comme *eh ! oh ! ah !* ne sont que des cris de l'âme qui se ressemblent dans toutes les langues, et dont il n'y a point, à proprement parler, d'étymologie. Mais on emploie aussi, comme interjections, des noms, des adjectifs, des verbes, etc., dont le sens est assez clair par lui-même. Il faut remarquer cependant que *hélas* est composé de deux autres interjections, dont la seconde était très usitée dans l'ancien français : *las !* (du latin *lassum* « fatigué ») et employée encore au XVIIe siècle :

Mais, **las** ! *quel parti prendre en un sort si contraire !* (CORNEILLE).

Foin, dont l'origine est obscure, est sans doute une altération de *fi* ou peut être un emploi ironique du nom *foin.* — *Sus*, qu'on emploie aussi dans l'expression *courir sus à quelqu'un,* vient de l'adverbe latin *susum*, forme populaire de *sursum.* — *Alerte* (anciennement *allerte* et *à l'erte*) est venu au XVIe siècle de l'italien *all'erta*, littéralement « sur la hauteur ! ». — *Preste* est aussi emprunté à l'italien (*presto* est le même mot que l'adjectif français « prêt »). — *Zest* est probablement une onomatopée. — *Hue ! dia !* interjections employées pour faire aller les chevaux à droite et à gauche, sont, la première, une onomatopée, la seconde une corruption de *da.* —*Tout doux, tout beau* s'employaient d'abord dans la langue de la chasse, pour calmer les chiens. — *Halte* est un mot d'origine germanique (*halt* « arrêt »). — *Dame* vient du latin *domine* et signifiait « seigneur »; on disait : *dame Dieu !* c'est-à-dire *seigneur Dieu ! ah ! dame,* c'est-à-dire *ah ! Seigneur ! par notre dame !* c'est-à-dire « par notre Seigneur ». — *Bravo* vient de l'italien. — *Vivat* est le subjonctif latin *vivat* « qu'il vive ! » — *Gare* est l'impératif de *garer.* — *Bis* est le mot latin qui signifie « deux fois ».

Quelques-unes de ces interjections représentent toute une proposition; par exemple les interjections : *Patience ! Courage ! Silence ! Suffit !* sont pour : *Prenez patience ! Ayez courage ! Faites silence ! Il suffit !* — *Soit* n'est autre chose que la troisième personne du subjonctif présent du verbe *être*, et équivaut à *que cela soit ! Supposons que cela soit !* Et l'on a vu (§ 327) que ce subjonctif s'emploie aussi comme conjonction.

Quant à *voici, voilà,* ces demi-interjections que certains regardent comme des prépositions ou comme des adverbes, qui se présentent comme des mots simples, sont en réalité composées chacune de deux mots : l'impératif du verbe *voir* (d'après son ancienne orthographe : *voy, voi*) et les adverbes *ci, là.* C'est comme si l'on disait : *vois ici, vois là.* Dans l'ancienne langue d'ailleurs, et jusqu'au XVIe siècle, leurs deux éléments étaient séparables : *voy me là* (me voilà); *voy me ci prêt* (me voici prêt).

Voilà se construit comme un verbe impersonnel avec le pronom neutre *il* dans une tournure interrogative, *ne voilà-t-il pas*, qui s'emploie surtout dans la langue familière : *Ne voilà-t-il pas qu'il se fâche ?*

Dans le style familier on emploie encore *voici*, *voilà* avec le préfixe *re : Me revoici, le revoilà.*

2° Dans les jurons, *diable*, par respect religieux, est devenu *diantre*, et *dieu*, pour la même raison, a été déformé en *bleu : parbleu* (= pardieu), *sacrebleu*, *crebleu* (= par [le] sacre [de] Dieu), *corbleu* (= [par le] corps [de] Dieu), *morbleu* (= [par la] mort [de] Dieu), *palsambleu* (= par le sang [de] Dieu), *têtebleu* (= [par la] tête [de] Dieu), *ventrebleu* (= [par le] ventre [de] Dieu), etc. *.

On déformait aussi *dieu* en *di, dienne : pardi ! pardienne !* ou encore on le remplaçait par d'autres mots : *ventre saint gris, nom d'un chien, nom d'une pipe*, etc.

---

* On disait aussi au XVIe siècle *vertudieu ! tudieu !* (= [par la] vertu [de] Dieu, et dans l'ancien français *par la char bieu* (= par la chair [de] Dieu), *par le cuer bieu* (= par le cœur [de] Dieu), etc.

DEUXIÈME PARTIE

LA PROPOSITION ET LA PHRASE

XII

SYNTAXE DE LA PROPOSITION

333. La proposition est soit un ensemble de mots grammaticalement liés, soit même parfois un seul mot exprimant un fait, une idée, un jugement, un sentiment ou une volonté.

La proposition peut former une phrase complète ou n'être qu'une partie de phrase : *La vie est brève. Je sais que la vie est brève.*

Elle est formée souvent d'un sujet et d'un verbe : *Paul souffre ;* — d'un sujet, d'un verbe et d'un attribut : *Paul est souffrant ;* — d'un sujet, d'un verbe et d'un ou de plusieurs compléments : *Paul souffre du froid...*

Mais il peut y avoir aussi des propositions formées seulement d'un verbe : *Allons !*

— et des propositions sans verbe :

Dehors !

Diseur de bons mots, mauvais caractère (PASCAL).

I. — LE SUJET

334. Le sujet désigne la personne ou la chose qui fait l'action ou qui est dans l'état exprimé par le verbe : **Paul** *souffre.* **Paul** *est souffrant.*

Le sujet peut être :

1° Un nom ou un mot pris substantivement (adjectif, participe, mot invariable, etc.) : *L'***écureuil** *est agile. Les* **absents** *ont toujours tort. Les* **vaincus** *paieront. Les* **si** *et les* **mais** *pleuvaient de tous côtés.*

2° Un pronom : **Je** *pense, donc* **je** *suis* (DESCARTES).

3o Un verbe à l'infinitif : **Vivre** *avilit* (Henri de Régnier).

4o Un adverbe : **Beaucoup** *le pensent, mais* **peu** *le savent.*

5o Une proposition : **Se croire un personnage** *est fort commun en France* (La Fontaine).

SUJET APPARENT ET SUJET RÉEL

335. Une proposition peut renfermer deux sujets, appelés l'un *sujet apparent,* l'autre *sujet réel.*

Le sujet apparent est exprimé par les pronoms *il, ce.*

Avec un sujet apparent l'infinitif sujet réel est souvent précédé de la préposition *de :* **Il** *est bon* **de parler** *et meilleur* **de se taire** (La Fontaine).

(Le sujet apparent est *il,* le sujet réel est *de parler, de se taire.*)

Le sujet *apparent* n'est pas le vrai sujet ; il complète seulement la forme de la proposition, conformément au génie de la langue qui veut un sujet avant le verbe, mais il n'exprime aucune idée par lui-même. C'est le sujet *réel* qui indique ce dont on parle et qui est le véritable sujet de la proposition.

Il *est bon* **de parler** *et meilleur* **de se taire** équivaut à : **Parler** *est bon et* **se taire** *meilleur.*

Le sujet apparent *il* s'emploie avec les verbes impersonnels ou employés impersonnellement.

Les verbes impersonnels ne peuvent avoir d'autre sujet que le sujet apparent : **Il** *gèle.*

Les verbes employés impersonnellement ont, à côté du sujet apparent *il,* un sujet réel : *Il tombe de la neige.* (*Il,* sujet apparent ; *de la neige,* sujet réel.)

Le sujet apparent *ce,* suivi du verbe *être,* représente un sujet réel (nom ou équivalent d'un nom) : **Rire** *de la sorte,* **c'***est de l'imprudence.* (*Ce,* sujet apparent ; *rire,* sujet réel.)

PLACE DU SUJET

336. Le sujet se place généralement *avant* le verbe : **Les merles** *chantaient.*

Toutefois, dans certains cas, on trouve le sujet placé *après* le verbe : c'est ce qu'on appelle l'*inversion du sujet.*

337. A. — L'inversion du sujet est obligatoire :

1° Dans d'anciennes locutions ou constructions qui marquent le souhait, la supposition, la concession, avec un verbe au subjonctif : *Vive* **la France!** *Soit* **une droite...** *J'y serai, fussé*-**je** *mort.*

2° Avec la locution *peu importe : Peu importe* **le jour.**

3° Si la proposition commence par un adjectif attribut : *Tel est* **notre plaisir.**

4° Dans les propositions dites *incises,* intercalées au milieu d'une phrase pour annoncer qu'on rapporte les paroles de quelqu'un : *Il n'est, dit* **le meunier,** *plus de veaux à mon âge* (La Fontaine).

Remarque. — On peut néanmoins écrire indifféremment : *me semble-t-***il** ou **il** *me semble, crois-***je** *ou* **je** *crois, pensé-***je** ou **je** *pense,* etc.

337. B. — L'inversion du sujet est facultative :

1° Dans une proposition commençant par un adverbe de lieu ou de temps, par *au moins, du moins, ainsi,* ou par certains compléments circonstanciels quand le verbe n'a pas de complément d'objet : *Là fut jadis* **Lacédémone.** *Ainsi parlait* **mon père.** *Dans la plaine s'alignaient* **des troupes.**

Remarque. — Après *aussi, à peine, peut-être,* l'inversion du sujet est courante si le sujet est un pronom ; si le sujet est un nom, ce nom doit rester devant le verbe et être rappelé par un pronom personnel : *Peut-être parlera-t-***il.** *Peut-être* **le misérable** *parlera-t-***il.**

2° Après les verbes *rester, suivre, venir,* etc., si le sujet est un nom : **Survinrent nos deux héros.**

3° Dans les propositions subordonnées (relatives et circonstancielles), si le sujet est un nom et si le verbe, à l'exception du relatif *que,* n'a pas de complément d'objet : *Il allait par cette plaine stérile, que recouvraient* **le jonc et le genêt.** *Sa mort est belle, comme le fut* **sa vie.**

4° Dans les propositions subordonnées infinitives, quand l'infinitif n'a pas de complément d'objet : *Il entendait sonner* **les heures.**

REMARQUES. — 1° L'inversion du sujet est obligatoire, quand *faire* est suivi d'un infinitif : *La peur lui* **faisait trembler** *les mains* (*faisait trembler* est considéré comme une locution verbale formant bloc).

2° Si le sujet de l'infinitif est un pronom personnel, il précède toujours l'infinitif : *On* **l'***entendait venir.*

338. C. — La place du sujet dans les propositions interrogatives et exclamatives varie selon les cas :

1° L'inversion du sujet est obligatoire :

a) Quand le sujet est un pronom personnel ou le pronom *on : Rodrigue, as*-**tu** *du cœur?* (CORNEILLE). — *Que fait*-**on** *là?*

REMARQUES. — 1° Cette règle s'étend à *ce* accompagnant le verbe *être : Qui est*-**ce**?

2° Après *qu'est-ce que*, l'inversion du pronom personnel ne se fait pas : *Qu'est-ce que* **tu** *veux*?

Celle des autres pronoms est facultative : *Qu'est-ce que veut* **celui-ci**? ou *Qu'est-ce que* **celui-ci veut**?

3° Après *est-ce que*, il n'y a jamais d'inversion : *Est-ce que* **tu** *vois ?*

b) Quand la proposition commence par l'adjectif attribut *quel* ou le pronom neutre (attribut ou complément d'objet) *que : Quelle est* **votre décision**? *Que t'a fait* **cet homme**? *Qu'est devenue* **cette femme**?

REMARQUES. — 1° Après *qu'est-ce que*, l'inversion du nom est facultative : *Qu'est-ce que demande* **cet homme**? ou *Qu'est-ce que* **cet homme** *demande*?

2° Après *est-ce que*, il n'y a jamais d'inversion : *Est-ce que* **cet homme** *nous voit ?*

2° L'inversion du sujet est facultative, quand le sujet est un nom ou un pronom autre que *on* ou les pronoms personnels, et avec rappel du nom sujet par un pronom personnel quand il n'y a pas inversion :

a) Quand l'interrogation porte sur le complément d'objet, placé en tête : *Quelle piste ont suivie* **les chasseurs**? *Quelle piste* **les chasseurs** *ont-ils suivie?*

b) Après les adverbes *où? quand? comment? Quand arrivent* **nos hôtes**? *Quand* **nos hôtes** *arrivent*-**ils**?

c) Quand la proposition commence par le pronom interrogatif *qui*, attribut, ou par un pronom interrogatif complément précédé d'une préposition : *Qui sont* **ces personnages**? **Ces personnages**, *qui sont*-**ils**?

d) Dans les exclamations : *De quels malheurs l'a tiré* **son père**! *De quels malheurs* **son père** *ne l'a-t*-**il** *pas tirés !*

3° Le sujet reste obligatoirement devant le verbe et est rappelé après le verbe par un pronom personnel, dans tous les autres cas, savoir :

a) Quand la proposition a pour sujet réel le pronom *que:* **Que** *se passe-t*-**il** *chez vous ?*

b) Quand la proposition commence par *qui*, complément d'objet (afin d'éviter toute équivoque) : *Qui* **l'assemblée** *a-t-elle choisi?* (La phrase *Qui a choisi l'assemblée* pourrait s'entendre avec *qui* comme complément d'objet, et *assemblée* comme sujet ou, inversement, avec *qui*, comme sujet, et *assemblée* comme complément d'objet).

c) Quand la proposition interrogative contient un complément d'objet, sans que l'interrogation porte sur ce complément : *Pourquoi* **votre** *frère met*-**il** *tant de hâte à partir?*

d) Quand la proposition ne contient pas un mot interrogatif : **Les enfants** *vous ont*-**ils** *reconnu?*

SUJET NON RÉPÉTÉ

339. Le même sujet peut servir à plusieurs verbes : **L'attelage** *suait, soufflait, était rendu* (LA FONTAINE).

340. Le pronom sujet n'est pas énoncé :

1° A l'impératif : *Va, cours, vole et nous venge* (CORNEILLE).

2° Dans de vieilles locutions : *Soit dit entre nous. Si bon vous semble*, etc.

II. — L'ATTRIBUT

341. L'attribut marque une qualité qu'on juge appartenir, qu'on *attribue* à la personne ou à la chose dont on parle.

L'attribut peut être :

1° Un nom : *Titus fut* **les délices** *du genre humain.*

2° Un adjectif qualificatif ou un participe pris adjectivement : *Il est* **magnifique.** *Elle demeurait* **tremblante.** *On le dit* **blessé.**

3° Un pronom ou un adjectif pronominal : *Je lui dirai* **qui** *vous êtes.* **Quel** *est cet homme?*

4° Un infinitif : *Promettre n'est pas* **tenir.**

5° Une proposition : *Mon dernier mot est* **qu'il faut en finir.**

On distingue l'attribut se rapportant au *sujet* et l'attribut se rapportant au *complément d'objet direct.*

ATTRIBUT DU SUJET

342. L'attribut du sujet est lié au sujet :

1° Par le verbe *être : Tout est* **silence,** *tout est* **joie** (V. HUGO).

2° Par les verbes *paraître, sembler, devenir, rester, demeurer, naître, vivre, mourir,* et en général par tous les verbes exprimant l'état : *Petit poisson deviendra* **grand** (LA FONTAINE) ;

3° Par les verbes *passifs : Cicéron fut nommé* **consul.**

ATTRIBUT DE L'OBJET

343. L'attribut de l'objet est lié à l'objet :

1° Par les verbes signifiant *nommer, appeler, dire,* etc. : *J'appelle un chat* **un chat** (BOILEAU).

2° Par les verbes signifiant *croire, penser, estimer, juger, savoir,* etc. *On le croit* **honnête homme** (MOLIÈRE).

3° Par les verbes *faire, voir, faire voir, montrer, représenter, rendre,* etc. :

Il vous fait **gouverneur** *du prince de Castille* (CORNEILLE).

REMARQUE. — Le mot auquel se rapporte l'attribut est parfois sous-entendu : *La jalousie rend* **malheureux.** (L'attribut *l'homme* ou *les gens* est sous-entendus)

ATTRIBUT INDIRECT

344. L'attribut, tant du sujet que de l'objet, peut être indirect, c'est-à-dire introduit par la conjonction *comme* ou par des prépositions *de, en, pour : Il était regardé* **comme un fourbe.** *Vous le traitiez* **d'enfant!** *Traitez-le* **en homme.** *Je vous prendrai* **pour juge.**

ACCORD DE L'ATTRIBUT

345. Le nom attribut ne peut pas toujours, comme l'adjectif (cf. § 92), s'accorder en genre et en nombre avec le sujet ou l'objet : *Le lion est* **la terreur** *des forêts. Les Mèdes étaient* **un peuple** *belliqueux.*

Mais le nom attribut, s'il a deux formes, l'une pour le masculin, l'autre pour le féminin, prend le genre du nom auquel il se rapporte :

Les Vertus devraient être **sœurs**
Ainsi que les Vices sont **frères** (LA FONTAINE).

REMARQUE. — Le mot *témoin* employé comme attribut reste invariable* quand il est au commencement d'une phrase ou dans la locution « prendre à témoin » :

Témoin *nous que punit la romaine avarice* (LA FONTAINE).
Tite **prenait** *ses dieux* **à témoin** (BOSSUET).

Mais on dit : *Vous m'êtes tous* **témoins...**

III. — L'APPOSITION

346. L'apposition est un mot ou un groupe de mots qui, placé à côté d'un autre mot (nom, pronom, infinitif, groupe de mots ou proposition) ne désigne avec ce mot ou ce groupe qu'une seule et même personne ou une seule et même chose : *Charlemagne,* **fils** *de Pépin. Nous,* **maire** *de la commune, attestons... Partir pour un long voyage,* **ce grand rêve** *approchait. Ils marchèrent pendant deux lieues,* **excellent exercice.**

(*Charlemagne* et *fils, nous* et *maire, partir pour un long voyage* et *ce grand rêve, ils marchèrent pendant deux heures* et *excellent exercice* désignent une seule et même personne ou une seule et même chose ; *fils, maire, ce grand rêve, excellent exercice* sont les mots en apposition.)

347. Le mot mis en apposition peut n'être pas du même genre et du même nombre que le mot auquel il s'appose :

La Loire lente, **honneur** *du vieux pays gaulois* (Jules LEMAITRE).
Enfants, **ma seule joie** (RACINE).

* Sans doute en souvenir de son sens étymologique (latin *testimonium* « témoignage »).

348. L'apposition est souvent séparée du mot auquel elle s'appose par une virgule : *Paris*, **capitale de la France.**

Elle peut aussi lui être jointe : **Le poète** *Tristan Derème.*

Elle peut enfin être précédée d'un *de* explétif, notamment quand elle exprime un nom géographique, un nom propre de personne, un nom de mois, de fonction, et dans certains tours familiers : *La ville* **de** *Paris. Le duché* **de** *Bourgogne. Le nom* **de** *Molière. Le mois* **de** *janvier. Le grade* **de** *capitaine. Ce diable* **d'***homme. Un fripon* **d'***enfant. Son bonhomme* **de** *père.*

IV. — LE MOT EN APOSTROPHE

349. Le mot en apostrophe désigne la personne ou la chose personnifiée à qui l'on parle.

Ce mot peut être un nom ou un pronom :

> **Cieux**, *écoutez ma voix* (RACINE).
> *O* **toi**, *qui vois ma honte...* (RACINE).

350. Le mot en apostrophe se construit sans article, sauf dans la langue familière : *Approchez*, **les enfants.**

V. — LES COMPLÉMENTS DU VERBE

351. Le complément du verbe désigne soit l'objet, soit l'agent, soit l'attribution, soit la circonstance.

A. — COMPLÉMENT D'OBJET

352. Le complément d'objet est un nom, un pronom ou un infinitif indiquant sur qui ou sur quoi porte l'action du verbe transitif : *Il aime* **la campagne.** *Il* **nous** *aime. Il aime* **voyager.**

353. *a)* On appelle complément d'objet *direct* tout complément d'objet qui complète directement, c'est-à-dire sans l'intermédiaire d'une préposition, l'idée exprimée par le verbe : *Vendre* **la peau** *de l'ours.*

REMARQUE. — Dans des expressions comme *vendre de la morue, manger de la viande*, le complément d'objet est direct, *de* n'ayant pas ici une valeur de préposition, mais formant avec *la* l'article partitif comme *du* et *des*.

354. *b)* On appelle complément d'objet *indirect* tout complément d'objet qui complète indirectement, c'est-à-dire par l'intermédiaire d'une préposition, l'idée exprimée par le verbe, sans que la nature du complément en soit changée : *Ce qui nuit* **à** *l'un nuit* **à** *l'autre.*

REMARQUES. — 1° Quand le complément d'objet est un infinitif, cet infinitif est construit directement avec certains verbes, indirectement avec d'autres.

Il est construit directement avec les verbes : *devoir, pouvoir, oser, daigner, faillir, savoir, vouloir, prétendre, désirer, préférer, croire, penser, estimer, supposer, présumer,* etc. : *Je dois* **sortir**. *Il pouvait* **être tué**.

Il se construit précédé de la préposition *à* avec les verbes : *chercher, trouver, apprendre, enseigner, montrer,* etc. *Il cherchait* **à sortir**. *Il trouvait* **à dire**.

Il se construit précédé de la préposition *de* avec les verbes : *achever, cesser, finir, conseiller, entreprendre, essayer, toucher, tâcher, craindre, appréhender, redouter, éviter, regretter, haïr, détester, attendre, accepter, souhaiter,* etc. : *Il achève* **de parler**.

Enfin avec certains verbes il se construit tantôt directement, tantôt indirectement ou bien tantôt précédé de *à,* tantôt précédé de *de : Il aime* **sortir**. *Il aime* **à sortir**. *Il commence* **à marcher**. *Il commence* **de marcher**.

Parfois des différences de sens qu'on essaie d'établir entre ces constructions sont très artificielles et spécieuses (comme dans les exemples précédents) ; parfois elles sont réelles, comme dans les exemples suivants : *Je* **pense sortir** *tout à l'heure. Je* **pense à sortir** *tout à l'heure.*

2° Cette double construction se rencontre avec certains verbes quand le complément d'objet est un nom. Tantôt la différence de construction dépend de la nature du complément (nom de personne ou nom de chose) : *Satisfaire quelqu'un, satisfaire* **à** *un désir. Pardonner* **à** *quelqu'un, pardonner un désir hardi ;* tantôt la différence de construction marque une nuance de sens différente : *Aider quelqu'un* (lui donner une aide durable) ; *aider* **à** *quelqu'un* (lui prêter une aide momentanée) ; *abuser quelqu'un* (le tromper), *abuser* **de** *quelqu'un* (user trop de lui), etc.

B. — COMPLÉMENT D'AGENT

355. Le complément d'agent est un nom ou un pronom indiquant, à côté d'un verbe passif, l'être animé ou la chose personnifiée faisant l'action que subit le sujet.

Ce complément est amené par les prépositions *par* ou *de : Elle est aimée* **par** *ses parents* ou **de** *ses parents.*

REMARQUE. — La préposition *par* peut toujours remplacer la préposition *de,* mais la préposition *de* ne peut pas toujours remplacer la préposition *par.* On dira : *Henri IV fut assassiné* **par** *Ravaillac* (et non pas : *de Ravaillac*).

C. — COMPLÉMENT D'ATTRIBUTION OU DE DESTINATION

356. Le complément d'attribution ou de destination est un nom ou un pronom indiquant à qui ou pour qui l'action est faite ou qui l'état concerne.

Ce complément est amené par les prépositions *à* ou *pour* : *Donner* **aux** *pauvres. Travailler* **pour** *ses enfants.*

REMARQUE. — Sont construits directement avec les verbes les pronoms : *me, te, se, nous, vous ; moi, toi, soi, lui : On* **t'***a donné; laissez-les* **moi.**

D. — COMPLÉMENT CIRCONSTANCIEL

357. Le complément circonstanciel est un nom, un pronom ou un verbe (à l'infinitif ou au participe présent précédé de *en*) complétant l'idée exprimée par un verbe (et quelquefois par un nom) au moyen d'une idée accessoire qui pourrait, à la rigueur, être supprimée sans que le sens général de la proposition fût différent : *Tirer les marrons* **du feu** (nom). — *Vivre* **chez soi** (pronom). — *Rentrant* **d'assassiner,** *ils pillèrent* (infinitif). — *Travailler* **en s'amusant** (participe présent).

La plupart des compléments circonstanciels sont unis au verbe par une préposition, quelques-uns sans préposition : *Mourir* **de faim.** *Travailler* **le matin.**

358. On distingue autant de compléments circonstanciels qu'il y a de circonstances différentes. Les principales sont :

1° La *cause,* introduite par les prépositions *à cause de, par, pour, de, par suite de,* etc. et aussi *malgré, en dépit de, faute de,* etc. : *Mentir* **par devoir.** *Mourir* **de froid.** *Périr* **faute de soins.** *Partir* **malgré soi.**

2° L'*instrument* ou *moyen,* introduit par les prépositions *avec, de, par, à,* etc. : *Frapper* **avec un bâton.** *Battre* **de verges.** *Travailler* **par intermédiaires.** *Pêcher* **à la ligne.**

3° La *manière,* introduite par les prépositions *avec, de, à, par, en, selon, suivant, d'après, sans,* parfois construite sans préposition : *Agir* **avec** *joie. Punir* **sans méchanceté.** *Parler* **la bouche pleine.**

4° L'*accompagnement*, amené par les prépositions *avec* ou *sans* : *Sortir* **avec son fils, sans** *son fils*.

5° La *partie*, introduite par les prépositions *par, à, de*, etc. : *Tenir le loup* **par les oreilles**. *Avoir mal* **à la tête**.

6° Le *prix*, construit souvent sans préposition, parfois introduit par les prépositions *à, moyennant, pour*, etc. : *Acheter* **mille francs**. *Vendre* **à prix d'or**.

7° L'*origine* ou *provenance*, introduite par les prépositions *de, à*, etc. : *Sortir* **de la cuisse de Jupiter**. *Emprunter* **à un usurier**.

8° La *matière*, introduite par les prépositions *en, de*, etc. : *Etre* **en bois**.

9° La *distance*, introduite par les prépositions *à, de, en*, etc. : *Habiter* **à dix milles** *de Rome*.

10° La *mesure*, le *poids*, introduits par les prépositions *de, à*, etc., ou construits sans préposition : *Dépasser quelqu'un* **de deux pouces**. *Peser* **cent kilos**.

11° Le *lieu* (où l'on est, où l'on va, d'où l'on vient ou par où l'on passe), introduit par toute sorte de prépositions ou construit sans préposition.

12° Le *temps* (époque, durée), introduit aussi par toute sorte de prépositions ou construit sans préposition.

A ces compléments circonstanciels peuvent se joindre encore ceux qui marquent le *but*, le *point de vue*, etc.

PARTICULARITÉS SUR LES COMPLÉMENTS

359. 1° Plusieurs verbes peuvent avoir *le même complément* quand ces verbes pris isolément se construisent de la même façon : *Ce général assiégea, prit et saccagea* **la ville**.

Mais si ces verbes ne se construisent pas de la même façon, chaque verbe reçoit le complément qui lui convient : *Ce général assiégea* **la ville**, *s'***en** *empara et* **la** *saccagea* *.

* Cette règle n'est pas toujours observée par les écrivains du XVIIe siècle. *Il a pensé périr* **en allant et en revenant de la Trousse** (Mme DE SÉVIGNÉ).
Les vers lyriques **accompagnent ou répondent** *à la flûte* (RACINE).
Vaugelas ne donne pas cette règle comme une loi absolue. C'est l'Académie dans ses *Observations sur les Remarques de M. de Vaugelas* qui l'a imposée.

2° *Un même verbe* peut avoir plusieurs compléments, à condition que ces compléments soient de même espèce, c'est-à-dire qu'ils soient tous des noms ou des infinitifs :

On peut dire : *Il aime l'étude et la promenade,* mais non : *Il aime l'étude et à se promener.*

On peut dire : *Il apprend à lire et à écrire,* mais non : *Il apprend à lire et l'écriture* *.

3° Le verbe *faire* s'emploie souvent avec un pronom qui le précède et un infinitif qui le suit : ce pronom est complément d'objet direct quand l'infinitif n'a pas de complément d'objet direct ; il est complément indirect quand l'infinitif est suivi d'un complément d'objet direct : *On* **l'***a fait* **renoncer à** *ses prétentions. On* **lui** *a fait* **abandonner** *ses prétentions* **.

PLACE DES COMPLÉMENTS

360. 1° Le *complément d'objet* suit généralement le verbe quand ce complément est un nom ou un infinitif ***, et que la proposition n'est pas une interrogation ou une exclamation introduite par *qui, quel, lequel, que : Chacun suit* **son plaisir.** *Peu de gens savent* **vieillir.**

Mais le complément d'objet précède le verbe quand ce complément est un pronom personnel, et dans les propositions interrogatives ou exclamatives commençant par *qui, que, lequel, que : Chacun* **le** *suit.* **Quelles choses** *savez-vous?* **Que de choses** *vous savez !*

Exception. — Toutefois le pronom personnel suit le verbe quand le verbe est à l'impératif sans négation : *Venge*-**nous.**

---

* Les écrivains du XVIIe siècle en usaient plus librement que nous :
Ils demandent **à boire et du tabac** (Mme de Sévigné).
On ne parle plus **de guerre et de partir** (Mme de Sévigné).

** Cette distinction n'existait pas au XVIIe siècle, où le pronom était toujours complément d'objet direct du verbe *faire* et sujet de la proposition infinitive :
On ne **la** *fera point dire ce qu'elle ne dit pas* (Mme de Sévigné).

*** Dans l'ancienne langue, et encore au XVIIe siècle, on trouve souvent, par conformité avec l'ordre latin, le complément d'objet intercalé entre le sujet et le verbe :
L'aigle et le chat huant **leurs querelles** *cessèrent* (La Fontaine).
Cet ancien ordre est resté dans certaines locutions : *sans* **coup** *férir, il faut* **raison** *garder,* etc.

2° Les *autres compléments* suivent généralement le verbe, mais le précèdent parfois : **A l'œuvre** *on connaît l'artisan* ou *on connaît l'artisan* **à l'œuvre.**

3° Quand le même verbe a plusieurs noms compléments, il n'y a pas d'ordre fixe, mais on met d'ordinaire avant tous les autres le complément le plus court : *Il marquait* **à Silène,** *par un ris moqueur, toutes les fautes que faisait son disciple* (FÉNELON).

C'est l'usage, le goût, et aussi l'ordre des idées qui règlent l'ordre des compléments.

VI. — LE COMPLÉMENT DE NOM

361. Le complément du nom lui est uni par une préposition : *L'amour* **de** *la patrie ; l'obéissance* **à** *la loi ; le zèle* **pour** *la vérité ; un voyage* **en** *chemin de fer ;* des devoirs **envers** *les vieillards,* etc.

362. Ce complément peut être lui-même :

1° Un nom : *L'amour* **de la patrie.**

2° Un pronom : *La confiance* **en soi.**

3° Un infinitif : *Le désir* **de vaincre.**

4° Un adverbe : *Les mœurs* **d'autrefois.**

363. Il peut exprimer : la possession : *le livre* **de Pierre** ; la matière : *un sac* **de toile** ; le contenu : *un sac* **de blé** ; l'espèce : *un jeu* **de cartes** ; la profession : *le métier* **de pilote** ; la qualité : *un homme* **de mérite** ; le prix : *du vin* **à trente francs** ; l'origine : *les vins* **d'Algérie** ; la mesure : *une traîne* **d'un mètre** ; le lieu : *un voyage* **en Orient** ; le temps : *un voyage* **de deux ans.**

REMARQUES. — 1° Les noms tirés des verbes peuvent avoir des compléments de même nature que les verbes et généralement amenés par la même préposition : *Obéir* **aux lois** *de la patrie. L'obéissance* **aux lois** *de la patrie.*

Si le verbe se construit sans préposition, le nom qui en est tiré se construit avec *de* ou *à : Respecter* **les parents.** *Le respect* **des parents.** *Exhorter* **les malades.** *Une exhortation* **aux malades.**

Un même nom peut avoir deux compléments de nature différente : *L'obéissance* **des citoyens aux lois** *de la patrie.*

L'emploi des noms verbaux avec la préposition *de* donne parfois lieu à un double sens : le complément peut indiquer l'*objet* de l'action ou le *sujet* qui l'accomplit. C'est alors l'ensemble de la phrase qui peut seul indiquer le vrai sens : *L'amour* **de la famille**. *La conquête* **de l'Asie** *par Alexandre. L'oubli* **du devoir** (objet de l'action). *L'amour* **d'une mère** *pour ses enfants. Les conquêtes* **d'Alexandre** *en Asie. L'oubli* **des hommes** (sujet qui l'accomplit) *.

2° Un même nom peut recevoir plusieurs compléments de nature différente : *Les possessions* **des Français en Orient**.

3° Deux ou plusieurs noms peuvent avoir un seul complément amené par la même préposition. *Le trouble, le tumulte, l'ivresse* **des** *passions. Son ardeur et son application* **au** *travail. Son zèle et son dévouement* **pour** *la vérité.*

Mais s'ils se construisent avec des prépositions différentes, chacun d'eux doit avoir le complément qui lui convient : *J'estime son amour* **pour** *ses parents et sa confiance* **en** *eux.*

4° Un nom verbal peut avoir pour complément une proposition introduite par *que : La pensée* **que vous étiez peut-être blessé** *me rendait triste.*

VII. — LE COMPLÉMENT DE L'ADJECTIF QUALIFICATIF

364. Le complément de l'adjectif qualificatif lui est uni par une préposition : *Content* **de** *son sort. Utile* **à** *tous. Riche* **en** *blé. Bon* **pour** *les animaux*, etc. **.

365. Ce complément peut être :

1° Un nom : *Content* **de son sort.**

2° Un pronom : *Content* **de soi.**

3° Un infinitif : *Content* **d'être arrivé.**

Remarques. — 1° L'infinitif uni à l'adjectif par la préposition *à* a tantôt un sens actif, tantôt un sens passif : *Un élève ardent* **à travailler** [sens actif]. *Un métal difficile* **à travailler** (= à être travaillé) (sens passif).

2° Un même adjectif peut recevoir plusieurs compléments de nature différente :

Il est **de tout son sang** *comptable* **à sa patrie** (Corneille).

3° Deux ou plusieurs adjectifs peuvent avoir un seul complément amené par la même préposition : *Un maître utile et cher* **à ses élèves.**

Mais s'ils se construisent avec des prépositions différentes chacun d'eux doit

---

* Quelques noms verbaux exprimant un sentiment s'employaient au XVIIe siècle avec des compléments qu'ils n'admettent plus aujourd'hui :

La foi de tes oracles (= en tes oracles). *La croyance de la Providence* (= en la Providence) (Bossuet).

** Plusieurs adjectifs ont marqué autrefois leurs compléments par des prépositions différentes de celles qui les marquent aujourd'hui.

Ainsi Vaugelas disait :

La cour n'est pas suffisante toute seule **de** *servir de règle.*

Nous dirions : *suffisante* **pour**.

avoir le complément qui lui convient : *Un maitre sévère* **pour ses élèves** *et pourtant cher* **à tous**.

4° Un adjectif peut avoir pour complément une proposition introduite par *que : Content* **qu'on l'ait félicité**.

COMPLÉMENT DU COMPARATIF

366. Le complément du comparatif est introduit par la conjonction *que*, qui commande une proposition elliptique : *La vertu est plus précieuse* **que la vie** (entendez : *que la vie est précieuse*).

Toutefois les comparatifs *antérieur, postérieur, supérieur, inférieur*, qui n'ont pas de positif, se construisent avec la préposition *à* : *Il est supérieur* **à son adversaire**.

COMPLÉMENT DU SUPERLATIF

367. Le complément du superlatif relatif lui est uni par les prépositions *de*, quelquefois *entre, d'entre, parmi : Le meilleur* **des hommes**. *Le meilleur* **d'entre les hommes**.

REMARQUES. — 1° Le complément du superlatif est toujours au *pluriel*. Le nom *singulier* qui suit parfois le superlatif n'est pas le complément du superlatif, mais celui d'un nom sous-entendu et qui est, lui, le complément du superlatif : *Les jeux olympiques étaient les plus illustres* **de la Grèce** (c'est-à-dire les plus illustres [des jeux] de la Grèce) (BOSSUET).

2° Le superlatif absolu, par définition, n'a pas de complément.

VIII. — LE COMPLÉMENT DU PRONOM

368. 1° Le pronom démonstratif peut avoir un complément amené par la préposition *de*, et exprimant, comme celui du nom, des rapports de possession, d'origine, de contenu, de quantité, d'espèce, etc. : *Voici mon livre, voilà celui* **de Pierre** (possession). *Les gars de Vendée et ceux* **de Bretagne** (origine). *Quel est le sac de blé, quel est celui* **d'avoine** (contenu), etc.

Ce complément peut être un nom ou un infinitif : *Coudre la peau du renard à celle* **du lion** (nom). *Le seul moyen qui nous reste est celui* **de vaincre** (infinitif).

2° Les pronoms démonstratifs, interrogatifs, certains pronoms indéfinis peuvent avoir un complément de sens *partitif* amené par la préposition *de*, quelquefois par d'*entre : Celui* **de mes livres** *que je préfère. Qui* **de vous**? *Qui* **d'entre vous**? *L'un* **de vos amis** *est venu.*

IX. — LE COMPLÉMENT DE L'ADJECTIF NUMÉRAL

369. L'adjectif numéral peut avoir un complément de sens *partitif*, amené le plus souvent par la préposition *de*, quelquefois par d'*entre*. Ce complément peut être un nom ou un pronom: *Trois* **de ses enfants** *sont morts. Trois* **d'entre eux** *étaient absents.*

X. — LE COMPLÉMENT DE L'ADVERBE

370. Les adverbes de *quantité* et certains adverbes de manière employés au sens quantitatif peuvent recevoir un complément de sens partitif amené par la préposition *de : Beaucoup* **d'enfants**, *peu* **de mal.** *Il y a horriblement* **de misères** *dans ce village.*

2° Certains adverbes, notamment ceux qui marquent une idée d'égalité ou d'inégalité, de ressemblance ou de différence, un rapport, prennent des compléments avec les prépositions *à* et *de*, comme les adjectifs ou comparatifs dont ils dérivent :

Les principaux sont :

a) Avec *à : antérieurement, postérieurement à ; conformément à ; contrairement à ; préférablement à ; proportionnellement à ; relativement à,* etc.

b) Avec *de : différemment de, indépendamment de.*

XIII

SYNTAXE DE LA PHRASE

371. Une phrase peut être formée d'une seule proposition ou de plusieurs : *Elle a peur. Elle a peur qu'il ne soit malade.*

372. Une phrase renferme autant de propositions qu'il y a de verbes à un mode personnel exprimés ou sous-entendus.

Dans la phrase : *Elle a peur qu'il ne soit malade*, il y a deux propositions. Dans la phrase : *Elle aime la ville et moi la campagne*, il y a aussi deux propositions, mais le verbe de la seconde n'est pas exprimé.

REMARQUE. — Dans certains cas il y a des propositions à un mode impersonnel. infinitif ou participe : *Nous entendions* **crier les enfants. Eux partis,** *tous les autres restèrent.*

373. On distingue trois sortes de propositions : la proposition *indépendante*, la proposition *principale*, la proposition *subordonnée.*

374. On appelle proposition *indépendante* une proposition exprimant à elle seule une idée complète, qui ne dépend d'aucune autre et dont aucune autre ne dépend : *La vertu n'est pas toujours récompensée.*

375. On appelle proposition *principale* une proposition qui ne dépend d'aucune autre, mais dont dépendent une ou plusieurs propositions : **On dit** (proposition principale) *que la vertu n'est pas toujours récompensée.* **Je ne sais** (proposition principale) *si la vertu sera récompensée.*

376. On appelle proposition *subordonnée* une proposition qui dépend soit d'une proposition principale, soit d'une autre proposition subordonnée. *On dit* **que la vertu n'est pas toujours récompensée** (proposition subordonnée à la principale). *On dit*

que la vertu n'est pas toujours récompensée, **même si on la pratique assidûment** (proposition subordonnée à la première proposition subordonnée).

PROPOSITIONS JUXTAPOSÉES ET COORDONNÉES

377. 1° Les propositions de quelque sorte qu'elles soient, sont dites *juxtaposées* quand elles sont placées à côté les unes des autres sans autre séparation qu'un signe de ponctuation. *On crie, on court aux armes, on s'élance sur l'ennemi* (indépendantes juxtaposées). **Faites** *ce qu'on vous dit,* **ne dites pas** *ce que vous faites* (principales juxtaposées). *Nous lui dîmes* **où il était, où étaient ses enfants** (subordonnées juxtaposées).

2° Les propositions, de quelque sorte qu'elles soient, sont dites *coordonnées* quand elles sont unies entre elles par une conjonction de coordination. *On criait* **et** *l'on s'enfuyait* (indépendantes coordonnées). **Dites-moi** *qui vous êtes* **et venez avec moi** *si vous voulez* (principales coordonnées). *Ils étaient là cinq ou six* **qui ne disaient rien et ne voulaient pas nous suivre** (subordonnées coordonnées).

PROPOSITIONS INTERCALÉES OU INCISES

378. On appelle proposition *intercalée* ou *incise* une courte proposition faisant partie d'une phrase sans avoir de lien grammatical avec le reste de cette phrase : *Mais,* **dira-t-on,** *que ferez-vous des enfants?*

La proposition incise est tantôt placée entre deux virgules, tantôt mise entre parenthèses.

XIV

PROPOSITIONS INDÉPENDANTES ET PRINCIPALES

379. Les propositions *indépendantes* et les *principales* ont la même syntaxe.

On distingue six espèces de ces propositions :

1° Celles qui expriment un *fait* ou propositions *énonciatives.*

2° Celles qui expriment un *ordre,* une *défense* ou propositions *volitives.*

3° Celles qui expriment un *souhait* ou propositions *optatives.*

4° Celles qui expriment une *concession* ou propositions *concessives.*

5° Celles qui expriment une *délibération* ou propositions *délibératives.*

6° Celles qui expriment une *possibilité* avec une nuance d'étonnement ou d'indignation ou propositions *exclamatives.*

I. — PROPOSITIONS EXPRIMANT UN FAIT

380. Le mode des propositions énonçant un fait pur et simple est généralement l'*indicatif : Le temps* **s'enfuit.**

REMARQUES. — 1° Dans un récit, pour donner plus de vivacité à la phrase, l'indicatif est parfois remplacé par l'*infinitif de narration,* précédé de la préposition *de* (cf. § 256, 1°) :

Grenouilles aussitôt **de sauter** *dans les ondes* (LA FONTAINE).

2° Quand le fait est présenté avec réserve, comme une simple possibilité, le *conditionnel* remplace l'indicatif (cf. § 247, 1°).

3° Dans certaines propositions interrogatives, l'indicatif peut être remplacé par l'infinitif :

Pourquoi le **demander** *puisque vous le savez?*
(= Pourquoi le demandez-vous...) (RACINE).

II. — PROPOSITIONS EXPRIMANT UN ORDRE OU UNE DÉFENSE

381. Le mode des propositions exprimant un ordre ou une défense est généralement : l'*impératif*, quand l'ordre est donné à la 2e personne du singulier et du pluriel ou à la 1re personne du pluriel ; le *subjonctif*, avec ou sans *que*, quand l'ordre est donné à la 3e personne du singulier et du pluriel, personnes qui manquent à l'impératif :

> **Va, cours, vole** (CORNEILLE).
> **Donnez,** *riches* (Victor HUGO).
> **Ne forçons** *point notre talent* (LA FONTAINE).
> **Qu'***ils* **me suivent.**

REMARQUES. — 1° Dans les cas fort rares où l'on se parle à soi-même, le français emploie ou la 2e personne de l'impératif, comme si l'on parlait à autrui, ou la 1re personne du pluriel, en laissant au singulier l'attribut et les mots se rapportant au sujet :

Rentre *en toi-même, Octave* (CORNEILLE).

2° L'*indicatif futur* peut remplacer la 2e personne du singulier et du pluriel : *Tes père et mère* **honoreras** *(= Honore tes père et mère).*

3° L'*infinitif* peut parfois exprimer l'ordre ou la défense : *Ralentir. Ne pas plier.*

III. — PROPOSITION EXPRIMANT UN SOUHAIT

382. La proposition exprimant un souhait a son verbe :

1° Au *conditionnel*, précédé d'un mot exclamatif, *que, combien,* etc. : *Que je voudrais y être !*

2° Au *subjonctif*, seul ou précédé de *que, pourvu que, plaise au ciel que, plût au ciel que,* etc. : *Bénie* **soit** *votre visite ! Que béni* **soit** *le Ciel qui te rend à mes vœux !* (RACINE). *Plût au ciel qu'il* **vécût**!

3° A l'*indicatif*, précédé de *si* ou de *que ne :* **Si** *seulement il* **venait** ! **Que n'est-***il là !*

4° A l'*impératif :* **Soyez** *exaucé.*

IV. — PROPOSITION EXPRIMANT UNE CONCESSION

383. La proposition exprimant une *concession* a généralement son verbe au *subjonctif*, avec ou sans *que :* **Qu'***il s'***en aille,** *que deviendrez-vous?* (c.-à-d. *Admettons qu'il s'en aille...*).

REMARQUE. — L'*indicatif* peut quelquefois exprimer la concession :
Un livre vous **déplait** : *qui vous force à le lire?*
(c'est-à-dire : *J'admets qu'un livre vous déplaise...*) (BOILEAU).

V. — PROPOSITIONS EXPRIMANT UNE DÉLIBÉRATION

384. La proposition exprimant une *délibération* a son verbe :

1° Au *conditionnel,* précédé des mots interrogatifs *que, combien,* etc. : **Que ferais-je**? (c.-à-d. je me demande ce que je dois faire).

2° A l'*infinitif,* précédé de *que, comment, où,* etc. : **Que faire**? (c.-à-d. je me demande ce que je dois faire ou ce que j'aurais dû faire, etc.).

REMARQUE. — On peut aussi employer avec une valeur délibérative l'indicatif présent ou imparfait des verbes *devoir* et *pouvoir : Que* **dois**-*je faire ? Que* **pouvais**-*je dire ?*

VI. — PROPOSITIONS EXCLAMATIVES

385. La proposition exprimant la possibilité avec une nuance d'étonnement ou d'indignation se construit indifféremment :

1° Au *conditionnel : Moi ! je m'***arrêterais** *à de vaines menaces !* (RACINE.)

2° Au *subjonctif : Moi, hélas, que je fasse une si pauvre chère !* (LA FONTAINE).

3° L'*infinitif : Moi ! le* **faire** *empereur ! Ingrat ! l'avez-vous cru?* (RACINE).

4° A l'*indicatif : Moi, j'y* **entends** *finesse ! Moi, je vous* **querelle** *pour lui !* (MARIVAUX).

XV

PROPOSITIONS SUBORDONNÉES

386. La proposition subordonnée peut être introduite.

1° Par une conjonction ou une locution conjonctive : *Je sortirai* **si** *vous sortez.* **A mesure** *qu'il parlait il s'animait.*

2° Par un pronom relatif ou un adverbe relatif : *Il vit un homme* **qui** *s'enfuyait.* **Quelque** *brave* **qu'***il fût, il avait peur.*

3° Par un mot interrogatif (pronom, adjectif ou adverbe) : *Dites-moi* **qui** *vous êtes. Je voudrais savoir* **quel** *jeu vous jouez. Savez-vous* **quand** *vous viendrez?*

Remarques. — Toutefois la proposition *infinitive* et la proposition *participe* ne sont introduites par aucun mot.

387. Les propositions remplissant dans une phrase les mêmes fonctions que les mots dans la proposition, une proposition subordonnée peut-être :

1° Sujet : *Il est bon* **qu'il vienne.**

2° Attribut : *Mon espoir est* **qu'il sera venu.**

3° Apposition : *Je n'ai qu'un espoir,* **que tu viennes vite.**

4° Complément d'objet direct : *Je veux* **qu'il vienne.**

5° Complément d'objet indirect : *Je doute* **qu'il vienne.**

6° Complément circonstanciel : **Quand il viendra,** *nous serons très contents.*

388. Parmi les propositions subordonnées, la plupart équivalent à des *noms ;* certaines, celles qui sont des propositions relatives dont l'antécédent est exprimé, équivalent à des adjectifs : *Je veux* **qu'il vienne** (= je veux sa venue). **Quand il viendra,** *nous serons très contents* (= lors de sa venue, nous serons très contents). *Il vit un homme* **qui s'enfuyait** (= il vit un homme fuyant).

389. Quelle que soit la fonction ou la nature des propositions subordonnées, leur verbe se met en principe à l'indicatif pour exprimer le *fait,* au subjonctif pour exprimer l'*idée : Il dit que le malade guérira.* (La guérison du malade est exprimée comme un

fait.) *Il est peu probable que le malade guérisse.* (On doute que le malade puisse guérir, on a l'idée qu'il ne guérira pas.)

Mais ce principe, à l'usage, souffre des exceptions.

I. — SUBORDONNÉES A UNE PRINCIPALE DONT LE VERBE MARQUE LA CROYANCE, L'AFFIRMATION

390. L'*indicatif* est entraîné dans la subordonnée par les verbes ou locutions verbales qui marquent la croyance, l'affirmation, comme *dire, affirmer, avouer, jurer, prétendre,* etc., *penser, croire, espérer, estimer, juger, savoir, sentir, voir,* etc., *il est certain, clair, évident, manifeste, probable, sûr, vrai, vraisemblable, il paraît, il arrive, il s'ensuit,* etc. : *Je dis qu'il* **s'est trompé**. *Il est probable qu'il* **s'est trompé**.

Mais si le verbe de la principale est employé *négativement* ou *interrogativement* et que par suite il perde sa valeur affirmative, le verbe de la proposition subordonnée se met au *subjonctif* : *Je ne dis pas qu'il* **se soit trompé**. *Est-il probable qu'il* **se soit trompé**?

REMARQUES. — 1° Le subjonctif est aussi nécessaire après des verbes exprimant une idée de doute et de négation, tels que *contester, démentir, désespérer, disconvenir, dissimuler, douter, ignorer, nier,* etc., et après les locutions verbales de même ordre, comme *il est douteux, possible,* etc., même si ces verbes ou ces locutions sont employés négativement : *Je nie qu'il* **se soit trompé**. *Je ne nie pas qu'il* **se soit trompé**.

2° On aura de même le subjonctif quand la proposition subordonnée précède la proposition principale : la proposition subordonnée ainsi placée entraîne, en effet, une idée de doute, que le verbe de la principale vient certifier ensuite, s'il y a lieu : *Qu'il vous ait trompé, je vous en donnerai plusieurs preuves.*

3° Quand le verbe de la principale est accompagné de la conjonction *si*, qui introduit une idée de doute, le verbe de la proposition subordonnée se met *généralement* au subjonctif : *Si vous croyez qu'il* **se soit trompé**, *dites-le.*

Toutefois, si l'on veut appuyer sur l'affirmation, on pourra mettre le verbe à l'indicatif et dire : *Si vous croyez qu'il* **s'est trompé**, *dites-le* *.

---

* C'est cette nuance (penchant vers l'affirmation ou penchant vers le doute) qui fait qu'on dise au présent : *Savez-vous qu'il est mort?* (et non pas *Savez-vous qu'il soit mort?*), mais qu'on puisse dire à l'imparfait : *Saviez-vous qu'il était mort?* ou *Saviez-vous qu'il fût mort?*

Ou encore qu'on écrive avec une référence personnelle : *Il me semble qu'il a tort,* mais d'une façon indéterminée : *Il semble qu'il ait tort.*

Les écrivains du XVIIe siècle avaient ici, dans l'emploi des modes, plus de liberté que nous. Pascal emploie l'indicatif où nous userions du subjonctif :

Il peut se faire que leur ressentiment **part** *de quelque zèle* (= parte).

La Bruyère use inversement du subjonctif où nous mettrions l'indicatif : *On dirait qu'il* **ait** (= qu'il a) *l'orgueil du prince.*

II. — SUBORDONNÉES A UNE PRINCIPALE DONT LE VERBE MARQUE LE DÉSIR, L'EFFORT, LA VOLONTÉ, L'ORDRE OU EXPRIME UN SENTIMENT

391. Le *subjonctif* est entraîné dans la subordonnée par les verbes ou locutions verbales qui marquent le désir, l'effort, le commandement, comme *désirer, souhaiter, demander, prier,* etc., *s'efforcer, avoir soin, conseiller, exhorter,* etc., *vouloir, ordonner, commander, défendre, empêcher, permettre, résoudre, décider, arrêter, convenir, décréter,* etc., *il faut, il importe, il convient, il est bon, juste, nécessaire, désirable, il est temps,* etc., *s'étonner, s'indigner, être content, être fâché, craindre,* etc. : *Je souhaite qu'il* **se soit trompé**. *Je m'étonne qu'il* **se soit trompé**.

Remarques. — 1° Les verbes de « résolution » : *résoudre, décider, arrêter, convenir, décréter, ordonner,* etc., se construisent, non avec le subjonctif, mais avec l'*indicatif futur*, quand il s'agit d'une déclaration judiciaire et officielle :

Ordonné qu'il **sera fait** *rapport à la cour*
Du foin que peut manger une poule en un jour (Racine).

(Le résultat est en effet, présenté comme certain).

2° Il faut noter, dans quelques-unes de ces propositions subordonnées, l'emploi *facultatif* de la négation *ne* :

a) Après les verbes signifiant « craindre », quand la proposition principale est affirmative ou interrogative : *Je crains qu'il se soit trompé* ou *qu'il ne* **se soit trompé.** *Crains-tu qu'il se soit trompé* ou *qu'il* **ne** *se soit trompé?* On emploie toujours *ne... pas* si la crainte est négative : *Je crains qu'il* **ne** *se soit* **pas** *trompé.*

b) Après les verbes signifiant « douter, nier », quand la proposition principale est négative ou interrogative : *Je ne nie pas (je ne doute pas) qu'il se soit trompé* ou *qu'il* **ne** *se soit trompé. Nieras-tu (douteras-tu) qu'il se soit trompé* ou *qu'il* **ne** *se soit trompé.*

c) Après le verbe « il s'en faut, », accompagné d'une négation ou d'une interrogation : *Il ne s'en faut pas de beaucoup qu'il se soit trompé* ou *qu'il* **ne** *se soit trompé. S'en faut-il de beaucoup qu'il se soit trompé* ou *qu'il* **ne** *se soit trompe ?*

d) Après les verbes signifiant « empêcher, éviter, prendre garde », quelle que soit la forme de la proposition principale : *Tout empêche, rien n'empêche, qu'est-ce qui empêche qu'il se soit trompé* ou *qu'il* **ne** *se soit trompé.*

Après *défendre, interdire,* on ne met jamais la négation : *Je défends que vous vous trompiez.*

3° Après les verbes susceptibles d'avoir un double sens et qui marquent tantôt une simple *énonciation*, une *information*, tantôt un *ordre*, une *recommandation*, comme : *admettre, avertir, concevoir, convenir, crier, dire, écrire, entendre, mander, persuader, prétendre*, etc., une double construction est possible : on emploie l'*indicatif* dans le premier cas, le *subjonctif* dans le second :

Les soldats criaient qu'on les **menât** *au combat, qu'ils* **voulaient** *venger la mort de leur général* (Mme de SÉVIGNÉ).

(**Menât** est au subjonctif parce que *criaient* exprime une volonté, et *voulaient* à l'indicatif parce que *criaient* exprime une simple énonciation. La phrase pourrait être ainsi composée : Les soldats criaient : « Menez-nous au combat (ordre). Nous voulons venger notre général (énonciation). » *

III. — SUBORDONNÉES INTERROGATIVES

392. La proposition subordonnée interrogative, qui dépend d'un verbe signifiant *demander, savoir, dire* (interrogation *indirecte*), a son verbe du même mode que celui de la proposition indépendante interrogative correspondante (interrogation *directe*) :

Qui **es**-*tu?* (interrogation directe).
Je sais qui tu **es** (interrogation indirecte).

393. L'interrogation indirecte se distingue de l'interrogation directe en ce qu'elle ne comporte pas d'inversion du sujet et n'est pas ponctuée par un point d'interrogation. Mais elle est introduite par les mêmes mots interrogatifs (pronoms, adjectifs ou adverbes).

Toutefois *est-ce que* est remplacé par *si*, qui prend ici une valeur d'adverbe interrogatif, et le pronom *que*, la locution *qu'est-ce que* sont remplacés par *ce que, ce qui* : **Est-ce que** *tu es là* (ou *Es-tu là?*) (interrogation directe). *Je ne sais* **si** *tu es là* (interrogation indirecte). **Que** *dis-tu?* (interrogation directe). *Je demande* **ce que** *tu dis* (interrogation indirecte).

REMARQUE. — La locution *ce que* peut avoir un sens interrogatif ou un sens relatif. *Je demande* **ce que** *tu lis* peut signifier : *Je demande quel livre tu lis* ou *Je demande*, c'est-à-dire *je désire avoir ce que (le livre que) tu lis*. C'est le contexte qui donne la signification de *ce que*.

---

* Au XVIIe siècle, on employait souvent l'indicatif où nous usons maintenant du subjonctif :

C'est dommage, Garo, que tu **n'es** *point entré*
Au conseil de celui que prêche ton curé (LA FONTAINE).
Ne vous suffit-il pas que je **l'ai** *condamné?* (RACINE).

IV. — SUBORDONNÉES CIRCONSTANCIELLES

394. La proposition subordonnée *circonstancielle* marque une circonstance de l'action exprimée par le verbe de la proposition principale, exactement comme le ferait un *complément circonstanciel.*

La proposition circonstancielle peut exprimer une circonstance :

1° De but, d'intention (proposition *finale*).

2° De cause (proposition *causale*).

3° De condition, de supposition (proposition *conditionnelle*).

4° De concession (proposition *concessive*).

5° De conséquence (proposition *consécutive*).

6° De comparaison (proposition *comparative*).

7° De temps (proposition *temporelle*).

La proposition circonstancielle se construit soit avec une *conjonction* et un verbe à un *mode personnel ;* soit à l'*infinitif*, généralement précédé d'une préposition ; soit au *participe.*

A. — PROPOSITIONS FINALES

395. Les propositions *finales* ont leur verbe :

1° Au *subjonctif* précédé des conjonctions *pour que, afin que,* si la proposition est affirmative, des conjonctions *pour que... ne... pas, afin que... ne... pas, de peur que... (ne), de crainte que... (ne),* si la proposition est négative : *Avancez,* **pour qu'***on vous voie.*

(Le subjonctif se justifie, puisque dans tous les cas la fin qu'on se propose d'atteindre peut ne pas être atteinte.)

REMARQUE. — La proposition finale peut aussi être introduite par la conjonction *que*, employée seule :

a) Quand le verbe de la proposition principale est à l'impératif : *Avancez,* **que** *je vous voie.*

b) Dans une suite de subordonnées, pour ne pas répéter *pour que, afin que,* etc. Cf. § 329, 2°.

2° A l'*infinitif* soit précédé des prépositions *pour, afin de, de peur de, de crainte de, à,* soit, après un verbe de mouvement, employé seul : **Pour dire** *vrai* (ou **à dire** *vrai*) *nous sommes coupables.* **Viens** *ici me* **parler.**

B. — PROPOSITIONS CAUSALES

396. Les propositions *causales* ont leur verbe :

1° A l'*indicatif :*

a) Précédé des conjonctions *parce que, puisque que, comme, vu que, attendu que, sous prétexte que : Avancez,* **puisque** *je vous le* **dis** ;

b) Précédé de la locution *de ce que* après les verbes qui marquent une affection de l'âme (*s'étonner, s'indigner, se réjouir, se plaindre,* etc.) et ceux qui signifient *accuser, louer, blâmer, absoudre,* etc. *Il se plaint* **de ce qu'***on l'***a insulté.**

(Dans les deux cas la cause est considérée comme une réalité.)

Remarque. — On peut employer aussi la conjonction causale *que* avec l'indicatif :

1° Dans la locution *c'est que : Si je ne sors pas, c'est* **que** (= parce que) *je* **suis** *souffrante.*

2° Après une proposition principale interrogative :

Qu'avez-vous donc, dit-il, que vous ne mangez point (Boileau).

3° Pour remplacer *à ce que : Vous perdez beaucoup qu'il ne soit pas là.*

4° Dans une suite de subordonnées, pour éviter les répétitions d'autres conjonctions. Cf. § 329, 2°.

2° *Au subjonctif :*

a) Précédé de la locution *ce n'est pas que,* abrégée parfois en *non que : Venez vite,* **non que** *je* **sois** *mourant, mais parce que je suis malade.*

(La cause est écartée comme irréelle.)

b) Précédé de la conjonction *que,* après un des verbes de sentiment ou signifiant *accuser,* etc., énumérés plus haut : *Je suis fort étonné* **que** *vous ne me* **disiez** *rien.*

3° *A l'infinitif :*

a) Précédé des prépositions *de, pour* (équivalent de *parce que*), *sous prétexte de* (correspondant à *sous prétexte que*), *faute de* (équivalent à *parce que... ne... pas...*) : *Il meurt* **pour avoir fait** *trop d'excès* (= parce qu'il a fait). *Il périra* **faute de savoir** *agir* (= parce qu'il n'a pas su).

b) Précédé de *de,* après un des verbes de sentiment ou signifiant *accuser, louer,* énumérés plus haut : *Je suis fort étonné* **de vous voir** *ne rien dire.*

C. — PROPOSITIONS CONDITIONNELLES

397. Les propositions conditionnelles ont leur verbe :

1° *A l'indicatif :*

a) Précédé de *si :* **Si** *tu* **veux** *qu'on t'épargne, épargne aussi les autres* (LA FONTAINE).

b) Précédé de *si ce n'est que, sinon que, sauf que, excepté que, hors que, hormis que : Il ne dit rien,* **si ce n'est qu'***il* **a** *froid.*

2° *Au subjonctif :*

a) Précédé des locutions *soit que... soit que, soit que... ou que, que... ou que....* pour marquer une alternative :

Qu'*on* **dise** *quelque chose* **ou qu'***on ne* **dise** *rien,*
J'en veux faire à ma tête. (LA FONTAINE).

b) Précédé des conjonctions *pourvu que, en cas que, supposé que, pour peu que, à moins que, à condition que : Je lui pardonne, pourvu qu'il me* **dise** *tout.*

REMARQUES. — 1° *A moins que* est quelquefois accompagné de *ne* explétif :
Car que faire en un gîte **à moins que** *l'on* **ne** *songe*? (LA FONTAINE).

2° *A moins que* est quelquefois remplacé par *sans que*, qui ne prend jamais la négation *ne : Ne décidez rien,* **sans qu'***il vous* **dise** *son avis.*

3° *A condition que* est suivi de l'indicatif futur et non du subjonctif, quand on insiste sur la réalisation de la condition : *Je vous donne cet argent,* **à condition que** *vous* **partirez** *demain.*

4° *Que* peut s'employer suivi du subjonctif :

a) pour remplacer *si*, afin d'éviter une répétition, en tête d'une subordonnée de condition : *S'il vient et* **qu'***on ne me le* **dise** *pas, je me fâcherai ;*

b) pour remplacer *à moins que*, après une proposition principale négative : *Ne sortez pas,* **que** *je ne vous aie vu.*

3° A *l'infinitif :*

a) Précédé de la préposition *à* (correspondant à la conjonction *si* avec l'indicatif) : **A** *l'en* **croire**, *il a raison* (= si on l'en croit).

b) Précédé des locutions prépositives *à moins de, à condition de, à charge de*, etc. : **A moins** *de partir tout de suite, vous n'en sortirez pas* (= si vous ne partez...).

D. — PROPOSITIONS CONCESSIVES

398. Les propositions concessives ont leur verbe :

1° Au *subjonctif :*

a) Précédé des conjonctions *bien que, quoique, encore que, malgré que, en dépit que, loin que, sans que : Il est sorti,* **bien qu'***il* **fît** *mauvais temps.*

b) Précédé du mot *que* annoncé par les corrélatifs *si, pour, quelque :* **Si** *mauvais temps* **qu'***il* **fît**, *il est sorti.*

c) Précédé des locutions adjectives ou pronominales *quel que, qui que, quoi que, qui que ce soit qui, quelque... qui* ou *que :* **Quelque** *mauvais temps* **qu'***il* **fasse**, *sortez.*

Remarques. — 1° Les conjonctions *malgré que, en dépit que,* ne s'emploient correctement qu'avec le verbe *avoir :* **Malgré** *qu'il en* **ait** (ou **en dépit** *qu'il en ait), je ne le recevrai pas.*

2° *Tout... que,* bien qu'ayant le même sens que *quelque... que,* est généralement construit avec l'indicatif : **Tout** *sot* **qu'***il* **est**, *il a fait son chemin.*

2° A l'*infinitif,* précédé des prépositions *pour* (correspondant à *pour que*), *loin de* (correspondant à *loin que*), *sans* (correspondant à *sans que*) :

Mais **pour être dévot**, *on n'en est pas moins homme* (Molière).
(= pour dévot qu'on soit).
Loin *de travailler, il s'amuse.* (= loin qu'il travaille).
Il réussit **sans** *travailler.* (= sans qu'il travaille).

E. — PROPOSITIONS CONSÉCUTIVES

399. Les propositions consécutives ont leur verbe :

1° A l'*indicatif* précédé de la conjonction *que* s'appuyant sur un corrélatif *de façon que, de manière que, de sorte que, en sorte que, tel... que, si... que, tellement ...que, tant... que,* quand la proposition principale est affirmative et que la proposition consécutive exprime un fait réel, un but atteint : *La paresse va* **si** *lentement* **que** *la faim* **l'atteint** *bientôt.*

2° Au *subjonctif,* précédé des mêmes locutions conjonctives ou des locutions *assez... pour que, trop.. pour que,* quand la proposition principale est interrogative ou négative, ou quand la proposition consécutive exprime un fait douteux, un but à atteindre : *Va-t-il*

si *lentement* **qu'***on* **puisse** *bientôt l'atteindre? Il va* **assez** *lentement* **pour qu'***on* **puisse** *l'atteindre.*

REMARQUE. — *Que* peut quelquefois être employé seul, sans corrélatif :
Je suis dans une colère, **que** (= telle que) *je ne me sens pas* (MOLIÈRE).
Faites **que** *je sois présent* (= de telle sorte que).

3° A l'*infinitif*, précédé des locutions prépositives *de façon à, de manière à, en sorte de, à, si... de, jusqu'à, au point de, assez pour, trop pour* (qui correspondent aux locutions conjonctives *de façon que, de manière que, en sorte que, que, si... que, tellement... que, assez... pour que, trop... pour que*) : *Il va* **assez** *lentement* **pour pouvoir** *être atteint. Il est homme* **à se fâcher.**

REMARQUE. — La locution conjonctive négative *sans que* peut, suivie du subjonctif, marquer la conséquence, et, concurremment avec elle, la préposition *sans* avant un infinitif : *Il ne saurait parler* **sans qu'***il* **contredise.** *Il ne saurait parler* **sans contredire.**

F. — PROPOSITIONS COMPARATIVES

400. Les propositions comparatives peuvent être réparties en deux catégories : celles qui expriment la *manière*, et celles qui expriment un rapport d'*égalité* ou d'*inégalité*.

Parmi les premières on distingue celles qui expriment une comparaison *simple* et qui sont introduites par *comme, ainsi que, de même que* marquant la ressemblance, par *selon que, suivant que, à mesure que, à proportion que* marquant la proportion, ou par la conjonction *que* avec divers corrélatifs — et celles qui expriment une comparaison *hypothétique*, introduites par *comme si.*

Les uns et les autres veulent l'*indicatif* :

Comme *il* **sonna** *la charge,* il *sonne la victoire* (LA FONTAINE).
Selon que *vous* **serez** *puissant ou misérable,*
Les jugements de cour vous rendront blanc ou noir (LA FONTAINE).

Les secondes sont introduites par *que*, ayant pour corrélatifs dans la principale : *aussi, si, autant, tant, tel, le même* (rapport d'égalité), *plus, moins, d'autant plus, d'autant moins, autre* (rapport d'inégalité).

Elles ont aussi pour mode l'*indicatif :*

Il faut, **autant qu'***on* **peut,** *obliger tout le monde* (LA FONTAINE).

REMARQUE. — On peut ranger parmi les conjonctions de comparaison la conjonction *si*, quand elle sert à exprimer non pas la condition ni la supposition, mais la ressemblance ou le contraste entre deux termes :

Si (= comme) *vous fûtes vaillant, je le suis aujourd'hui* (CORNEILLE).

En ce sens *si* peut être suivi du *conditionnel :*

J'ai à vous dire que, **si** (= *de même que*) *vous* **auriez** *de la répugnance à me voir votre belle-mère, je n'en avais pas moins à vous voir mon beau-fils* (MOLIÈRE).

G. — PROPOSITIONS TEMPORELLES

401. Les propositions temporelles peuvent être réparties en trois catégories, selon qu'elles présentent l'action comme *simultanée,* ou comme *antérieure,* ou comme *postérieure* à l'action exprimée par le verbe de la proposition principale.

I. — Simultanéité.

402. La proposition temporelle marquant la simultanéité, introduite par les conjonctions ou locutions conjonctives *quand, lorsque, comme si* (= toutes les fois que), *pendant que, tandis que, tant que, aussi longtemps que,* ont pour mode l'*indicatif :*

Quand *l'enfant* **vient,** *la joie arrive et nous éclaire* (V. HUGO).

REMARQUES. — 1° La conjonction *que* s'emploie au lieu de *quand, lorsque, comme :*

a) Après une proposition principale négative : *Je* **n'***avais* **pas** *fini,* **que** *l'aurore apparut.*

b) Après les adverbes *à peine, encore, déjà, aujourd'hui, à présent, maintenant :* **A peine** *avais-je fini,* **que** *l'aurore apparut.*

c) Après les noms de temps *un jour, un soir, une fois,* etc. : **Un jour qu'***il était malade, nous le trouvâmes chez lui.*

2° La conjonction *que* s'emploie au lieu de tout autre conjonction de temps, pour éviter la répétition de ces conjonctions : *Aussi longtemps qu'il fut sorti, et* **qu'***il courut le village, nous l'attendîmes soulagés.*

II. — Postériorité.

403. La proposition temporelle marquant la postériorité, introduite par les conjonctions *jusqu'au moment où, en attendant le moment où,* a son verbe à l'*indicatif : Il combattit,* **jusqu'au moment où** *il* **tomba** *mort.*

Introduite par les conjonctions *avant que, jusqu'à ce que, en attendant que,* elle a pour mode le *subjonctif : Il combattit* **jusqu'à ce** *qu'il* **tombât** *mort.*

On peut la trouver aussi construite avec l'*infinitif* précédé de *avant de* (équivalent de *avant que* avec le subjonctif) : **Avant de mourir**, *il parla.*

III. — Antériorité.

404. La proposition temporelle marquant l'antériorité, introduite par les conjonctions *après que, dès que, aussitôt que, depuis que* a son verbe à l'*indicatif :* **Après qu'***il* **eut parlé,** *il y eut un long silence.*

On peut la trouver aussi construite avec l'*infinitif parfait* précédé de *après* (équivalent de *après que* avec l'indicatif) : **Après avoir parlé,** *ils s'en allèrent.*

REMARQUES. — 1° La conjonction *que* s'emploie au lieu de *depuis que,* après les locutions *il y a longtemps, il y a des années : Il y a longtemps* **que** *je ne l'ai vu.*

2° *Que* s'emploie au lieu de toute autre conjonction de temps pour éviter la répétition de ces conjonctions : *Depuis qu'il est parti et* **que** *nous l'attendons...*

SUBORDONNÉES RELATIVES

405. Les propositions *relatives,* subordonnées à la principale, commel'indique leur nom, par un relatif (pronom, adjectif, adverbe), ont la valeur d'un nom quand elles n'ont point d'antécédent, et celle d'un adjectif épithète quand elles ont un antécédent.

A. — RELATIVES SANS ANTÉCÉDENT

406. Les relatives sans antécédent ont leur verbe à l'*indicatif :* **Qui vivra** *verra.*

L'indicatif est remplacé par le *conditionnel* pour marquer une possibilité : **Qui prendrait** *garde au vent jamais ne sèmerait* (BOSSUET).

B. — RELATIVES A ANTÉCÉDENT

407. Les relatives à antécédent ont leur verbe :

1° A l'*indicatif,* pour exprimer un fait réel :

Un carpeau, **qui n'était encore que fretin,**
Fut pris par un pêcheur (LA FONTAINE).

L'indicatif est remplacé par le *conditionnel* pour marquer une possibilité : *Celui* **qui manquerait** *à l'appel serait puni.*

REMARQUES. — La proposition relative construite à l'indicatif peut, indépendamment de sa valeur d'épithète, être l'équivalent d'une proposition *circonstancielle* marquant :

1° La *cause : Notre homme,* **qui ne savait rien** (= *parce qu'*il ne savait rien) *fut pris au dépourvu.*

2° La *condition : Le temps* **qu'on a perdu** (= *si* on l'a perdu) ne se retrouve *plus.*

3° La *concession : Un crime* **qu'on avoue** (= *bien qu'*on l'avoue) *n'en est pas moins un crime.*

4° Le *temps : L'esprit* **qu'on veut avoir** (= *lorsqu'*on veut en avoir) *gâte celui qu'on a.*

2° Au *subjonctif,* pour exprimer un fait douteux, un résultat éventuel, c'est-à-dire quand la proposition principale est *négative* ou *interrogative,* ou d'une façon générale s'il y a dans cette proposition l'expression d'un effort, d'un désir, d'un doute, etc. :

Ce bloc enfariné ne me dit rien **qui vaille** (LA FONTAINE).
Est-ce une chose **qui puisse** *se faire?*

REMARQUES. — 1° La proposition relative construite au subjonctif est souvent l'équivalent d'une proposition *circonstancielle* marquant *le but, l'intention, la conséquence : Néron monta sur une tour* **d'où** *il* **pût** *contempler l'incendie de Rome* (= afin qu'il pût de là... ou = telle qu'il pût de là...).

2° Il arrive que, par *attraction modale,* le subjonctif soit dans la subordonnée par la présence d'un premier subjonctif dans la proposition dont elle dépend :
Il semble que ce soit un chat **qui vienne** *de prendre une souris* (MOLIÈRE).

3° Il arrive aussi, que le subjonctif soit dans la subordonnée quand l'antécédent est un superlatif relatif ou une expression équivalente : *le premier, le dernier, le seul, l'unique,* etc.
Le tour de la ville de Saint-Malo par les remparts est **une des plus belles** *promenades* **qu'***il y* **ait** (FLAUBERT).
Le chien est **le seul** *animal* **dont** *la fidélité* **soit** *à* **l'épreuve** (BUFFON).

N. B. — Toutefois le subjonctif n'est jamais obligatoire, et l'on peut toujours mettre l'indicatif si la phrase exprime un fait certain, une affirmation absolue : *Est-ce une chose qui* **peut** *se faire? Néron monta sur une tour d'où il* **put** (*ou* **pouvait**) *contempler l'incendie de Rome. Il semble que ce soit un chat qui* **vient** *de prendre une souris. Le chien est le seul animal dont la fidélité* **est** *à l'épreuve.*

SUBORDONNÉES AU PARTICIPE

408. On reconnaît une proposition *subordonnée au participe* à ce que son sujet ne joue aucun rôle grammatical dans la proposition principale. C'est ce qu'on appelle parfois un *participe absolu,* c'est-à-dire « détaché » :

Eux repus, *tout s'endort, les petits et la mère* (LA FONTAINE).

409. La proposition au participe a la valeur d'une proposition circonstancielle, et peut exprimer :

1° La *cause : Quelque diable aussi me* **poussant** (= *parce que* quelque diable me poussait...).

Je tondis de ce pré la largeur de ma langue (LA FONTAINE).

2° La *condition : Le cas* **échéant**, *sauvez-vous* (= *si* le cas échoit, *si* l'occasion se présente).

3° La *concession : La guerre continua encore,* **la ville prise** (= *bien que* la ville fût prise).

4° Le *temps : Moi* **vivant** (= tant que je vivrai), *vous n'obtiendrez rien.*

410. De même que dans les autres propositions le verbe est parfois sous-entendu, le participe peut l'être dans la proposition participiale, quand c'est celui du verbe *être* et qu'une expression fait figure d'attribut : **L'alouette à l'essor,** *le maître s'en vient faire sa ronde...* (Entendez : l'alouette *étant* à l'essor).

REMARQUES. — Bien que le sujet de la proposition absolue ne joue aucun rôle dans la proposition principale, il peut quelquefois s'y trouver représenté par un pronom ou un adjectif pronominal : *La ville étant prise, on* **la** *pilla. Auguste étant mort, Tibère* **lui** *succéda. Le père mort,* **ses** *fils retournèrent le champ.*

En revanche le sujet ne saurait être le même dans les deux propositions et l'on ne peut pas dire : *La ville étant prise,* **elle** *fut pillée,* mais : *La ville étant prise fut pillée* *.

---

* La syntaxe de la proposition absolue était beaucoup plus libre autrefois. On ne peut plus aujourd'hui sous-entendre le sujet de la proposition absolue, comme La Fontaine le faisait :

Dans le marais entrés, *notre bonne commère*
S'efforce de tirer son hôte au fond de l'eau.

On ne peut plus user des propositions absolues impersonnelles, et par conséquent sans sujet :

Mais, lui **fallant** *un pic* (= comme il lui fallait un pic) *je sortis hors d'effroi.*

Ont disparu aussi les propositions absolues, où le participe avait pour sujet une proposition subordonnée introduite par *que :* mais il nous en reste les locutions conjonctives composées d'un participe, telles que : *attendu que, vu que, supposé que, étant donné que,* etc.

XVI

LA CONCORDANCE DES TEMPS

411. Il y a entre le verbe de la proposition principale et le verbe de la proposition subordonnée un *rapport de temps* qui peut se présenter de trois façons différentes :

1° Les deux actions exprimées par le verbe de la proposition subordonnée et par le verbe de la principale sont *simultanées : Je crois* [maintenant] *qu'il arrive* [maintenant].

2° L'action exprimée par le verbe de la proposition subordonnée est *antérieure* à l'action exprimée par le verbe de la principale : *Je crois* [maintenant] *qu'il est arrivé* [hier].

3° L'action exprimée par le verbe de la proposition subordonnée est *postérieure* à l'action exprimée par le verbe de la principale : *Je crois* [maintenant] *qu'il arrivera* [demain].

Remarques. — 1° Le temps du verbe de la proposition principale ne commande pas le temps du verbe de la proposition subordonnée : chaque verbe, dans chacune des deux propositions, conserve sa valeur propre.

Toutefois, si après les temps *présent* et *futur,* le français construit tous les temps, après un temps *passé* il est d'ordinaire amené à construire un temps passé.

2° Quand le verbe dont dépend la proposition subordonnée est à *l'infinitif* ou au *participe,* c'est le verbe de la proposition principale qui règle la concordance des temps : *Je* **crois avoir commandé** *qu'on* **lise** *ce livre. J'***étais** *là* **croyant** *qu'on* **lisait** *ce livre.*

I. — LE VERBE DE LA SUBORDONNÉE EST A L'INDICATIF

412. 1° Quand le verbe de la principale est au *présent* ou à *l'un des deux futurs* (simple et antérieur), les temps de la subordonnée demeurent ceux que le sens exige :

Je crois (je croirai, j'aurai cru) qu'il *arrive.*
Je crois (je croirai, j'aurai cru) qu'il *arrivait.*
Je crois (je croirai, j'aurai cru) qu'il *arriva.*

Je crois (je croirai, j'aurai cru) qu'il *est arrivé.*
Je crois (je croirai, j'aurai cru) qu'il *était arrivé.*
Je crois (je croirai, j'aurai cru) qu'il *serait arrivé.*

2° Quand le verbe de la principale est à un temps *passé :*

a) La *simultanéité* par rapport à ce fait passé est rendue par l'*imparfait :*

Je croyais
Je crus
J'ai cru
J'avais cru } qu'il *arrivait.*

b) L'*antériorité* par rapport à ce fait passé est rendue par le *plus-que-parfait :*

Je croyais
Je crus
J'ai cru
J'avais cru } qu'il *était arrivé.*

c) La *postériorité* par rapport à ce fait passé est rendue par le *conditionnel :* le conditionnel *présent* marque un *futur* par rapport au premier verbe (c'est une sorte d'imparfait du futur) ; le conditionnel *parfait* marque un *futur antérieur* par rapport au premier verbe (c'est une sorte de plus-que-parfait du futur) :

Je croyais
Je crus
J'ai cru
J'avais cru } qu'il *arriverait.* / qu'il *serait arrivé.*

C'est dans cette construction de la proposition subordonnée, et dans cette construction seule, que l'on trouve le *conditionnel* employé avec sa valeur primordiale de temps de l'indicatif.

Remarque. — Toutefois, après une principale au passé, et pour exprimer une *vérité constante et générale, un fait permanent,* le français emploie concurremment : le *présent* à côté de l'*imparfait ;* le *parfait indéfini* à côté du *plus-que-parfait ;* le *futur* à côté du *conditionnel présent ;* le *futur antérieur* à côté du *conditionnel passé :*

Il concluait que la sagesse **vaut** (ou **valait**) *encore mieux que l'éloquence* (VOLTAIRE).

J'ai su là-bas que pour quelques emplettes
Eliante **est sortie** [ou **était sortie**] *et Célimène aussi* (MOLIÈRE).

On m'a dit qu'à Paris je [**trouverai** *ou*] **trouverais** *du pain* (GUIRAUD.)

Télémaque espérait que son père [**sera arrivé** ou] **serait arrivé** (FÉNELON).

II. — LE VERBE DE LA SUBORDONNÉE EST AU CONDITIONNEL

413. Quel que soit le temps du verbe de la principale, quand le verbe de la subordonnée est au conditionnel, il garde toute sa valeur et reste au temps que le sens exige : *Je crois (j'ai cru, je croirai) qu'il arriverait avec plaisir.*

Je crois (j'ai cru, je croirai) qu'il arriverait avec plaisir; *qu'il serait arrivé avec plaiisr.*

III. — LE VERBE DE LA SUBORDONNÉE EST AU SUBJONCTIF

414. Comme dans les propositions subordonnées à l'indicatif ou au conditionnel, l'emploi des temps dans les propositions subordonnées au subjonctif dépend uniquement de l'idée qu'on veut exprimer.

Si le subjonctif avait le même nombre de temps que l'indicatif, la concordance des temps entre la proposition principale et la proposition subordonnée au subjonctif serait la même qu'entre la proposition principale et la proposition subordonnée à l'indicatif. Mais en regard des dix temps de l'indicatif, le subjonctif n'a que *quatre* temps. Chaque temps du subjonctif correspond donc à plusieurs temps de l'indicatif, deux de ses temps correspondant également aux deux temps du mode conditionnel.

L'indicatif et le conditionnel ont comme correspondant au subjonctif :

Pour le présent et le futur : le présent.

Pour l'imparfait et le conditionnel présent : l'imparfait.

Pour le parfait défini, le parfait indéfini et le futur antérieur : le parfait.

Pour le plus-que-parfait, le parfait antérieur, le conditionnel parfait : le plus-que-parfait.

Pour reconnaître le temps du subjonctif qu'il sied d'employer, il faut :

a) Examiner *à quel temps serait la proposition subordonnée si elle se construisait au mode indicatif ou conditionnel.*

b) Employer *le temps correspondant du mode subjonctif.*

Les règles de concordance qui suivent sont l'application de ces principes :

1° Quand le verbe de la principale est au *présent* ou à *l'un des deux futurs,* le verbe de la proposition subordonnée se met au *présent du subjonctif* pour exprimer un fait présent ou futur, au *parfait* du subjonctif pour exprimer un fait passé. *Je ne crois pas (je ne croirai pas, je n'aurai pas cru) qu'il* **vienne.** *Je ne crois pas (je ne croirai pas, je n'aurai pas cru) qu'il* **soit venu.**

2° Quand le verbe de la principale est à un *temps passé,* le verbe de la proposition subordonnée se met à l'*imparfait du subjonctif* pour exprimer un fait présent ou futur, au *plus-que-parfait du subjonctif* pour exprimer un fait passé : *Je ne croyais pas (je ne crus pas, je n'ai pas cru, je n'avais pas cru) qu'il* **vînt.** *Je ne croyais pas (je ne crus pas, je n'ai pas cru, je n'avais pas cru) qu'il* **fût venu.**

Remarques. — 1° Quand le verbe de la principale est au *conditionnel,* on emploie aussi l'*imparfait du subjonctif* pour exprimer un fait présent ou futur, le plus-que-parfait du subjonctif pour exprimer un fait passé : *Je désirerais (J'aurais désiré) qu'il* **vînt.** *Je désirerais (J'aurais désiré) qu'il* **fût venu.**

2° Après un verbe de la principale à un temps passé, et pour exprimer une *vérité constante et générale, un fait permanent,* le français emploie concurremment le *présent* ou l'*imparfait* du *subjonctif,* le *parfait* ou le *plus-que-parfait* du subjonctif.

Dieu a voulu que les vérités divines **entrent** [*ou* **entrassent**] *du cœur dans l'esprit* (Pascal).

*Il a fallu que mes malheurs m'***aient instruit** [ou **m'eussent instruit**] (Fénelon).

3° S'il s'agit d'exprimer une idée qui, dans une proposition indépendante serait marquée par l'*imparfait de l'indicatif* ou par le *conditionnel présent,* par le *plus-que-parfait de l'indicatif* ou par le *conditionnel parfait,* temps qui correspondent à l'*imparfait* ou au *plus-que-parfait du subjonctif,* on emploie toujours ces deux temps dans la proposition subordonnée, quelque soit le temps du verbe de la principale :

*Il n'y a personne qui ne s'***attendît** *à quelque marque de votre souvenir.* [On s'*attendait* à quelque marque de votre souvenir]. (La Rochefoucauld.)

Il n'y a personne qui ne **dût** *avoir une forte teinture de philosophie.* [*Chacun* **devrait** *avoir une forte teinture de philosophie.*]
(La Bruyère).
Je doute qu'il **eût** *mieux* **réussi** [*Il n'***aurait** *pas mieux* **réussi**].
(Fénelon).

IV. — LE VERBE DE LA SUBORDONNÉE EST A L'INFINITIF

415. Quel que soit le temps des verbes de la principale, le verbe de la proposition subordonnée à l'infinitif est :

1° Au *présent*, pour marquer une action *simultanée* ou une action *postérieure* à l'action exprimée par le verbe de la principale :

Un esprit médiocre croit **écrire** *divinement* (action simultanée)
(La Bruyère)
Mardonius croyait **accabler** *les Grecs* (action postérieure) (Bossuet)

2° Au *parfait*, pour marquer une action *antérieure* à l'action. exprimée par le verbe de la principale : *Il croit* **avoir dormi** *long. temps* (action antérieure).

Remarque. — On peut, pour marquer une action *postérieure* à l'action exprimée par le verbe de la principale, user, à côté de l'infinitif *présent*, de l'infinitifutur : *Mardonius croyait* **devoir accabler** *les Grecs. Pierre pensait* **devoir arriver** *le lendemain.*

XVII

LE STYLE INDIRECT

416. Une proposition est au *style direct* lorsqu'elle exprime la pensée de celui qui parle au moment où il parle. Le style direct contient donc les paroles d'une personne telles qu'elles ont été adressées à quelqu'un :

Le chêne un jour dit au roseau :
« **Vous avez bien sujet d'accuser la nature** » (LA FONTAINE).

417. Une proposition est au *style indirect* lorsqu'elle n'exprime pas la pensée de celui qui parle au moment qu'il parle, mais qu'elle la rapporte dans un discours raconté, donc « indirect », qui dépend d'ordinaire des verbes *dire, croire,* etc., exprimés ou sous-entendus : *Le chêne un jour dit au roseau* **qu'il avait bien sujet d'accuser la nature.**

418. La substitution du style indirect au style direct entraîne des changements de mode, de temps et de personne :

1° *Mode.* — L'impératif est généralement remplacé par l'infinitif ou, plus rarement, par le subjonctif :

Style direct.	Style indirect.
Il m'a dit : **Pars** *vite !*	*Il m'a dit* **de partir** *vite.*
Xantus dit à Ésope : **Prends** *garde au premier présage !*	*Xantus dit à Ésope...* **qu'il prît** *garde au premier présage* (LA FONTAINE).

2° *Temps.* — Les temps varient selon les règles de concordance des temps expliquées plus haut (cf. § 411-415).

3° *Personne.* — La 1re et la 2e personne sont ordinairement remplacées par la 3e.

Style direct : *Il a dit :* « **J'***irai les voir bientôt.* »	Style indirect : *Il a dit qu'***il** *irait les voir bientôt.*

REMARQUE. — Toutefois quand on rapporte à une personne ou à un groupe des propos qui les concernent, on trouve la 1re et la 2e personne : *Il m'a dit qu'il irait* **nous** *voir,* **vous** *voir bientôt.*

419. Quand le style indirect dépend d'un verbe sous-entendu, on a une forme intermédiaire entre le style direct et le style indirect proprement dit : c'est le *style indirect libre.* Des écrivains, pour donner plus de variété à la phrase, passent insensiblement du style indirect au style direct, ou inversement :

La dame au nez pointu répondit que la terre
Était *au premier occupant.*
C'était *un beau sujet de guerre*
Qu'un logis où **lui-même il n'entrait** *qu'en rampant!*
« *Et quand ce serait un royaume*
Je voudrais bien savoir, dit-elle, quelle loi
En a pour toujours fait l'octroi
A Jean, fils ou neveu de Pierre ou de Guillaume,
Plutôt qu'à Paul, plutôt qu'à **moi.** »

(LA FONTAINE).

[Si le discours était entièrement au style direct, on aurait : *La dame au nez pointu répondit :* « *La terre* **est** *au premier occupant.* **C'est** *un beau sujet de guerre qu'un logis ou* **toi-même** *tu* **n'entres** *qu'en rampant...*»]

XVIII

LA PONCTUATION

420. La ponctuation sert à marquer, par des signes convenus, la nature des rapports existant entre les phrases, et entre les propositions et leurs différents éléments.

421. Les signes de ponctuation sont : le *point*, la *virgule*, le *point-virgule*, les *deux points*, le *point d'exclamation*, le *point d'interrogation*, les *points de suspension*, la *parenthèse*, les *guillemets*, le *tiret*.

LE POINT (.)

422. Le point se met à la fin d'une phrase pour marquer que ce qui vient d'être dit forme un sens complet : il correspond à un repos et à une descente de la voix :

> *Patience et longueur de temps*
> *Font plus que force ni que rage* (LA FONTAINE).
> *Monsieur n'est pas là.*

REMARQUE. — Le point sert aussi à indiquer une *abréviation : M.* pour *Monsieur ; pron.* pour *pronom ; etc.* pour *et cætera...*

LA VIRGULE (,)

423. La virgule se met à l'intérieur d'une phrase pour séparer soit des éléments d'une même proposition, soit des éléments d'une même phrase : elle correspond à un très bref repos de la voix.

1° La virgule sépare :

a) Les parties *semblables* d'une même proposition (sujets, épithètes, attributs, compléments) quand ils ne sont pas unis par les conjonctions *et, ou, ni :*

Femmes, moine, vieillard, tout était descendu (LA FONTAINE).
Les jeunes chats sont gais, vifs, jolis (BUFFON).
Ils épient les oiseaux, les souris, les rats (BUFFON).
Le soir, au coin du feu, j'ai songé bien des fois... (COPPÉE).

b) Les propositions *juxtaposées* de peu d'étendue :

L'attelage suait, soufflait, était rendu (LA FONTAINE).

REMARQUE. — On ne met pas de virgule, entre deux mots ou entre deux propositions de même nature et de peu d'étendue, quand ces deux mots ou ces deux propositions sont unis par *et, ou, ni :*

Ni l'or ni la grandeur ne nous rendent heureux (LA FONTAINE).

Mais si les mots ou les propositions reliées par *et, ou, ni,* ont quelque étendue ou sont plus de deux, il faut les séparer par une virgule :

Ou la maladie vous tuera, ou le médecin, ou bien ce sera la médecine (MOLIÈRE).

Quand vous prenez le chapeau du voisin, ou quand vous appelez le curé : « Mademoiselle », personne ne songe à s'en fâcher (MUSSET).

2° La virgule sépare du reste de la phrase les mots ou propositions *qu'on peut supprimer sans en détruire le sens :* mot mis en apostrophe, mot en apposition, adverbes à valeur elliptique *(oui, non, si, bon, bien, merci),* incise, proposition circonstancielle, proposition relative non indispensable.

Or ça, sire Grégoire, que gagnez-vous par an? (LA FONTAINE).
Charles Ier, roi d'Angleterre, était juste, modéré, magnanime (BOSSUET).
Oui, je viens dans son temple adorer l'Éternel (RACINE).
Vieillard, lui dit la Mort, je ne t'ai point surpris (LA FONTAINE).
Les méchants ne sont pas capables de la vertu, quoiqu'ils paraissent la pratiquer (FÉNELON).
Morbleu! monsieur le nouveau venu, qui faites l'homme d'importance, ce n'est pas votre affaire (MOLIÈRE).

REMARQUES. — *a)* La proposition circonstancielle et la proposition relative ne sont pas séparées par une virgule de la proposition principale lorsqu'elles sont nécessaires au sens :

Un auteur gâte tout quand il veut trop bien faire (= un auteur voulant trop bien faire gâte tout...) (LA FONTAINE).

Le désir de mériter des louanges qu'on nous donne fortifie notre vertu (LA ROCHEFOUCAULD).

Toutefois quand la proposition circonstancielle *précède* la proposition principale, ou *est intercalée* dans la proposition principale, elle en est séparée par une virgule :

Comme il sonna la charge, il sonne la victoire (LA FONTAINE).
Il était, quand je l'eus, de grosseur raisonnable (LA FONTAINE).

b) La proposition subordonnée sujet, attribut, complément d'objet, n'est pas séparée par une virgule de la proposition principale : *Dis-moi qui tu hantes, je te dirai qui tu es.*

Il faut toutefois excepter le cas où cette proposition est placée *avant* la proposition principale :

Qu'Homère ait composé l'Odyssée depuis l'Iliade, j'en pourrais donner plusieurs preuves (BOILEAU).

3° La virgule marque un *mot sous-entendu*, quand les propositions juxtaposées sont séparées par un signe de ponctuation plus fort que la virgule : *On a toujours raison ; le destin, toujours tort* (LA FONTAINE).

4° La virgule se prête en outre, du fait même qu'elle met en valeur l'élément qu'elle sépare, à l'expression d'*intentions variées : Tout est dit, et l'on vient trop tard, depuis plus de sept mille ans qu'il y a des hommes, et qui pensent* (LA BRUYÈRE).

(La virgule détache et souligne : *et qui pensent.*)

LE POINT-VIRGULE (;)

424. Le point-virgule sépare des membres de phrase d'une certaine étendue, mais liés par le sens. Il indique un repos *moyen*, moins long que le point, plus important que la virgule :

> *Je la crois fine, dit-il ;*
> *Mais le moindre grain de mil*
> *Ferait bien mieux mon affaire* (LA FONTAINE).

REMARQUE. — Le point-virgule s'emploie également pour séparer des membres de phrase renfermant des parties déjà subdivisées par la virgule :

Lagrange et Laplace, pour les mathématiques ; Monge, pour la géométrie descriptive ; Bertholet, pour la chimie ; l'abbé Sicard, pour la grammaire ; La Harpe, pour la littérature, occupèrent les principales chaires de ce magnifique établissement. (MIGNET.)

LES DEUX POINTS (:)

425. Les deux points :

1° Précèdent une énumération, une conséquence, une explication:

Ils étaient trois : le père, la mère et l'enfant.

La bouche crie, le sable l'emplit : silence. Les yeux regardent encore, le sable les ferme : nuit (Victor HUGO).

Trompeurs, c'est pour vous que j'écris :
Attendez-vous à la pareille (LA FONTAINE).

2° S'emploient, accompagnés de guillemets, pour introduire une citation littérale :

Le Chêne un jour dit au Roseau :
« *Vous avez bien sujet d'accuser la Nature.* » (LA FONTAINE).

LE POINT D'EXCLAMATION (!)

Le point d'exclamation se met à la fin d'une phrase exclamative : *Que vous êtes joli! que vous me semblez beau!* (LA FONTAINE).

REMARQUE. — Le point d'exclamation entre parenthèse (!) s'emploie quelquefois pour marquer l'*étonnement*.

LE POINT D'INTERROGATION (?)

426. Le point d'interrogation se met à la fin d'une phrase interrogative : *Qui va là?*

On ne le met toutefois ni après une interrogation indirecte ni d'ordinaire quand la phrase interrogative marque une supposition : *Je demande qui va là. Êtes-vous malade, prenez d'abord du repos.*

REMARQUE. — Le point d'interrogation entre parenthèse (?) s'emploie quelquefois pour marquer le *doute* après une citation.

LES POINTS DE SUSPENSION (...)

427. Les points de suspension servent à marquer que la phrase est *inachevée*, soit involontairement, parce que celui qui parle a été interrompu, soit intentionnellement, parce qu'il dédaigne d'achever sa phrase, pour laisser flotter une menace ou insinuer l'indignation, le mépris, etc. :

J'appelai de l'exil, je tirai de l'armée
Et ce même Sénèque et ce même Burrhus
Qui depuis... Rome alors estimait leurs vertus (RACINE).

Les points de suspension servent encore à marquer une pause, pour souligner ce qui va suivre :

Le travail est un plaisir... dont il est bon d'être consolé (Sacha GUITRY).
Deux vrais amis vivaient au Monomotapa,
Jusqu'au jour où l'un vint voir l'autre... et le tapa (P.-J. TOULET).

Employés dans une citation, les points de suspension indiquent que la citation n'est pas complète. *Vous connaissez le proverbe :* « *Pierre qui roule...* » (suppléez : *n'amasse pas mousse*).

REMARQUE. — Les points de suspension peuvent suivre un point d'exclamation ou d'interrogation, pour ajouter à leur valeur émotive : *O temps !... O mœurs !...*

LA PARENTHÈSE (( ))

428. La parenthèse sert à enfermer des mots qui, placés dans une phrase, forment un sens distinct et isolé :

Je croyais, moi (jugez de ma simplicité),
Que l'on devait rougir de la duplicité (RACINE).

REMARQUES. — 1° La parenthèse peut être précédée ou suivie d'un autre signe de ponctuation.
2° Elle peut être remplacée par des *crochets* ([ ]) notamment pour enfermer un texte où des parenthèses ont déjà été mises.

LES GUILLEMETS (« »)

429. Les guillemets se mettent au commencement et à la fin d'une citation :

« *Va-t'en, chétif insecte, excrément de la terre !* »
C'est en ces mots que le lion
Parlait un jour au moucheron (LA FONTAINE).

Si cette citation est terminée par un point, un point d'exclamation ou d'interrogation, ce point est placé avant la fermeture des guillemets ; si la ponctuation est ajoutée à la citation, elle se place après les guillemets :

Le Chêne un jour dit au Roseau :
« Vous avez bien sujet d'accuser la nature. » (La Fontaine.)
Que pensez-vous du proverbe : « Advienne que pourra »?

LE TIRET (—)

430. Le tiret sert, dans un dialogue, à marquer le changement d'interlocuteur :

Qu'est-cela? lui dit-il — Rien — Quoi! Rien? — ...Peu de chose (La Fontaine).

Remarque. — Le tiret est parfois employé pour remplacer la parenthèse.

INDEX ALPHABÉTIQUE

DES AUTEURS ET DES OUVRAGES DE LANGUE FRANCAISE CITÉS.

N.-B. — Les numéros renvoient aux pages.

INDEX ALPHABÉTIQUE DES MATIÈRES

B

C

D

E

H

I

J

L

M

N

O

P

Q

R

S

W

X

Y

TABLE DE L'OUVRAGE

ACHEVÉ D'IMPRIMER SUR LES
PRESSES DES IMPRIMERIES
PAUL DUPONT, A PARIS
LE 25 JANVIER 1955
NUMÉRO D'IMPRESSION : 4616
NUMÉRO D'ORDRE D'ÉDITEUR
POUR LE DÉPOT LÉGAL : 427